Das Genießer-Koch- & Backbuch
für Diabetiker

Einführungstexte:
Claudia Grzelak
Katja Porath
Karin Hofele
Dr. Marion Burkard

Rezepte:
Doris Lübke
Kirsten Metternich
Claudia Grzelak
Katja Porath

Alle Autorinnen sind Ernährungs-
wissenschaftlerinnen, Diätassis-
tentinnen oder Diabetesberate-
rinnen, die sich seit vielen Jahren
mit dem Thema Ernährung bei
Diabetes beschäftigen.

Das Genießer-
Koch- & Backbuch
für Diabetiker

■ 380 leckere Rezepte
für jeden Tag

Zu diesem Buch

Abwechslungsreiche, wohlschmeckende, einfache und köstliche Rezepte für Diabetiker? Ein Widerspruch in sich? Nicht mehr – wie die vielen Ideen zum Frühstück, zu Snacks und Suppen, Salaten, Fleisch- und Fischgerichten, zu Süßem und Weihnachtlichem zeigen.

Was ist schöner als Genuss ohne Reue? Getreu dieser Grundidee finden Sie in diesem Ratgeber wunderbare Rezepte für viele schmackhafte und leckere Gerichte ohne Einschränkungen, ohne Verbote sowie zahlreiche Tipps zum Abnehmen und rund um die Küche.

Gleichzeitig kennzeichnet alle Rezepte ein hohes diätetisches Know-how: Sie sind erprobt, auf Basis wissenschaftlicher Empfehlungen zusammengestellt und mit genauen Angaben zu Kalorien, Fett, Eiweiß, Kohlenhydraten, Ballaststoffen sowie der Berechnung der KE-Einheiten versehen.

Bei Diabetes ist eine bewusst vernünftige und fettarme Lebensmittelauswahl verbunden mit einer machbaren Verringerung des Körpergewichts ein Garant für gute Blutzuckerwerte. Mithilfe einer richtigen Ernährung können die gefürchteten Folgeerkrankungen wie Nierenleiden, Durchblutungsstörungen oder Herz-Kreislauf-Erkrankungen effektiv bekämpft oder sogar vermieden werden.

Aber wie können kulinarische Ansprüche und persönliche Vorlieben mit einer Erkrankung wie Diabetes vereinbart werden? Der Schlüssel dazu liegt in jedem Menschen selbst. Sie können sich freuen, denn heute sind die strengen und einschränkenden Diabetes-Empfehlungen der Vergangenheit passé. Verbote, nach denen Zucker, Alkohol und Obstsorten ganz vom Diabetes-Speiseplan gestrichen wurden oder kohlenhydratreiche Lebensmittel nur in sehr kleinen Mengen über den ganzen Tag verteilt erlaubt waren, sind heute einer ausgewogenen, abwechslungsreichen und wohlschmeckenden Gerichtevielfalt gewichen.

Hilfreich dabei sind drei Punkte: An erster Stelle steht das Fett: Egal für welches Rezept Sie sich entscheiden, achten Sie darauf, möglichst fettarme Lebensmittel auszuwählen und versteckte Fette zu erkennen und zu meiden. Im Klartext: Tierische Fette z. B. in Wurstwaren sollten eingeschränkt werden. Eine zweite wichtige Regel ist, ballaststoffreich zu essen. Ballaststoffe sorgen nicht nur für gute Blutzuckerwerte, sondern auch für eine regelmäßige Verdauung und schützen Sie vor Heißhungerattacken. Ballaststoffreiche Lebensmittel finden Sie z. B. bei Vollkornprodukten. Zu guter Letzt gilt es, nicht an Gemüse und Obst zu sparen. Sie versorgen Ihren Körper mit lebenswichtigen Vitalstoffen und auch mit notwendigen Ballaststoffen. Diese Empfehlungen lassen sich kurz in drei Buchstaben zusammenfassen: FBB (fettarm, ballaststoffreich und bunt).

Eine Ernährungsumstellung, nachhaltiges Abnehmen sowie moderate Bewegung verbessern die Blutzuckerwerte, senken erhöhten Blutdruck, wirken ausgleichend auf die Blutfettwerte und regulieren die Verdauung. Schon diese einfachen Umstellungen reichen oft aus, den Diabetes Typ 2 zu heilen. Und das häufig besser, als Medikamente es können.

Um die vorliegenden Rezepte nachkochen zu können, müssen Sie kein Meisterkoch oder Diätspezialist sein. Alle Zutaten sind auf Märkten, im Supermarkt oder im Reformhaus erhältlich.

Wir wüschen Ihnen viel Freude beim Kochen und Genießen der köstlichen Rezepte dieses Buches

Ihre Autoren

Köstlich essen und trinken bei Diabetes

Essen und Trinken hält Leib und Seele zusammen – gerade für Menschen mit Diabetes gilt diese alte Volksweisheit. Dabei spielt eine abwechslungsreiche, gesunde Ernährung eine zentrale Rolle. Und auch der Genuss sollte nicht zu kurz kommen. Denn nur wenn beides im Einklang steht, ist es möglich, schlechte Gewohnheiten auf Dauer auch abzulegen.

Die Erkrankung

Diabetes mellitus ist eine Stoffwechselstörung, bei der der Blutzuckerspiegel dauerhaft erhöht ist. Bei allen Menschen, auch gesunden, ist im Blut immer eine gewisse Konzentration an Zucker vorhanden, da Zucker ein lebenswichtiger Energielieferant für unseren Körper ist. Der Blutzuckerspiegel wird durch das Hormon Insulin reguliert. Bei Diabetikern ist diese Regulation gestört. Das kann zu verschiedenen Beschwerden führen. Welche Symptome auf die »Zuckerkrankheit« hindeuten, wie der Arzt diese erkennt und wie Sie sich in Zukunft ernähren sollten, erfahren Sie auf den folgenden Seiten.

Diagnose: Diabetes mellitus

Ein erhöhter Blutzuckerspiegel verursacht keine Schmerzen und zunächst keinerlei Beschwerden. Die Diagnose »Diabetes« kommt für Sie vielleicht sehr überraschend. Die Krankheit ist jedoch weit verbreitet. Weltweit leiden über 200 Millionen Menschen an Diabetes. Schätzungsweise 7,4 Millionen Deutsche sind davon betroffen. Etwa 90 Prozent davon sind Typ-2-Diabetiker. Sehr wahrscheinlich leiden jedoch viel mehr Menschen an Diabetes, da die Diagnose häufig erst Jahre nach dem Auftreten der Erkrankung gestellt wird. Wohlstand ist der Wegbereiter dieser Erkrankung.

Mit »honigsüßes Hindurchfließen« könnte man Diabetes mellitus übersetzen. Was hindurchfließt beziehungsweise ausgeschieden wird, ist allerdings nicht Honig, sondern Zucker. Deshalb wird Diabetes umgangssprachlich auch »Zuckerkrankheit« genannt. Die Zuckerausscheidung im Urin kommt zustande, weil der Zucker im Körper nicht richtig verwertet wird. Die Ursache dafür ist eine Stoffwechselstörung. Diabetes mellitus ist der Oberbegriff für verschiedene Stoffwechselstörungen, die jedoch eines gemeinsam haben: Der Blutzuckerspiegel ist dauerhaft erhöht.

Der Blutzuckerspiegel

Zucker ist ein lebenswichtiger Energielieferant. Vor allem Nerven und Gehirn sind auf Zucker angewiesen. Der Blutzuckerspiegel gibt Auskunft darüber, wie hoch die Konzentration von Zucker im Blut ist. Eine bestimmte Menge muss immer vorhanden sein, damit schnell Energie zur Verfügung steht. Viele Nahrungsmittel und Getränke liefern Zucker, auch wenn sie nicht süß schmecken. Je nach Zuckerart steigt der Blutzuckerspiegel schnell oder langsam an. Traubenzucker lässt ihn schnell ansteigen, Stärke, die im Körper auch zu Zucker umgewandelt wird, dagegen langsamer. Bei Krankheit oder Stress kann der Blutzuckerspiegel schnell in die Höhe gehen, bei Sport oder körperlicher Arbeit fällt er, weil Energie verbraucht wird. Schwankungen sind deshalb ganz normal. Bestimmte Werte sollten jedoch nicht unter- oder überschritten werden. Der Wert wird angegeben in Milligramm Blutzucker (BZ) pro Deziliter (100 Milliliter) Blut, abgekürzt mg/dl oder in Millimol pro Liter, abgekürzt mmol/l.

Insulin – das Zuckerhormon

Insulin ist ein Hormon, das in den Betazellen der Bauchspeicheldrüse gebildet wird. Es sorgt hauptsächlich dafür, dass die Körperzellen für die Aufnahme des Zuckers »geöffnet« werden. Dadurch bleibt der Blutzuckerspiegel im-

So hoch darf der Blutzucker sein

	Nichtdiabetiker	Diabetiker (Typ 1 und Typ 2)		
	Normalwerte	Normalbereich	Grenzbereich	Risikobereich
BZ nüchtern in mg/dl	70–90	80–120	≤ 140	› 140
BZ nüchtern in mmol/l	3,9–5,0	4,4–6,7	≤ 7,8	› 7,8
BZ nach Essen in mg/dl	70–135	80–144	≤ 180	› 180
BZ nach Essen in mmol/l	3,9–7,6	4,5–8,1	≤ 10,0	› 10,0

mer ungefähr gleich hoch. Erst wenn der Zucker in den Zellen ist, kann daraus Energie gewonnen werden. Die Insulinproduktion ist normalerweise optimal geregelt. Gibt es viel Zucker im Blut, wird viel Insulin produziert, fällt der Blutzuckerspiegel, dann sinkt die Produktion.

Unterschiedliche Diabetestypen

Bei einer Diabeteserkrankung ist entweder die Insulinproduktion oder das Zusammenspiel zwischen Insulin und Körperzellen gestört. Abhängig davon, wann eine Diabeteserkrankung auftritt, welches die Ursachen sind und wie die Stoffwechselstörung genau aussieht, wird zwischen verschiedenen Diabetestypen unterschieden.

Typ-1-Diabetes

Dieser Typ wurde früher auch als »jugendlicher Diabetes« bezeichnet, weil er meist in der Kindheit oder Jugend auftritt. Es können aber Menschen jeden Alters daran erkranken. Typ-1-Diabetes ist eine Autoimmunerkrankung. Der Körper greift eigene Zellen an, in diesem Fall die Betazellen der Bauchspeicheldrüse, und zerstört sie durch Antikörper. Die Zellen können dann kein oder fast kein Insulin mehr herstellen. Betroffene müssen schnell mit Insulin behandelt werden. Wie es zu dieser Reaktion des Körpers kommt, ist unklar. Bekannt ist jedoch, dass die Erbanlagen eine Rolle spielen können. Meist ist jedoch ein besonderer Auslöser notwendig, damit die Krankheit ausbricht. Das kann beispielsweise eine Virusinfektion sein.

Typ-2-Diabetes

Fast 90 Prozent der Diabetiker leiden am Typ-2-Diabetes. Umgangssprach-

lich wird er auch »Altersdiabetes« genannt, denn meist sind ältere Menschen betroffen. Die Hauptursache ist die so genannte Insulinunempfindlichkeit oder Insulinresistenz. Die Betazellen der Bauchspeicheldrüse schütten zwar Insulin aus, die Körperzellen reagieren aber kaum mehr darauf. Dadurch können sie den Zucker aus dem Blut nicht mehr optimal verarbeiten. Übergewicht und Bewegungsmangel verstärken die Insulinresistenz. Wegen der Unempfindlichkeit der Körperzellen muss nun deutlich mehr Insulin zur Verfügung gestellt werden, um den Blutzucker zu regulieren. Den Betazellen wird also ständig Mehrarbeit abverlangt. Dies kann auf Dauer zur Erschöpfung der Zellen führen und so weit gehen, dass Betroffene Insulin spritzen müssen (wie beim Typ-1-Diabetes).

Heute sind viele Kinder und Jugendliche übergewichtig, die Diagnose Typ-2-Diabetes wird deshalb in immer jüngeren Jahren gestellt. Wenn zum Diabetes vom Typ 2 noch Übergewicht, hoher Blutdruck, Fettstoffwechselstörungen oder auch Gicht kommen, sprechen Fachleute vom metabolischen Syndrom.

Andere Diabetestypen

Bei diesen Sonderformen liegt meist eine Erkrankung der Bauchspeicheldrüse zugrunde, häufig ist das eine Entzündung (Pankreatitis). Die Entzündung kann auch durch übermäßigen Alkoholkonsum verursacht sein. Bestimmte Medikamente können der Bauchspeicheldrüse ebenfalls Schaden zufügen.

- Mundtrockenheit
- ständiger Durst
- häufiges Wasserlassen
- Müdigkeit, Abgeschlagenheit
- Hautjucken

Das sollte der Arzt tun

Um den Blutzuckerwert festzustellen, wird der Arzt Ihnen Blut abnehmen. Meist erfolgt die Untersuchung nüchtern. Liegt der Wert über 126 mg/dl beziehungsweise 7 mmol/l, dann steht die Diagnose Diabetes fest. Waren Sie bei der Blutabnahme nicht nüchtern, dann sollte Ihr Blutzuckerwert 200 mg/dl oder 11,1 mmol/l nicht überschreiten.

Der Arzt kann außerdem den HbA1c-Wert bestimmen. Dieser Wert stellt eine Art Langzeitgedächtnis des Blutzuckerspiegels dar und lässt einen Rückschluss über die Höhe des Blutzuckers in den letzten zwei bis drei Monaten zu. Ein weiterer möglicher Test ist der Zuckerbelastungstest (Glukosetoleranztest). Für diesen Test werden 75 Gramm Traubenzucker in 250–300 Milliliter Wasser aufgelöst und müssen innerhalb von 5 Minuten getrunken werden.

Heute schon an morgen denken

Ist Ihr Blutzuckerspiegel nicht gut eingestellt, werden Sie zwar zunächst keinerlei Beschwerden oder gar Schmerzen haben; dennoch werden mit großer Wahrscheinlichkeit Folgeerkrankungen bei Ihnen auftreten. Bei einem zu hohen Blutzuckerwert (zum Beispiel über 160 mg/dl) kommt es zu Zuckerablagerungen in den Blutgefäßen.

Schwangerschaftsdiabetes

Ein Diabetes kann erstmalig während einer Schwangerschaft auftreten. Diese besondere Form wird als Gestationsdiabetes bezeichnet. Etwa fünf Prozent der Schwangeren sind davon betroffen. Meist normalisiert sich der Blutzucker nach der Geburt wieder. Etwa jede dritte Frau, die an einem Gestationsdiabetes erkrankt war, muss jedoch damit rechnen, innerhalb der nächsten zehn Jahre an Typ-2-Diabetes zu erkranken. Bei Schwangerschaftsdiabetes kann der im Blut zirkulierende Blutzucker nicht richtig verwertet werden, es liegt eine so genannte Glukosetoleranzstörung vor. Meist folgt vor allem gegen Ende der Schwangerschaft eine Insulinresistenz. Ein zu hoher Blutzuckerspiegel kann Mutter und Kind gefährden und muss daher behandelt werden.

Diabetes erkennen

Diabetes vom Typ 1 wird anhand der Symptome in der Regel schnell festgestellt, denn die Beschwerden sind sehr ausgeprägt. Der Typ 2 entwickelt sich über einen längeren Zeitraum, bleibt oft jahrelang unentdeckt und kommt meist zufällig ans Licht. Die Krankheitszeichen sind weniger deutlich, und die Beschwerden entwickeln sich ganz langsam.

Alarmsignale beachten

Damit die Krankheit gut behandelt werden kann, sollte sie rasch richtig diagnostiziert werden. Typ-2-Diabetes betrifft häufig übergewichtige und bewegungsarme oder erblich vorbelastete Menschen. Deshalb sollten diese auf die klassischen und leicht feststellbaren Symptome achten. Dazu zählen in erster Linie

Blutdruck, Herz und Kreislauf

Erkrankungen der Blutgefäße haben zur Folge, dass das Blut schlechter durch die Gefäße fließt und die Organe nicht mehr optimal mit Sauerstoff versorgt werden. Sind die Herzkranzgefäße betroffen, dann spricht man von der koronaren Herzkrankheit. Eine Folge davon kann ein Herzinfarkt sein. Ist die Durchblutung der Halsschlagadern, die das Gehirn mit Sauerstoff versorgen, gestört, kann es im schlimmsten Fall zu einem Schlaganfall kommen. Ein optimaler Blutdruck (höchstens 130/80 mmHg) ist genauso wichtig wie ein guter Blutzuckerwert. Denn ein niedriger Blutdruck schont die Gefäße und schützt vor vielen möglichen Folgen der Zuckerkrankheit.

Optimale Werte

Ihr Arzt sollte Sie ausführlich über die Krankheit Diabetes informieren. Dazu gehört auch, dass Sie wissen, welche Werte bei Blutzucker, Blutfetten oder Blutdruck, gemessen in dem Druckwert mmHg, optimal sind. Denn nur wenn Sie gut über Diabetes Bescheid wissen, können Sie selbst zur Erhaltung Ihrer Gesundheit beitragen. Folgende Werte gelten als ideal:

Body-Mass-Index (BMI): 19–25
HbA1c-Wert: max. 6,5
Blutdruck unter 130/80 mmHg
Blutzucker:

- nüchtern beziehungsweise vor dem Essen: 80–120 mg/dl (4,4–6,7 mmol/l)
- 1–2 Stunden nach dem Essen: 130–160 mg/dl (7,2–8,9 mmol/l)
- vor dem Schlafengehen: 110–140 mg/dl (6,1–7,8 mmol/l)

Blutfette, wenn keine Gefäßerkrankungen vorliegen:

- Gesamtcholesterin unter 200 mg/dl (5,0 mmol/l)
- LDL-Cholesterin unter 100 mg/dl (2,5 mmol/l)
- HDL-Cholesterin über 45 mg/dl (0,9 mmol/l)
- Triglyzeride (nüchtern) unter 150 mg/dl (1,7 mmol/l)

Blutfette, wenn bereits Gefäßerkrankungen vorliegen:

- Gesamtcholesterin unter 175 mg/dl (4,5 mmol/l)
- LDL-Cholesterin unter 100 mg/dl (2,5 mmol/l)
- HDL-Cholesterin über 45 mg/dl (1,2 mmol/l)
- Triglyzeride (nüchtern) unter 150 mg/dl (1,7 mmol/l)

Albumine beziehungsweise Mikroalbumine (Eiweißbestandteile, die über die Niere ausgeschieden werden) sollten unter 20 mg/l liegen.

Blutfette

LDL steht für Low Density Lipoproteins, das sind Bestandteile der Blutfette mit niedriger Dichte. Sie bestehen zu fast 50 Prozent aus Cholesterin, lagern sich in den Blutgefäßen ab und können diese schädigen.

HDL steht für High Density Lipoproteins, das sind ebenfalls Bestandteile der Blutfette, die aber eine hohe Dichte haben. Sie können in den Blutgefäßen angelagertes Cholesterin zur Leber zurücktransportieren und damit aus dem Verkehr ziehen. Sie sind gewissermaßen die Schutzfraktion vor Gefäßerkrankungen (Arteriosklerose).

Triglyzeride werden auch als Neutralfette bezeichnet. Hohe Werte im Blut gelten ebenfalls als Risikofaktoren für Arteriosklerose, zumal ein Anstieg der Triglyzeride mit einer Senkung des HDL-Cholesterins einhergeht. Außerdem führen erhöhte Triglyzeride zu einer Fettleber und im Extremfall zu einer Entzündung der Bauchspeicheldrüse. Bei Diabetikern sind die Triglyzeridwerte häufig erhöht. Sie werden vor allem gebildet, wenn zu viel Zucker oder Alkohol genossen wird oder mehr gegessen wird, als der Körper braucht.

Versuchen Sie deshalb in erster Linie Ihr Gewicht zu normalisieren und die körperliche Aktivität zu steigern. Ein wenig Sport kann nicht schaden. Da selbst kleinere Mengen an Alkohol zu einem Anstieg der Triglyzeride führen

können, sollten Sie den Alkoholgenuss unbedingt auf ein Minimum reduzieren.

Mit einem Einsatz von Fischölen können Sie die Triglyzeride wirksam senken. Die benötigte tägliche Dosis liegt bei 1,5 – 5 Gramm. Eine solche Menge können Sie durch die Einnahme von Fischölkapseln erreichen. Je nach Höhe der Triglyzeridwerte führt auch ein gesteigerter Verzehr von Fettfischen wie beispielsweise Wildlachs, Hering oder Makrele schon zum Erfolg.

Augenerkrankungen
Schätzungsweise 3000 Menschen erblinden in Deutschland jährlich infolge eines Diabetes. Zahlreiche feinste Blutgefäße (so genannte Kapillaren) durchziehen den Augenhintergrund. Bei einem dauerhaft hohen Blutzucker kommt es zu Ablagerungen in diesen Gefäßen. Blutungen können auftreten und die Netzhaut kann sich ablösen.

Diese als Retinopathien bezeichneten Erkrankungen führen in den meisten Fällen zu einer deutlichen Verschlechterung des Sehvermögens bis hin zur Erblindung. Deshalb gehört die regelmäßige Augenuntersuchung auch zu den wichtigen Vorsorgemaßnahmen des Diabetikers.

Nierenerkrankungen
Die Nieren filtern und reinigen das Blut und zählen zu den wichtigsten Ausscheidungsorganen. Ist der Blutzucker über längere Zeit erhöht, erleiden die Nieren Schaden und können ihre Filterfunktion nicht mehr optimal wahrnehmen. Stoffe, die eigentlich zurückgehalten werden sollten wie beispielsweise der Eiweißstoff Albumin, gelangen dann in den Urin. Im schlimmsten Fall können die Nieren ganz versagen, und eine künstliche Blutwäsche (Dialyse) wird erforderlich. Das Entstehen und Fortschreiten einer diabetischen Nierenerkrankung (Nephropathie) wird durch hohe Blutzuckerwerte, Rauchen, hohen Blutdruck und hohen Eiweißverzehr begünstigt.

Nerven und Füße
Nicht nur die kleinen Blutgefäße, auch die feinen Nervenfasern werden durch hohe Blutzuckerwerte geschädigt. Spürbar ist das Ganze als Empfindungsstörung, oft ist auch das Schmerzempfinden beeinträchtigt.

Die Unterscheidung heiß und kalt fällt schwer und es können Verletzungen auftreten, die gar nicht bemerkt werden. Wegen schlechter Durchblutung ist die Wundheilung verzögert. Am häufigsten treten Verletzungen an den Füßen auf. Wenn die Wunden dann nicht heilen und neue Infektionen entstehen, kann es im schlimmsten Fall zu einer Amputation kommen.

Was können Sie tun?

Sie können maßgeblich selbst dazu beitragen, dass es nicht zu den genannten Folgen kommt. Nehmen Sie also die Herausforderung an und werden Sie zum Experten Ihrer Erkrankung!

Regelmäßige Kontrolle
Regelmäßige Arztbesuche zur Kontrolle der Werte, vor allem natürlich des Blutzuckers, aber auch des Blutdrucks und der Blutfette sind unverzichtbar. Die ermittelten Werte sollten Sie ausführlich mit Ihrem Arzt besprechen. Falls einzelne Werte nicht ideal sind, müssen Sie mit ihm für die nächsten Wochen konkrete, aber angemessene Zielwerte vereinbaren.

Diabetikerschulung
Eine Schulung ist für jeden Diabetiker empfehlenswert. Sie lernen dabei den Umgang mit der Erkrankung im Alltag und werden sehen, dass Sie trotzdem das Leben weiter genießen können. Der tägliche Speiseplan, Blutzuckerkontrolle, Unter- beziehungsweise Überzuckerung, Fußpflege und – falls erforderlich – auch das Spritzen von Insulin sind Themen der Schulung.

Diabetespass

Jeder Diabetiker sollte den Gesundheitspass der Deutschen Diabetes-Gesellschaft (DDG) besitzen. Darin werden alle wichtigen Daten und Werte über Sie und die Erkrankung erfasst. Sie finden darin auch Hinweise über die unterschiedlichen Untersuchungen, die Ihr Arzt durchführen sollte.

Je besser Sie geschult sind, umso weniger Kopfzerbrechen wird Ihnen das Ganze bereiten und umso besser werden Ihre Werte sein. Sie werden bedenkenlos auf Reisen gehen und Ihre Behandlung den neuen Gegebenheiten problemlos anpassen können.

Wer kann mir helfen?
Nehmen Sie professionelle Hilfe in Anspruch und suchen Sie einen Diabetologen (Facharzt für Diabeteserkrankungen) auf. In einer solchen Praxis finden meist auch Diabetikerschulungen sowie Ernährungsberatungen statt. Wertvolle Informationen und Unterstützung erhalten Sie außerdem bei einer Selbsthilfegruppe. Adressen finden Sie am Ende des Buches.

Ernährung und Lebensweise
Wenn Sie am Typ-2-Diabetes erkrankt sind, sollten Sie selbst aktiv werden und alles tun, um auf Medikamente verzichten zu können beziehungsweise die vom Arzt vorgeschriebene Dosis so gering wie möglich zu halten. Im Vordergrund stehen dabei folgende Aspekte:

- Übergewicht: abbauen, s. S. 26
- Essen: ausgewogen und gesund
- Rauchen: einstellen
- Sport: regelmäßig aktiv sein
- Stress: abbauen und für Entspannung sorgen

Ernährungs-Tipps

Eine strenge Diät mit einigen Verboten stand früher im Mittelpunkt der Diabetesbehandlung. Das hat sich zum Glück gewandelt. Die Ernährung ist zwar immer noch sehr wichtig, aber die strenge Diät wurde abgeschafft. Ihr Speiseplan braucht sich von dem Ihrer Familie oder Ihres Freundeskreises nicht zu unterscheiden. Vorausgesetzt, Familie oder Freunde ernähren sich gesund! Das bedeutet auch, dass für Sie keinerlei Notwendigkeit besteht, Diabetikerprodukte zu kaufen. Dennoch gibt es ein paar Dinge, auf die Sie achten sollten. Insbesondere wenn Sie Medikamente einnehmen oder Insulin spritzen, müssen Sie Ihre Ernährungsweise darauf abstimmen.

Das Körpergewicht – der zentrale Faktor
Übergewicht begünstigt den Typ-2-Diabetes. Eine Gewichtsreduktion lohnt sich in jedem Fall. Mit jedem Kilogramm, das schwindet, sinkt nicht nur der Blutzuckerspiegel, auch der Blutdruck und die Blutfettwerte gehen zurück. Wie Sie erfolgreich abnehmen, lesen Sie ab Seite 26.

Fett ist unverzichtbar – aber in Maßen
Fett ist der Nährstoff mit den meisten Kalorien. Ein Gramm schlägt mit über neun Kalorien zu Buche. Die gleiche

Menge Eiweiß oder Kohlenhydrate liefert jeweils nur etwa vier Kalorien. Untersuchungen haben gezeigt, dass Fett trotz der vielen Kalorien nicht so gut sättigt. Selbst wenn ein Gericht mehr Fett enthielt, haben Versuchspersonen nicht weniger gegessen.

Auch wenn der Ruf schlecht ist, Fett ist unverzichtbar. Kleine Fettpölsterchen braucht der Mensch, zum Beispiel zur Wärmedämmung (Dünne frieren schneller) oder zur Abpolsterung der inneren Organe. Fett wird benötigt, damit die fettlöslichen Vitamine A, D, E, K aufgenommen werden können, außerdem ist Fett ein wichtiger Geschmacksträger. Gerade wegen des Geschmacks wird es oftmals in großen Mengen verzehrt. Besondere Vorsicht ist daher bei den so genannten versteckten Fetten geboten, die sich in Fleisch- und Wurstwaren, Milchprodukten, Kuchen, Keksen oder Fertigprodukten verbergen.

Sie sollten etwa 30 bis höchstens 35 Prozent der täglichen Kalorienaufnahme in Form von Fett aufneh-

Kalorien oder Joule

Die offizielle Einheit für den Energiegehalt eines Nahrungsmittels ist zwar Kilojoule, im täglichen Sprachgebrauch werden jedoch meist die Begriffe Kilokalorien oder Kalorien verwendet. Die Joulewerte lassen sich aus den Kalorienwerten ganz einfach berechnen: Eine Kilokalorie entspricht 4,184 Kilojoule. In diesem Buch wird der Einfachheit halber der Begriff Kalorie beziehungsweise die Abkürzung kcal für Kilokalorie benutzt.

men oder anders ausgedrückt etwa 0,8 – 1 Gramm pro Kilogramm Körpergewicht. Das entspricht bei einem Gewicht von 80 Kilogramm höchstens 80 Gramm Fett. Bei vielen Menschen ist es meist mehr, oft über 100 Gramm, vor allem an den versteckten Fetten. Wer an Diabetes erkrankt ist und sparsam mit Fett umgeht, weil er zum Beispiel abnehmen möchte, sollte das Fettsparen jedoch nicht übertreiben. Denn wer sehr wenig Fett isst, isst stattdessen oft reichlich Kohlenhydrate. Im ungünstigsten Fall steigen dann die Blutzucker- und Triglyzeridwerte an. Wichtig ist, dass Ihre Kalorienbilanz stimmt.

Kohlenhydrate gut auswählen

Kohlenhydrate sind unsere wichtigsten Energielieferanten und sollten bei gesunden Menschen etwa die Hälfte der benötigten Energie liefern. Bei einem täglichen Kalorienbedarf von 2000 Kalorien werden also etwa 1000 durch Kohlenhydrate gedeckt – so die Regel. Da ein Gramm Kohlenhydrate vier Kalorien liefert, wären das 250 Gramm Kohlenhydrate. Doch Kohlenhydrat ist nicht gleich Kohlenhydrat, zumindest was den Einfluss auf den Blutzuckerspiegel betrifft. Eingeteilt werden Kohlenhydrate in mehrere Gruppen: zum Beispiel Einfachzucker, Zweifachzucker und Vielfachzucker. Zu den Einfachzuckern zählen Traubenzucker (Glukose) und Fruchtzucker (Fruktose), der Haushaltszucker (Saccharose) ist ein Zweifachzucker, Stärke schließlich ist ein Vielfachzucker. Je kleiner die Zuckerbausteine sind, desto schneller gehen sie ins Blut und lassen den Blutzuckerspiegel ansteigen. Die Ein- und Zwei-

Kohlenhydrate berechnen

Früher wurde für die Berechnung der Kohlenhydrate der Begriff Brot- oder Berechnungseinheit verwendet (BE). Der heute gebrauchte Begriff Kohlenhydrateinheit (KHE oder KE) ist lediglich ein Schätzwert und entspricht 10 – 12 Gramm blutzuckerwirksamen Kohlenhydraten. Wenn Sie Insulin spritzen, müssen Sie die verzehrten Kohlenhydrate berechnen und auf die Insulinmenge abstimmen. Grundsätzlich wird unterschieden zwischen Kohlenhydraten, die den Blutzuckerspiegel erhöhen, also blutzuckerwirksam sind, und solchen, die nicht zu einer Erhöhung des Blutzuckers beitragen. Die Kohlenhydrate in den meisten Gemüsesorten sind nicht blutzuckerwirksam, die Kohlenhydrate in Brot oder Nudeln jedoch schon.

fachzucker nennt man deshalb auch leicht resorbierbare Kohlenhydrate.

Zucker erlaubt – aber sparsam

In Zeiten strenger Diabetesdiäten waren Traubenzucker und Haushaltszucker für Diabetiker ganz verboten. Obwohl dieses Verbot heute hinfällig ist, sollte Ihr Zuckerkonsum so gering wie möglich sein. Als Faustregel gilt: Nehmen Sie höchstens zehn Prozent der Gesamtkalorien in Form von Zucker auf. Bei 2000 Kalorien am Tag sind das 200 Kalorien durch Zucker, das entspricht 50 Gramm. Achten Sie darauf, dass der Zucker in Lebensmitteln »verpackt« ist, dann geht er langsamer ins Blut. Marmelade, Gebäck oder Joghurt mit Zucker ist für Sie also durchaus erlaubt, die Menge sollte jedoch gering sein. Zucker pur ist dagegen ein Mittel

zur Bekämpfung einer Unterzuckerung (Hypoglykämie). Sie sollten daher immer ein paar Stückchen Traubenzucker bei sich führen.

Der glykämische Index

Der glykämische Index, abgekürzt GI, gibt Auskunft darüber, wie sich der Kohlenhydratgehalt eines Lebensmittels auf den Blutzuckerspiegel auswirkt. Der Verzehr eines Lebensmittels mit hohem GI führt zu einem schnellen und starken Anstieg des Blutzuckerspiegels. Süßigkeiten oder Limo haben einen hohen GI, denn der enthaltene Zucker gelangt schnell ins Blut. Bei Getreideflocken, Naturreis oder Vollkornnudeln ist der GI niedrig, denn nach dem Verzehr dieser Lebensmittel steigt der Blutzuckerspiegel langsam und auch nicht so stark an.

Der GI wird durch verschiedene Faktoren beeinflusst. Ein hoher Eiweiß- oder Fettanteil eines Lebensmittels oder einer Mahlzeit lässt den Blutzuckerspiegel langsamer steigen. Ballaststoffreiche Lebensmittel haben einen niedrigen GI, reichlich Ballaststoffe innerhalb einer Mahlzeit bremsen demnach den Blutzuckeranstieg. Auch die Beschaffenheit der Speisen (fest, breiig, flüssig) und deren Temperatur beeinflussen den Blutzuckerspiegel. Die Kohlenhydrate aus verkochten Nudeln wandern schneller ins Blut als die aus bissfesten (»al dente«).

Klassifizierung des GI:
▌ bis 55: niedrig
▌ 56–69: mittel
▌ über 69: hoch

Glykämische Last – die Menge ist entscheidend

Damit der GI einzelner Lebensmittel vergleichbar wird, muss die Portionsgröße berücksichtigt werden. Denn entscheidend ist die Frage, wie viel Gramm Kohlenhydrate eine übliche Portion enthält. Ein helles Brötchen wiegt knapp 50 Gramm und enthält 27 Gramm Kohlenhydrate. Eine Portion Kürbis mit 200 Gramm liefert dagegen nur 9 Gramm Kohlenhydrate. Der Begriff »Glykämische Last« (GL) sorgt hier für eine bessere Vergleichbarkeit.

Klassifizierung der GL:
▌ bis 10: niedrig
▌ 11–19: mittel
▌ über 19: hoch

Ballaststoffe – unverzichtbare Helfer

Ballaststoffe zählen zu den Kohlenhydraten und zwar zu den Vielfachzuckern. Sie sind unverdauliche Faserstoffe, die nur in pflanzlichen Lebensmitteln vorkommen. Das menschliche Verdauungssystem kann sie nicht wie andere Kohlenhydrate aufspalten. Sie bewirken eine länger anhaltende Sättigung und gelangen unverdaut in den Dickdarm. Auch in anderer Hinsicht wirken sie sich günstig auf Gesundheit und Stoffwechsel aus. Sie sorgen für eine geregelte Verdauung, können Cholesterin binden und damit den Cholesterinspiegel senken. Mindestens 30 Gramm Ballaststoffe sollte der tägliche Speiseplan enthalten. Schaffen lässt sich das, wenn reichlich Vollkornprodukte, Gemüse und

Hülsenfrüchte verzehrt werden. Auch Obst – in Maßen genossen – gehört dazu, vor allem Beeren, Mangos, Äpfel oder Zitrusfrüchte. Quellstoffe können auch isoliert aufgenommen werden, entweder in Form von Bindemitteln für Suppen und Soßen (zum Beispiel »Binde-Fix«, »Biobin« oder »Nestargel«) oder auch in Getränke eingerührt (zum Beispiel Apfel- oder andere Frucht-Pektine).

Eiweiß ist lebensnotwendig

Der Körper braucht Eiweiß zur Erneuerung von Körperzellen, zur Verdauung und zur Stärkung der Abwehrkräfte. Dafür reichen weniger als ein Gramm pro Kilogramm Körpergewicht. Eiweiß lässt zwar den Blutzuckerspiegel nicht ansteigen, kann aber die Nieren belasten. Denn bei eiweißreicher Kost müssen die Nieren wesentlich mehr Filterarbeit leisten. Das kann eine Nierenerkrankung begünstigen. Wenn Ihre Nieren schon geschädigt sind und nicht mehr optimal arbeiten, sollten Sie den Eiweißverzehr möglichst auf 0,8 Gramm pro Kilogramm Körpergewicht reduzieren. Das entspricht bei einer Person mit einem Gewicht von 70 Kilogramm 56 Gramm Eiweiß. So viel Eiweiß ist schon in etwa 250 Gramm magerem Fleisch oder Fisch enthalten. Wenn Sie wenig Eiweiß zu sich nehmen, müssen Sie besonders darauf achten, dass es hochwertig ist. Vorteilhaft ist eine Mischung aus tierischem Eiweiß (Fleisch, Fisch, Milchprodukte) und pflanzlichem Eiweiß (Hülsenfrüchte, Kartoffeln, Vollkorngetreide).

Und gegen den Durst?

Der menschliche Körper besteht zu etwa 50–60 Prozent aus Wasser. Rund zweieinhalb Liter verliert er jeden Tag durch Schweiß, Atem und Urin. So viel muss mindestens nachgefüllt werden. Dabei wird über feste Nahrung, insbesondere Obst und Gemüse, knapp ein Liter Wasser aufgenommen. Den Rest müssen Getränke liefern. Insgesamt bedeutet das, dass Sie etwa 1–2 Liter täglich trinken sollten, vorausgesetzt es liegt keine Nierenerkrankung oder eine Herzschwäche vor. Bei Sport und Hitze kann die Flüssigkeitsaufnahme deutlich höher sein. Stellen Sie zu Hause und auch am Arbeitsplatz immer eine Flasche Wasser griffbereit und legen Sie kleine Trinkpausen ein.

Gesunde Durstlöscher

Bei der Auswahl der Getränke sollten Sie besonders auf den Kalorien- und Zuckergehalt achten. Das mit Abstand beste, gesündeste und dazu noch billigste Getränk ist Wasser. Mineralwasser, mit oder ohne Kohlensäure, ist ideal. Je weniger Kohlensäure das Wasser enthält, desto bekömmlicher ist es und desto mehr können Sie davon trinken. Achten Sie dabei auf die Mineralstoffwerte auf dem Etikett. Das Wasser sollte wenig Kochsalz (Natriumchlorid) enthalten, höchstes 100 mg/l, und reichlich Kalzium und Magnesium. Auch Kräuter- und Früchtetees sind gesunde Durstlöscher. Kaffee und schwarzen beziehungsweise grünen Tee können Sie in Maßen genießen. Bei manchen Menschen erhöht Koffein den Blutdruck. Wenn Sie gerne Kaffee trinken, sprechen Sie mit Ihrem Arzt darüber und klären Sie, ob

Sie betroffen sind. Kaffee galt lange Zeit als Flüssigkeitsräuber, doch ist die Wirkung individuell verschieden. Menschen, die kaum Kaffee trinken, verspüren nach größerem Kaffeekonsum einen stärkeren Harndrang und erleiden so einen geringfügigen Flüssigkeitsverlust. Wer jedoch an Kaffee gewöhnt ist, ist davon nicht betroffen. Leider gibt es keine Wundertees, die den Blutzuckerspiegel senken, auch wenn manche Werbung das verspricht. Zum Süßen sollte nur Süßstoff zum Einsatz kommen. Kaffeespezialitäten wie Cappuccino, Latte Macchiato oder aromatisierte Kaffees, die sich aus Pulver und heißem Wasser zubereiten lassen, sind nicht empfehlenswert. Meist enthalten die Fertigprodukte viel Zucker, dazu noch Milch und Aromastoffe. Bei einer Tasse können so durchaus 60–100 Kalorien und zehn Gramm Kohlenhydrate oder eine KH-Portion zusammenkommen. Kaffee pur ist kalorienfrei, mit Süßstoff gesüßt und ein wenig Milch ergänzt ergeben sich nicht einmal halb so viele Kalorien und kaum Kohlenhydra-

Vitamin- und Mineralstoffpräparate

Die Einnahme von Vitamin- und Mineralstoffpräparaten oder der Verzehr entsprechend angereicherter Lebensmittel ist normalerweise nicht erforderlich. Am besten ist eine ausgewogene Ernährung, die reichlich Gemüse, Obst und Vollkornprodukte enthält. So versorgen Sie Ihren Körper mit allen wichtigen Nährstoffen. Da viele Vitamine hitzeempfindlich sind, sollte immer rohes Gemüse und Obst auf Ihrem Speiseplan stehen.

te. Milch- und Milchmixgetränke sind nicht als Getränke, sondern als Nahrungsmittel, beispielsweise als Zwischenmahlzeit, zu sehen. Der Kalorien- und Fettgehalt dieser Drinks kann recht hoch sein. Auch Gemüse- oder Fleischbrühen können für Abwechslung sorgen. Beachten Sie dabei jedoch den Fett- und Salzgehalt. Mit Zucker gesüßte Limonaden und Fruchtsäfte sollten Sie meiden. Greifen Sie stattdessen zu Limonaden, die mit Süßstoff gesüßt sind.

Ein Gläschen in Ehren

Sie dürfen ein Glas Wein oder Bier zum Essen trinken. Geben Sie trockenen, zuckerarmen Weinsorten den Vorzug. Was leicht vergessen wird: Alkoholische Getränke enthalten viele Kalorien. Bei Übergewicht und ho-

hen Triglyzeridwerten sollte Alkohol deshalb sehr zurückhaltend genossen werden. Alkohol wirkt außerdem appetitanregend und sorgt für eine schnelle Fetteinlagerung. Diabetikerbier ist übrigens alkoholreicher als übliches. Werden größere Mengen Alkohol getrunken, dann benötigt der Körper weniger Insulin. Deshalb kann es, insbesondere wenn blutzuckersenkende Medikamente eingenommen werden beziehungsweise Insulin gespritzt wird, zu einer Unterzuckerung kommen. Wer in der Disco oder auf einer Party dazu noch ausgiebig tanzt – durch Bewegung sinkt der Blutzuckerspiegel –, verstärkt diesen Effekt. Sind Sie in solch einer Situation, dann sollten Sie zwischendurch Kohlenhydrathaltiges essen, am besten Brot. Auch Salzstangen sind geeignet.

Richtig einkaufen

Bestimmt ist Ihnen das auch schon passiert: Sie wollten nur ein paar Äpfel und eine Tüte Milch kaufen und kommen mit einer ganzen Tasche voller Leckereien nach Hause. Supermarktbetreiber und Lebensmittelhersteller versuchen uns durch eine Reihe von Tricks dazu zu bewegen, erstens mehr und zweitens andere Dinge zu kaufen, als wir vorhaben. Gute Planung hilft, um zumindest einige der vielen Einkaufsfallen zu umgehen. Wo Sie einkaufen, spielt übrigens keine Rolle. Discounter, Supermarkt, Reformhaus oder Bioladen, überall gibt es gute und für Diabetiker geeignete Lebensmittel.

Ein Blick aufs Etikett
Die meisten Lebensmittel sind heute verpackt. Glücklicherweise muss keiner die Katze im Sack kaufen. Der Gesetzgeber schreibt genau vor, was auf dem Etikett stehen muss.

Die wichtigsten Angaben sind
▌ Name und Anschrift des Herstellers,
▌ die genaue Bezeichnung des Produkts,
▌ das Mindesthaltbarkeitsdatum,
▌ die enthaltene Menge und
▌ ein Verzeichnis der Zutaten.
▌ Auch Zusatzstoffe wie Farb- oder Konservierungsstoffe müssen angegeben werden.

Die Nährwertinformationen sind eine freiwillige Angabe der Hersteller und müssen dann komplett aufgelistet werden. Möchte eine Molkerei auf den geringen Fettgehalt ihres Joghurts hinweisen, dann muss sie auch angeben, wie viele Kalorien oder Joule der Joghurt enthält und wie hoch der Gehalt an Eiweiß und Kohlenhydraten ist.

Leicht, fettarm oder kalorienarm
Manche Produkte werden mit den Begriffen »fettarm«, »leicht« oder »kalorienarm« beworben. Grundsätzlich

Einkaufen mit Plan

▌ Gute Planung spart Zeit und Geld. Machen Sie einen Speiseplan für die Woche und schreiben Sie einen Einkaufszettel. So haben Sie stets im Blick, was Sie wirklich benötigen.

▌ Meist muss der Einkauf schnell gehen. Planen Sie jedoch hin und wieder mehr Zeit ein und studieren Sie dann die Etiketten Ihrer bevorzugten Lebensmittel. Vergleichen Sie die Nährwerte ähnlicher Produkte.

▌ Kaufen Sie saisonal und regional ein. Obst und Gemüse sind, wenn sie in der Nähe reif geerntet werden, preiswerter und besser im Geschmack.

▌ Großpackungen sind nicht immer sinnvoll. Für eine Großfamilie mag das günstiger erscheinen. Wenn aber wenig gebraucht wird, ist die Gefahr groß, dass am Ende alles aufgegessen wird, obwohl es so nicht geplant war.

▌ Gehen Sie nicht hungrig zum Einkaufen. Ein knurrender Magen verleitet zu allerlei Käufen, die nicht auf der Einkaufsliste stehen und meist auch nicht gebraucht werden.

▌ Greifen Sie so oft wie möglich zu frischen, einfachen und unverarbeiteten Produkten.

Hinweise zum Rezeptteil

Zu Beginn der einzelnen Kapitel wird darauf eingegangen, inwieweit die verwendeten Lebensmittel bzw. die vollständigen Speisen für die Ernährung bei Diabetes geeignet sind und was zu beachten ist. Es folgen Tipps zur Vor- und Zubereitung. Die verschiedenen Zubereitungsarten (Garmethoden), z. B. von Fleisch, Gemüse oder Nachspeisen, werden entweder zu Anfang jeden Kapitels ausführlich erklärt oder aber es gibt hierzu Tipps, auf die in den Rezepten verwiesen wird.

Die Zutaten sind zum größten Teil für zwei, gelegentlich für vier Portionen oder pro Rezept angegeben. Einen Hinweis hierzu finden Sie vor jedem Rezept.

Nährwertangaben

E	= Eiweiß
F	= Fett
KH	= Kohlenhydrate
Chol	= Cholesterin
Ba	= Ballaststoffe
KE	= Kohlenhydrat-Einheit
kcal	= Kilokalorie
kJ	= Kilojoule

Die Nährwerte wurden meist für eine Portion/Stück berechnet, in einigen Fällen jedoch pro Rezept. Die Werte sind auf- bzw. abgerundet. Nährwerte von 0,5 bis 0,9 g sind mit +, darunterliegende Werte mit – gekennzeichnet. Das Cholesterin wird ab 5 mg und der Gesamtenergiegehalt in 10er- bzw. 5er-Schritten ausgewiesen. Die Nährwertberechnungen beruhen meist auf Daten von rohen Lebensmitteln (Ausnahmen sind gekennzeichnet). Die Berechnung der anzurechnenden Kohlenhydrate beruht auf dem Dezimalsystem.

Maßgebend für die Anrechnung sind die in den Rezepten ausgewiesenen KE-Angaben (1 KE = 10 g Kohlenhydrate). Die Einzelangaben des Nährwertes versetzen Sie in die Lage, auf einen Blick zu erkennen, welche Mengen an Eiweiß, Fett, Kohlenhydraten, Ballaststoffen, Cholesterin und Gesamtenergie pro Portion in den Rezepten enthalten sind.

Abkürzungsverzeichnis

KH	= Kohlenhydrate
EL	= Esslöffel
F.i.Tr.	= Fett in der Trockenmasse
mg	= Milligramm
g	= Gramm
kcal	= Kilokalorie
kJ	= Kilojoule
l	= Liter
ML	= Messlöffel
ml	= Milliliter
Pck.	= Päckchen
Pr.	= Prise
Tbl.	= Tablette
TL	= Teelöffel
gestr.	= gestrichen
geh.	= gehäuft
Ds.	= Dose

Mengenangaben in Haushaltsmaßen

Die Zutaten in den Rezepten sind in Gramm und Haushaltsmaßen angegeben. Eine Küchenwaage mit einer Skaleneinteilung von 2 oder 5 Gramm ist zunächst hilfreich, um sich mit den Lebensmittelmengen nach Haushaltsmaßen vertraut zu machen. Denn Löffel ist nicht gleich Löffel, er kann flach oder tief geformt sein oder auch größer.

Im Anschluss an die Übungsphase können die Mengen nach Augenmaß eingeschätzt werden. Auch Haushaltsmaße sollten von Zeit zu Zeit überprüft werden. Gut geeignet sind Digitalwaagen, bei denen die Anzeige groß und deutlich erkennbar ist.

Menge	Lebensmittel	Haushaltsmaß
1 g	Andickungspulver	1 Messlöffel
5 g	Butter/Margarine	1 gestrichener Teelöff
2 g	Gelatine	1 Blatt
20 g	Gewürzgurkenwürfel	1 Esslöffel
15 g	ger. Käse	1 geh. Esslöffel
30 g	Joghurt	1 leicht geh.Esslöffel
5 g	Mayonnaise	1 gestrichener Teelöff
15 g	Milch, Buttermilch, Wasser, Wein, Zitronensaft, Essig	1 Esslöffel
20 g	Magerquark	1 gestrichener Esslöff
25 g	Magerquark	1 Esslöffel
5 g	Nüsse, gem.	1 gehäufter Teelöffel
10 g	Nüsse, gem.	1 Esslöffel
5 g	Sahne, Kaffeesahne	1 Teelöffel
10 g	Sahne, Kaffeesahne	1 Esslöffel
15 g	Schlagsahne	1 leicht geh. Esslöffel
20 g	Schlagsahne	1 gut geh. Esslöffel
5 g	saure Sahne, Schmant	1 Teelöffel
10 g	saure Sahne, Schmant	1 gestr. Esslöffel
15 g	saure Sahne, Schmant	1 Esslöffel
5 g	Tomatenmark	1 gestr. Teelöffel
15 g	Tomatenmark	1 gestr. Esslöffel
5 g	Öl	1 Teelöffel
5 g	Weizenmehl	1 Teelöffel
5 g	Zwiebelwürfel	1 Teelöffel
20 g	Zwiebelwürfel	1 geh. Esslöffel

dürfen diese Begriffe nur verwendet werden, wenn das Produkt auch wirklich weniger Fett oder Kalorien enthält als dies üblicherweise bei solchen Produkten der Fall ist. Eine neue gesetzliche Regelung fordert von den Herstellern genau festgelegte Anforderungen einzuhalten, wenn solche Begriffe auf der Packung stehen. Trotzdem sollten Sie das Etikett genau studieren. Da Fett ein Geschmacksträger ist, müssen bei fettreduzierten Produkten manchmal Aromastoffe, Geschmacksverstärker, Süßstoffe oder Zucker für Geschmack sorgen. So handeln Sie sich möglicherweise zwar weniger Fett, aber mehr Kohlenhydrate ein – für den Blutzuckerspiegel nicht die richtige Lösung. Bei pikanten Produkten täuscht oft ein recht hoher Salzgehalt über fehlenden Geschmack hinweg. Wenn das Ganze schön leicht, fett- und kalorienarm ist, dann ist die Verlockung groß, sich ein bisschen mehr davon zu gönnen. Am Ende haben Sie außer Geschmack jedoch nichts eingespart.

Die Zutatenliste

Der Hauptbestandteil steht als erstes auf der Zutatenliste. Je weniger von einer Zutat enthalten ist, desto weiter hinten steht sie. Aber Vorsicht! Manchmal versteckt sich eine Zutat hinter verschiedenen Begriffen. So sind Glukose, Zuckersirup oder Invertzuckersirup im Grunde nichts anderes als Zucker. Durch eine solche Aufspaltung steht Zucker nicht an erster Stelle, obwohl das Nahrungsmittel zum großen Teil aus Zucker besteht. Beim Fett ist es ähnlich. Werden verschiedene Fette zugesetzt, steht das einzelne in der Liste nicht so weit vorne, in der Summe kann der Fettgehalt jedoch beträchtlich sein.

Spezielle Lebensmittel für Diabetiker

Zahlreiche Hersteller bieten spezielle Lebensmittel für Diabetiker an. Sowohl Inhaltsstoffe als auch Beschriftung der Etiketten sind in der Diät-Verordnung geregelt. Auf der Verpackung darf stehen, dass dieses Produkt besonders für Diabetiker geeignet ist. Diese Lebensmittel dürfen keine Glukose und keine Saccharose (Haushaltszucker) enthalten. Zum Süßen sind nur so genannte Zuckeraustauschstoffe (zum Beispiel Fruktose, Maltit, Sorbit) oder Süßstoffe erlaubt. Mit Zuckeraustauschstoffen gesüßte Lebensmittel sind nicht nur unnötig, sondern können sogar Schaden anrichten. Diese Stoffe wirken sich nämlich ungünstig auf die Blutfettwerte aus, indem sie den Anstieg der Triglyzeride fördern. Wenn Sie einen hohen Triglyzeridspiegel haben, sollten diese Lebensmittel deshalb auf keinen Fall in Ihrem Einkaufswagen landen. Darüber hinaus sind Diabetiker-Kuchen, -Kekse oder -Süßigkeiten oft sehr fetthaltig. Auch bei Produkten, die ausschließlich mit Süßstoffen gesüßt sind, sollten Sie zurückhaltend sein. Denn diese sind nicht grundsätz-

lich kalorienfrei oder fettarm. Achten Sie immer auf die Zutaten und die Kalorienangaben.

Cholesterinsenker

Seit einiger Zeit werden Lebensmittel angeboten, die den Cholesterinspiegel senken können. Erhältlich sind Margarine und Milchprodukte (zum Beispiel Joghurt oder Joghurt-Drinks). Grundsätzlich sind diese Produkte nur für die Menschen empfehlenswert, bei denen der Arzt einen hohen Cholesterinspiegel festgestellt hat. Sprechen Sie mit Ihrem Arzt, wenn Sie entsprechende Lebensmittel verzehren, da er die Dosierung eines Medikamentes zur Senkung des Cholesterinspiegels dann eventuell reduzieren muss. Für nicht betroffene Familienmitglieder, insbesondere Kinder, sind die Produkte nicht zu empfehlen. Im Übrigen ist eine gewöhnliche Margarine oder ein normaler Naturjoghurt deutlich preiswerter. Ist das Essen insgesamt ausgewogen und fettarm und Ihr Cholesterinspiegel nicht erhöht, dann brauchen Sie keine cholesterinsenkenden Lebensmittel.

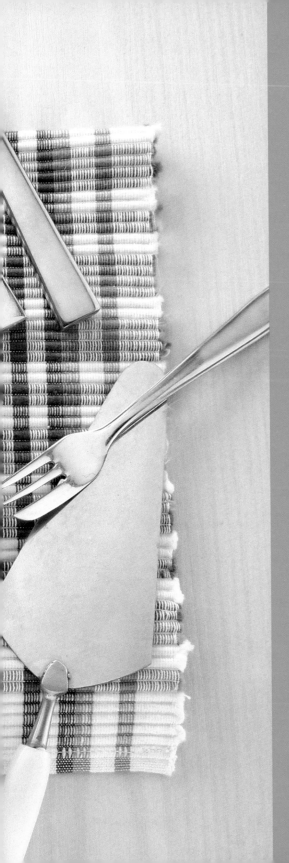

Abnehmen
bei Diabetes

Übergewicht zählt nicht nur zu den Auslösern von Typ-2-Diabetes, sondern erschwert auch eine optimale Blutzuckereinstellung. So führt ein dauerhaftes Übergewicht zu einer schlechteren Wirkung des Insulins und damit zu erhöhten Blutzuckerwerten. Langsames aber nachhaltiges Abnehmen sowie das dauerhafte Halten des niedrigeren Gewichtes sind also die Herausforderungen an den Lebensstil.

Stimmt das Gewicht?

Durch eine dauerhafte und nachhaltige Gewichtsreduktion kann die Blutzuckereinstellung eines übergewichtigen Diabetikers wesentlich verbessert werden, häufig sogar besser als mit Medikamenten. Dabei zählt jedes Kilo weniger auf der Waage.

Bereits eine Gewichtsabnahme von fünf bis zehn Prozent reicht aus, um die Blutzuckerwerte zu senken und damit das Risiko für Spätkomplikationen zu verringern. Jedes Kilo weniger steigert zudem das Wohlbefinden, die Gesundheit und somit auch die Lebensfreude. Die wichtigste Regel beim Abnehmen lautet: langsam abnehmen. Denn nur so ist der berüchtigte Jo-Jo-Effekt zu verhindern. Wer schnell abnimmt, nimmt meist noch schneller wieder zu. Ein halbes Kilo pro Woche ist ideal. Zur Beurteilung des „richtigen" Körpergewichts hat sich der so genannte Body Mass Index (BMI) durchgesetzt. Dieser berechnet sich aus dem Körpergewicht und der Körpergröße. Der BMI wird wie folgt bestimmt: BMI= Körpergewicht (kg) dividiert durch (Körpergröße in m)²

Ein Beispiel: Eine Frau ist 1,66 m groß und wiegt 70 kg, sie hat nach dieser Formel einen BMI von 25,4

$$BMI = \frac{70 \text{ kg}}{1,66 \text{ m} \times 1,66 \text{ m}} = 25,4$$

Die folgende Tabelle zeigt den Zusammenhang zwischen dem BMI und der Klassifikation des Körpergewichts:

Zusammenhang zwischen dem BMI und der Klassifikation des Körpergewichts

Klassifikation	BMI männlich	BMI weiblich
Untergewicht	‹20	‹18,5
Normalgewicht	20 – 24,9	18,5 – 23,9
Leichtes bis mittleres Übergewicht	25 – 29,9	24 – 29,9
Starkes Übergewicht	›30	›30

Apfel oder Birne?

Ausschlaggebend für das Gesundheitsrisiko ist nicht nur der BMI, sondern wo die überflüssigen Pfunde sitzen. Sammeln sich die Fettpölsterchen vorrangig im Bauchbereich, während die Hüfte eher normal ist, spricht man vom Apfeltyp. Dieser ist bei Männern verbreitet. Beim Birnentyp wird das Fett vor allem an Hüfte, Po und an den Schenkeln gespeichert. Der Birnentyp nimmt zwar langsamer ab, aber das gesundheitliche Risiko für Herz-Kreislauf- und Stoffwechsel-Erkrankungen ist geringer. Neben dem kritischen Blick in den Spiegel lässt sich anhand des Taillenumfangs das Gesundheitsrisiko einschätzen. Es ist erhöht, wenn Frauen mehr als 80 cm und Männer mehr als 94 cm Taillenumfang haben.

Ursachen für Übergewicht

Futterverwertung Es gibt sie tatsächlich: Die guten und die schlechten Futterverwerter. Wir unterliegen den Gesetzen der Evolution. Da es früher keinen Überfluss an Nahrung gab, waren diejenigen gesegnet, die so viele Nährstoffe wie möglich in Form von Körperfett einlagern konnten. Menschen, die leicht zunehmen, sind somit gute Futterverwerter. Deren Körper nutzt alle Nährstoffe optimal und speichert überflüssiges Fett für schlechte Zeiten.

Die vermeintlich Glücklichen, die ohne gewichtige Konsequenzen viel Schokolade konsumieren können, hätten wahrscheinlich in Notzeiten Probleme. Sie sind nämlich „schlechte Futterverwerter". Die aufgenommenen Kalorien werden verschwenderisch verbrannt und sie strahlen deutlich mehr Energie in Form von Wärme ab. In den heutigen Zeiten des Nahrungsüberflusses und Bewegungsmangels kann die Veranlagung zu einem „guten Futterverwerter" zu Übergewicht führen. Allerdings ist nur die Erbanlage zum Dicksein gegeben, nicht aber das Dicksein.

Lebensalter Mit gesunder Ernährung und ausreichend Bewegung lässt sich ein gesundes Körpergewicht erreichen und halten. Dabei spielt auch das Alter eine Rolle. So sinkt mit zunehmendem Alter der Energiebedarf, d.h. der Körper benötigt weniger Energie, um seine Funktionen aufrechtzuerhalten. Wer mit zunehmendem Alter die Essgewohnheiten beibehält und dabei die Bewegung nicht steigert, nimmt langsam aber stetig zu.

Jo-Jo-Effekt Eine weitere Ursache für Übergewicht können viele Diäten sein. Während einer Diät fährt der Körper den Stoffwechsel um ca. 20 % herunter, um Energie zu sparen. Wird jetzt die Energiezufuhr wieder erhöht und „normal" gegessen, bemüht sich der Körper, schnell seine alten Fettdepots für weitere Hungerzeiten aufzufüllen und speichert nun das Energieplus als Fett. Diesen so genannten Jo-Jo-Effekt verstärken vor allem Crash-Diäten. Denn hier ist der Kalorienunterschied zwischen der Diätphase und der Zeit danach besonders groß.

Falsche Gewohnheiten Essen ist oft weit mehr, als nur die Befriedigung von Hunger. So stellt die Nahrungsaufnahme z.B. ein Ventil für Ärger, Stress oder Kummer dar. Essen kann auch Belohnung, Trost oder Ersatz für fehlende Zuwendung sein - oder es wird schlicht aus Langeweile zu Knabberzeug & Co gegriffen.

Auch die Macht der Gewohnheit kann das Essen steuern. Sprüche wie „Es wird gegessen, was auf den Tisch kommt!" kennen wir aus der Vergangenheit. Die Grundlage des Essverhaltens wird schon in der Kindheit gelegt und durch Vorbilder entscheidend geprägt.

Am häufigsten ist Übergewicht auf falsche Ernährungsgewohnheiten zurückzuführen. Oft wird zu viel, zu süß oder zu fett gegessen. Speziell der übermäßige Verzehr von Fastfood und Süßigkeiten sorgt dafür, dass der Körper mehr Kalorien aufnimmt, als er verbrauchen kann. Das A und O für die Vermeidung und Verringerung von Übergewicht ist daher eine bewusste und insbesondere ausgewogene Ernährung. Dabei muss auf Genuss nicht verzichtet werden. Ganz im Gegenteil: Eine Diabetes- und kaloriengerechte Ernährung kann abwechslungsreich, reichhaltig, gesund und lecker sein.

Der Energiebedarf

Übergewicht ist in erster Linie ein Bilanzproblem. Liegt die Zufuhr an Kalorien (kcal) über dem Verbrauch, steigt das Körpergewicht. Ist das Verhältnis umgekehrt, sinkt das Gewicht, man nimmt ab.

Grund- und Leistungsumsatz

Der Grundumsatz bezeichnet die Energiemenge, die der Körper bei völliger Ruhe und gleich bleibender Umgebungstemperatur benötigt, um lebensnotwendige Funktionen wie Atmung, Stoffwechsel, Kreislauf und Körpertemperatur aufrechtzuerhalten.

Der Leistungsumsatz ist die Menge an Energie, die für jede körperliche Betätigung benötigt wird. Mit zusätzlicher körperlicher Aktivität lässt sich der Leistungsumsatz erheblich steigern.

Grundumsatz pro Tag
(Körper in Ruhe)
+
Leistungsumsatz pro Tag
(Körper in Aktion)
=
Gesamtenergiebedarf pro Tag

In der Realität nehmen wir meistens mehr Energie zu uns, als wir benötigen. Daher ist es hilfreich, den Energiebedarf im Blick zu haben. Der Energiebedarf lässt sich wie folgt berechnen:

Körpergröße in cm – 100 = Normalgewicht

Beispiel: 39jährige Büroangestellte, 1,66 m groß müsste demnach mit 166 – 100 = 66 kg Normalgewicht haben. Das Normalgewicht wird nun mit dem Energiefaktor (siehe Tabelle) multipliziert.

Energiefaktoren

Körperliche Tätigkeiten	Energiefaktor kcal/kg Normalgewicht
leicht (z. B. Büroarbeit)	30
mittelschwer (z. B. Reinigungskraft, Schlosser)	35–40
schwer (z. B. Bauarbeiter)	40–50

Normalgewicht × Energiefaktor = täglicher Energiebedarf in Kalorien. Beispiel: 66 kg × 30 kcal/kg = 1980 kcal

Mit zunehmendem Alter ist in der Berechnung des Energiebedarfes zu berücksichtigen, dass der tägliche Bedarf wie folgt sinkt: ab 40 Jahre um ca. 10 %, ab 50 Jahre um ca. 15 % und ab 60 Jahre um ca. 20 %.

Erfolgreich abnehmen

Gewichtskontrolle bedeutet aktives Gesundheitsmanagement. Grundsätzlich gilt, dass es nur zu einer Gewichtsreduktion kommt, wenn dem Körper weniger Kalorien zugeführt werden, als er benötigt. Reicht die zugeführte Energie nicht aus und/oder ist der Energieverbrauch gesteigert, mobilisiert der Körper seine Energiereserven (Fett und Protein), um seinen Energiebedarf zu decken. Folge: Die Muskulatur nimmt ab und so sinkt der Grundumsatz. Man nimmt dann schneller wieder zu.

Sie sollten aber nichts überstürzen. Schnelldiäten oder Fastenkuren sind für Diabetiker ungeeignet. Abnehmen sollte als Prozess verstanden werden, der aus kleinen Schritten besteht. Eine Gewichtsreduktion von 0,5 kg wöchentlich ist dabei völlig ausreichend und ein toller Erfolg!

Wege zum Wunschgewicht

Die Ernährung bei Diabetes entspricht einer gesunden, ausgewogenen Mischkost. Diese ernährungsphysiologisch fundierte Kost enthält alle Nährstoffe, die Ihr Körper benötigt, um fit zu bleiben und optimal versorgt zu sein. Kohlenhydrate, Eiweiß und Fett sind die drei Hauptenergielieferanten. Aber auch aus Alkohol kann der Körper Energie gewinnen. Fett hat, gefolgt von Alkohol, den höchsten Energiegehalt. Kohlenhydrate und Eiweiß weisen einen gleichwertigen Energiegehalt auf.

1 g Kohlenhydrate liefert 4 kcal
1 g Eiweiß liefert 4 kcal
1 g Fett liefert 9 kcal
1 g Alkohol liefert 7 kcal

Keine Angst vor Kohlenhydraten

Die Kohlenhydratmenge in der Diabeteskost soll 50-55 % der Gesamtenergie betragen. Ohne genügend Kohlenhydrate ist es keinem Menschen möglich, fit und leistungsfähig zu sein – ob mit oder ohne Diabetes!

Kohlenhydrate sind die einzigen Nährstoffe, die Einfluss auf den Blutzuckerspiegel haben. Man unterscheidet zwischen komplexen und einfachen Kohlenhydraten. Einfache Kohlenhydrate sind auch im Obst; deshalb genießen Sie Obst auch nur in Maßen (2 Stck. pro Tag). Komplexe Kohlenhydrate sind vor allem in Getreideprodukten, Hülsenfrüchten, Kartoffeln, Nudeln und Reis enthalten. Besonders empfehlenswert sind Vollkornprodukte, da diese den Blutzucker relativ langsam ansteigen lassen.

Dagegen bewirken einfache Kohlenhydrate, wie sie beispielsweise in Weißbrot, Zucker und Süßigkeiten enthalten sind, nur ein sehr kurzes Sättigungsgefühl. Allerdings führen sie kurzfristig zu sehr hohen Blutzuckerwerten, was wiederum einen hohen Insulinbedarf nach sich zieht. Vermeiden Sie daher die einfachen Kohlenhydrate, soweit es Ihnen möglich ist.

Durch das Verteilen komplexer Kohlenhydrate auf mehrere kleine Mahlzeiten (ca. 5 am Tag) lassen sich starke Blutzuckerschwankungen vermeiden und Heißhungerattacken wird vorgebeugt.

Nicht ohne Eiweiß

Eiweiß ist für unseren Körper wichtig, weil es Grundnährstoff und Grundgerüst der Körperzelle ist. Es ist in allen tierischen und in den meisten pflanzli-

chen Nahrungsmitteln enthalten. Eine tägliche Zufuhr von 0,8 g Eiweiß pro kg Körpergewicht (Normalgewicht) ist ausreichend. Sehr große Mengen an tierischem Eiweiß belasten die Nieren. Lebensmittel, die tierisches Eiweiß liefern, sind häufig auch sehr fettreich. Deshalb ist es vernünftig, die Portionen an Fleisch und Wurst klein zu halten. Hingegen dürfen pflanzliche Eiweißträger, wie z.B. Hülsenfrüchte und Kartoffeln, unter Berücksichtigung der jeweils verdaulichen Kohlenhydrate, großzügig eingesetzt werden.

Günstige Fette

Fett ist ein lebenswichtiger Nährstoff. Zahlreiche Vitamine kann der Körper ohne Fett nicht aufnehmen. Beim Abnehmen ist die Fettmenge jedoch das Entscheidende. Denn 1 g Fett liefert mit 9 kcal mehr als die doppelte Energie im Vergleich zu Kohlenhydraten und Eiweißen. Die empfohlene Menge an Fett soll 30 % der täglichen Nahrungsaufnahme nicht überschreiten. Bei einer Kost von 1800 kcal pro Tag sind das umgerechnet 60 g Fett. Das erreicht man schnell, wie ein Beispiel zeigt:

Empfohlene Fettverteilung über den Tag – bei einer Aufnahme von 1800 kcal

Fettarten	Menge
Streichfett, z.B. Butter oder Margarine	ca. 20 g
Kochfett, z.B. Salatöl, Öl zum Braten	ca. 20 g
Verstecktes Fett, z.B. in Käse, Wurst, Schokolade	ca. 20 g
Gesamtfettanteil am Tag	60 g

In der Regel wird aber häufig mehr Fett verzehrt, als gut tut. Allerdings ist Fettreduktion gar nicht so einfach, denn es ist nicht nur der sichtbare Fettrand am Schinken oder die Butter auf dem Brot, die Schwierigkeiten bereiten. Vielmehr sind es die versteckten Fette, deren Verzehr man sich häufig nicht bewusst ist. So sind neben Wurst auch Käse, Milch und Milchprodukte, Nüsse, Soßen, salzige Snacks oder Fast Food Lebensmittel, in denen sich oft viel Fett versteckt.

Fett sparen

Bewusstes Einkaufen, Kochen und Essen hilft Ihnen, Fett und Kalorien zu sparen. Probieren Sie es aus - es lohnt sich!

▪ Wählen Sie schon beim Einkauf fettarme Produkte. Entfernen Sie sichtbares Fett, z.B. bei Fleisch und Wurstwaren. Geeignet sind magere Wurstsorten, z.B. Corned Beef, Schinken (gekocht und roh) ohne Fettrand, Aspikwürste, Geflügelwurst oder Bratenaufschnitt.

▪ Greifen Sie beim Käse zu Sorten bis max. 40 % Fett i.Tr. (das bedeutet in der Trockenmasse). Von Natur aus fettarm sind die Sorten Harzer Käse, Limburger und Hüttenkäse. Informationen zu den Fettgehalten in Wurst, Fleisch und Käse bekommen Sie an der Fleisch- und Käsetheke bzw. sie sind auf der Packung angegeben.

▪ Gehen Sie sparsam mit Streichfetten um. Weiche Butter lässt sich besser streichen als harte. Sie brauchen deshalb weniger. Übrigens: Margarine enthält genauso viel Fett wie Butter. Weniger auf dem Fettkonto zu verbuchen haben hingegen Joghurt oder Alternativen wie Senf, Meerrettich oder Tomatenmark. Mit etwa 40 % Fett enthalten diese Produkte weniger als die Hälfte des Fettes der Standardprodukte und lassen sich auch wunderbar zum Backen verwenden.

- Der Dickmacher Schlagsahne enthält 30 g Fett pro 100 g und sollte daher nur sparsam verwendet werden. Crème fraîche und Crème double stehen mit 30 % bzw. 40 % Fett der Sahne in nichts nach. Diese „Fettbomben" lassen sich gut gegen fettarme Milchprodukte (0,1 – 1,5 % Fett) wie Joghurt, Dickmilch, Quark oder Buttermilch tauschen.
- Werfen Sie einen Blick auf die Zutatenliste von Fertigprodukten. Rangiert Fett an vorderster Stelle, wählen Sie lieber ein alternatives, fettärmeres Lebensmittel. Denn in der Zutatenliste sind alle Zutaten nach ihrer Menge in absteigender Folge aufgelistet.

Ihr Körper freut sich über Ballaststoffe

Zu einem ausgeglichenen Ernährungsplan gehören ausreichend Ballaststoffe. Diese unverdaulichen Kohlenhydrate sind verdauungsfördernd und verschaffen ein lang anhaltendes Sättigungsgefühl und können auch als natürliche Appetitzügler bezeichnet werden. Ballaststoffe verzögern darüber hinaus die Aufnahme von Kohlenhydraten, somit werden Blutzuckerspitzen vermieden.

Die empfohlene Menge an Ballaststoffen beträgt mindestens 30 g am Tag. Bei jeder Mahlzeit können Sie durch die Auswahl der Lebensmittel die Zufuhr der Ballaststoffe erhöhen.

Fit durch Vitamine und Mineralstoffe

Obst und Gemüse – möglichst bunt und vielfältig – versorgen Ihren Körper mit vielen wichtigen Inhaltsstoffen. Gemüse kann in Hülle und Fülle gegessen werden. Es enthält kaum Kalorien, ist reich an Ballaststoffen, sättigt und ist ein idealer Lieferant für Vitamine und Mineralstoffe. Auch Obst enthält wenig Kalorien, sollte aber aufgrund des unterschiedlichen Kohlenhydratgehaltes nicht grenzenlos gegessen werden.

Fünf am Tag

Als Faustregel gilt: Verzehren Sie 3 Portionen Gemüse und 2 Portionen Obst am Tag (eine Portion = eine Handvoll). Über das Snacken verschiedener Obst- und Gemüsearten nimmt der Körper wichtige Inhaltsstoffe auf. Darüber hinaus machen die leichten Knabbereien schnell satt und die Lust auf Süßes wird gebremst.

Richtig trinken

Ohne Wasser läuft im Organismus nichts. Beim Abnehmen brauchen Sie noch mehr davon. Mindestens 2 Liter am Tag sollten es sein. Besonders geeignete Durstlöscher sind ungezuckerte Tees und Mineralwasser. Zuckersüße Getränke wie Limonade, Nektar, Eistee und Saft haben einen hohen Anteil an Zucker und sind zum Stillen des Durstes nicht geeignet. Sie bergen nicht nur Kalorien, sondern auch schnelle Kohlenhydrate. Besser ist immer die verdünnte Form. Mischen Sie daher Säfte stets mit Wasser im Verhältnis 1 : 4.

Als weitere Alternative können Sie zu den so genannten „Light" Getränken greifen. Hierbei ist jedoch ein wenig Vorsicht angesagt. Achten Sie auf das Etikett, um sicher zu gehen, dass als Süßungsmittel Süßstoff eingesetzt und kein Zucker, Fruchtzucker oder Glucosesirup zugesetzt wurde. So lassen sich „flüssige Kalorien" sparen, und der Blutzuckerspiegel wird nicht beeinflusst. Produkte mit Fruchtzucker sind, obwohl als Diabetiker-Produkte bezeichnet, nicht empfehlenswert. Fruchtzucker kann zu einer Erhöhung der Blutfette führen.

Achtung bei alkoholischen Getränken. Alkohol ist kalorienreich und regt den Appetit an. Grundsätzlich sind für Diabetiker alle Alkoholika ungeeignet, die viel Zucker enthalten, wie z.B. Liköre, süße Weine, süßer Sekt. Bedingt geeignet sind trockener Wein und Sekt, möglichst in Verbindung mit einer Mahlzeit genossen.

Die süße Alternative

Wer abnehmen möchte oder muss, braucht auf Süßes nicht zu verzichten. Anstelle von echtem Zucker sollten Sie beim Süßen zu den nahezu kalorienfreien Süßstoffen greifen. Diese belasten weder das Gewicht noch den Blutzuckerspiegel. Süßstoffe sind vielseitig einsetzbar und zum Süßen von Getränken, Süßspeisen und sogar zum Backen geeignet.

So genannte „Diät- oder Diabetikerprodukte" enthalten statt Zucker häufig Zuckeraustauschstoffe. Grundsätzlich sollte der Einsatz dieser diätetischen Lebensmittel vermieden werden. Neben Zuckeraustauschstoffen enthalten sie oft auch reichlich Fett. Der Kaloriengehalt solcher vermeintlichen „Diätprodukte" ist dann leider nicht geringer als in zuckerhaltigen Produkten und somit als „Schlankmacher" ungeeignet.

Abnehmen und Durchhalten

Appetit, Hunger und Sättigung veranlassen uns zum Beginnen oder zum Beenden einer Mahlzeit. Dabei macht uns der Appetit meist Lust auf ein bestimmtes Lebensmittel, ohne dass tatsächlich Nahrung benötigt wird, um die Leistungsfähigkeit des Körpers aufrechtzuerhalten. Der Hunger dagegen ist ein eher unspezifisches Verlangen nach Nahrung. Er entsteht nach länger andauernden Belastungen oder wenn nach langen Essenspausen die Energiespeicher des Körpers aufgebraucht sind.

Hunger oder Appetit?

Äußere Reize, wie der Duft oder das Aussehen von kulinarischen Verlockungen, beeinflussen häufig unsere Nahrungsaufnahme und machen es einem nicht leicht, Hunger von Appetit zu unterscheiden. Horchen Sie deshalb in sich hinein: Haben Sie wirklich Hunger? Viele überflüssige Kalorien werden unbewusst von uns verzehrt. Ob aus Stress, vor dem Fernseher, aus Langeweile, aufgrund von Traurigkeit usw. Häufig nehmen wir so täglich mehr Nahrung auf, als unser Körper benötigt. Ein wichtiger Schritt auf dem Weg zu Ihrem Wunschgewicht ist daher, auf das natürliche Hunger- und Sättigungsgefühl zu achten. Denn: Wer sich allzu oft vom Appetit oder Unterbewusstsein leiten lässt, hat es häufig schwer, die „Ich bin satt "- Meldung seines Körpers wahrzunehmen, und riskiert auf Dauer überflüssige Pfunde. Daher ist es wichtig, dass Sie zu Beginn der Mahlzeit überhaupt Hunger verspüren. Nur so kann es gelingen, Sättigung zu erlangen.

Auch bei sehr schnellem Essen werden Sättigungssignale häufig nicht mehr richtig wahrgenommen. Um nicht über den Hunger hinaus zu essen, sollten Sie Ihre Mahlzeiten langsam genießen und intensiv kauen. In der Regel tritt das Sättigungsgefühl erst 15 bis 20 Minuten nach dem ersten Bissen ein.

Tipps und Tricks

Mit einer bewussten und abwechslungsreichen Ernährung ist der erste Schritt in Richtung Wunschgewicht getan. Aber auch bestimmte Verhaltensänderungen können die Gewichtsabnahme bestens unterstützen. Im Folgenden finden Sie Tipps, die Ihnen helfen, Heißhungerphasen zu vermeiden und Ihre Körpersignale deutlicher wahrzunehmen.

Alles beginnt beim Einkauf Gehen Sie nicht mit leerem Magen einkaufen. Die Folge ist häufig, dass der Appetit so groß ist, dass man geneigt ist, mehr zu kaufen als das, was man eigentlich benötigt. Auch das Erstellen einer möglichst genauen Einkaufsliste kann dazu beitragen, dass Sie nur das Nötigste kaufen und sich von Knabberzeug und kurzfristigen Sattmachern nicht verführen lassen.

Achten Sie auch auf Verpackungseinheiten. Familienpackungen und Übergrößen sind zwar häufig billiger, aber besser tabu. Denn hat man größere Mengen Schokolade oder Chips erst einmal zu Hause, isst man sie bestimmt auch auf.

Heißhunger bekämpfen und vorbeugen Wenn Sie eine Heißhungerattacke erwischt, können Sie diese schon mit kleinen Mitteln bekämpfen. Greifen Sie zu Snack-Alternativen! Süß ist durchaus erlaubt, essen Sie zum Beispiel Rohkost, Quark, Buttermilch oder Brötchen. Wenn es Schokolade

sein muss, essen Sie am besten kleine Mengen dunkle Schokolade mit möglichst hohem Kakaoanteil (70 %). Diese schmeckt und die Bitterstoffe sorgen dafür, dass man nicht zu viel davon essen kann.

Auch Duftstoffe können vor Heißhunger schützen. In Studien wurde herausgefunden, dass der Geruch von Äpfeln, Bananen, Pfefferminz, aber auch Vanille erfolgreich den Appetit unterdrücken kann. Probieren Sie es einmal mit Duftölen und -kerzen.

Trinken Gewöhnen Sie sich an, immer ein Glas Wasser vor und auch beim Essen zu trinken. Das füllt den Magen, Sie essen automatisch weniger und man verpasst nicht so leicht den Sättigungspunkt. Auch Suppen und Salate sind kalorienarme Magenfüller und erfüllen diesen Zweck. Wasser hilft auch als Ablenkung gegen den Hunger zwischendurch. Halten Sie immer ein Glas griffbereit. Wer mehr als zwei Liter trinkt, nimmt leichter ab.

Angenehme Tisch-Atmosphäre Das Auge isst mit, deshalb sorgt ein schön angerichteter Teller für doppelten Genuss. Dabei ist auch Abwechslung gefragt. Dekorieren Sie Ihre Speisen mit unterschiedlichen Kräutern, schneiden Sie die Salatzutaten in lustige Formen oder servieren Sie die Gerichte in ungewohnten Gefäßen. Sorgen Sie auch beim „Dinner for one" für schöne Tischdekoration mit bunten Blumen oder einer schön gefalteten Serviette. Abends schafft Kerzenlicht ein festliches Dinner-Ambiente.

An kleinen Tellern „satt sehen" Unser Gehirn lässt sich leicht betrügen.

So hält es beispielsweise die gleiche Menge Essen für größer, wenn sie auf einem kleinen Teller serviert wird. Greifen Sie daher lieber zu Essgeschirr von kleinem Ausmaß. Das gibt Ihnen das Gefühl, mehr gegessen zu haben. Machen Sie Ihren Teller niemals zu voll, nehmen Sie sich stattdessen lieber noch ein zweites Mal. Denn der Nachschlag befriedigt das Verlangen nach Essen schneller und nachhaltiger – selbst wenn Sie insgesamt eigentlich weniger verzehrt haben.

Reste Lassen Sie ruhig Reste auf dem Teller zurück, wenn Sie satt sind. Anstandsreste sind mittlerweile überall salonfähig. Hören Sie auf Ihren Körper und verzichten Sie auf das Dessert, wenn Sie das Gefühl haben, satt zu sein.

Zwischendurch essen In unserer hektischen Zeit kommt es oft vor, dass wir nur schnell etwas auf die Hand mitnehmen und beim Gehen verschlingen. Setzen Sie sich besser an den gedeckten Tisch und essen Sie mit Genuss. Wenn Sie sich ganz auf die Speisen und das Kauen konzentrieren,

fühlen Sie sich obendrein schneller satt und essen weniger. Achten Sie mal darauf: „Ecken machen rund" – versuchen Sie nicht zu essen, während Sie durch etwas Viereckiges schauen, also am Computer arbeiten, fernsehen, Auto fahren oder lesen. Auf diese Weise wandert häufig unbewusst viel Nahrung in den Mund.

Blicke in den Kühlschrank Wie häufig guckt man „nur mal eben" in den Kühlschrank und greift zu einem Nahrungsmittel, ohne dass man wirklichen Hunger verspürt. Versuchen Sie den Kühlschrank bewusst zu meiden und suchen Sie sich stattdessen eine schöne Tätigkeit. Gönnen Sie sich ein Schaumbad, lesen Sie Ihre Lieblingszeitschrift oder verwöhnen Sie sich mit einer Tasse duftendem Tee.

Gemeinsam isst es sich besser Ein Essen in Gesellschaft schmeckt immer besser. Versuchen Sie, regelmäßig gemeinsame Mahlzeiten einzunehmen. Egal, ob es sich dabei um das Abendbrot mit der Familie oder die Mittagspause mit Kollegen handelt. Die festen Mahlzeiten strukturieren nicht nur den Tag, sondern bieten auch Gelegenheit, sich in entspannter Atmosphäre auszutauschen.

Alltag Stress oder Sorgen des Alltags belasten häufig unser Gemüt. Oft reagieren wir darauf, indem wir uns etwas zu Essen „gönnen". Doch der Schokoriegel oder das Stück Kuchen ist nur ein kurzfristiger Trostspender. Machen Sie sich Probleme bewusst, gehen Sie lieber spazieren, reden Sie mit ihrer Familie, guten Freunden oder Kollegen. Danach werden Sie sich schon viel besser fühlen.

Bewegung – so kommen Sie in Schwung

Um Gewicht zu verlieren, müssen Kalorien eingespart oder der Energieverbrauch durch Bewegung erhöht werden. Am wirkungsvollsten jedoch ist die Kombination aus beidem.

Mit fettarmer Ernährung und einem aktiven Lebensstil lässt es sich leichter abnehmen als mit einer Diät allein. Körperliche Betätigung verbraucht Kalorien, erhöht die Fettverbrennung und verhindert gleichzeitig, dass Muskelmasse beim Abnehmen abgebaut wird. Durch Bewegung wird sogar die Muskulatur aufgebaut. Regelmäßige Bewegung unterstützt das Abnehmen und hilft Ihnen, das erreichte Gewicht zu halten, denn Muskeln verbrauchen auch im Ruhezustand mehr Kalorien als Fettzellen.

Bewegung sorgt nicht nur für Fitness, sondern wirkt auch positiv auf Körper und Seele. Sie verbessert das Wohlbefinden und hilft, Stress und innere Anspannung abzubauen und das Selbstbewusstsein zu heben. Körperliche Aktivität fördert die Durchblutung, der Blutdruck und die Blutwerte verbessern sich. Herz, Lunge und Immunsystem werden gestärkt.

In der Diabetes-Therapie stellt Bewegung neben der Ernährung die wirksamste Methode dar, den Blutzucker zu regulieren. Arbeitende Muskeln verbrauchen mehr Glukose (Energie), ohne dafür viel Insulin zu benötigen. Bewegung hat also einen „Insulinspareffekt". Und das Beste dabei: Bewegung macht Spaß! Sehen Sie die sportliche Betätigung nicht als etwas, zu dem Sie sich zwingen müssen, sondern als tägliches Ritual, das zu Ihrem Tagesablauf genauso gehört wie z.B. Zähneputzen oder das Frühstück.

Bereits der ganz normale Alltag bietet zusätzliche Bewegungsmöglichkeiten:
- Fahren Sie mit dem Rad zur Arbeit oder zum Einkaufen; bei weiteren Strecken eine Busstation früher aussteigen oder das Auto weiter weg parken.
- Machen Sie in der Mittagspause einen Spaziergang.
- Gehen Sie täglich zügig eine Runde um den Block.
- Benutzen Sie Treppen statt Fahrstuhl oder Rolltreppe.
- Verbinden Sie das Angenehme mit dem Nützlichen. Lassen Sie öfter das Auto stehen und erledigen Sie Ihre Besorgungen zu Fuß.

Kleine Schritte – großes Glück

Bewegung im Alltag bringt mehr, als Sie vielleicht vermuten. Schon eine halbe Stunde normales Gehen verbraucht ca. 100 Kalorien. Beginnen Sie mit kleinen Neuerungen, um aus der Bewegungslosigkeit herauszukommen, indem Sie z.B. nach einer Mahlzeit 15 bis 30 Minuten spazieren gehen oder Rad fahren. Auch eine kleine Veränderung ist ein Erfolg und Sie fühlen sich wohler.

Versuchen Sie Schritt für Schritt, Bewegung zum festen Bestandteil Ihrer Freizeit zu machen und mit einem leichten Sportprogramm zu ergänzen. Wenn Sie es schaffen, zwei- bis dreimal wöchentlich ca. 30 Minuten am Stück aktiv zu sein, werden Sie sehen, dass das Abnehmen leichter ist.

Der Kalorienverbrauch durch körperliche Aktivität ist unterschiedlich und hängt zum einen vom Körpergewicht, aber auch von der Sportart und deren Intensität und Dauer ab. Wählen Sie eine Sportart, die Ihnen Spaß macht. Passen Sie Art und Intensität

Aktivitäten und jeweiliger Kalorienverbrauch (nach 15 Minuten)

Aktivität / Körpergewicht	60 kg	70 kg	80 kg	90 kg
Squash	195 kcal	226 kcal	264 kcal	295 kcal
Seilspringen	150 kcal	177 kcal	203 kcal	228 kcal
Skifahren (alpin)	132 kcal	153 kcal	171 kcal	198 kcal
Bergwandern	133 kcal	153 kcal	177 kcal	197 kcal
Schwimmen (1,5 km/h)	126 kcal	150 kcal	174 kcal	202 kcal
Joggen (9 km/h)	125 kcal	150 kcal	175 kcal	200 kcal
Inline Skaten	109 kcal	127 kcal	144 kcal	163 kcal
Aerobic	96 kcal	112 kcal	127 kcal	144 kcal
Radfahren (15 km/h)	93 kcal	109 kcal	124 kcal	140 kcal
Federball	90 kcal	105 kcal	121 kcal	135 kcal
Walken	74 kcal	87 kcal	99 kcal	112 kcal

der Bewegung Ihren persönlichen Leistungsmöglichkeiten an. Lassen Sie sich dazu von Ihrem Arzt beraten. Walken, Joggen, Schwimmen und Rad fahren eignen sich besonders gut, um die Ausdauer zu trainieren. Wenn Sie gerne mit Menschen zusammen sind, sind Vereine oder Mannschaftssport ideal, um im Team zu trainieren. Natürlich können Sie auch im Fitness-Studio aktiv werden. Dort gibt es nicht nur eine professionelle Anleitung für Kraft- und Ausdauertraining, oft wird auch ein umfassendes Kursprogramm angeboten (z.B. Gymnastik, Aerobic, Spinning).

Die Übersicht oben zeigt eine Auswahl an Aktivitäten und den jeweiligen Kalorienverbrauch nach 15 Minuten.

Bleiben Sie am Ball

Irgendwann kommt fast jeder an den Punkt, an dem das eigene Bestreben, alte Gewohnheiten zu durchbrechen, nachlässt. Man verliert die Lust oder fühlt sich sogar überfordert. Hoch gesetzte Ziele scheinen immer unerreichbarer zu werden.

Setzen Sie sich realistische Ziele und planen Sie in kleinen Etappen. Sie haben mehr von einer langfristigen Umstellung des Essverhaltens als von drastischen Schnellaktionen. Erst wenn ein Etappenziel erreicht ist, sollten Sie das nächste festlegen.

Das Führen eines Ernährungstagebuchs kann bei der Umstellung der Essgewohnheiten helfen. Es zeigt, was, wann, wie viel, warum und wo Sie essen. Beobachten Sie, was bei Ihnen Lust auf Essen macht. Häufig essen wir in bestimmten gewohnheitsbedingten Situationen. Spüren sie diese auf. Je genauer Sie Ihr Essverhalten kennen, desto einfacher wird es, Veränderungen einzuführen.

Stillstand auf der Waage

Seien Sie nicht enttäuscht, wenn die Waage zwischendurch stehen bleibt. Solche Schwankungen sind völlig normal. Der Grund dafür können hormonell bedingte Wassereinlagerungen sein. Geben Sie nicht auf, die Waage wird wieder nach unten gehen. Wiegen Sie sich nur einmal pro Woche, z.B. immer freitags. Am besten morgens vor dem Frühstück und nach dem Toilettengang ohne Kleidung auf die Waage stellen.

Wenn „zarte Versuchungen" locken

Ausrutscher sind etwas völlig Normales. Wenn Sie bei einer Feier oder einem gemütlichen Abend mit Freunden „rückfällig" oder in einem anderen Moment einfach „schwach" werden, ärgern Sie sich nicht zu sehr. Das löst häufig eine „Jetzt-ist-alles-egal-Stimmung" aus, die nicht selten in Resignation endet. Es ist besser, wenn Sie ab und zu eine „Sünde" genießen. Am nächsten Tag führen Sie einfach Ihre gesunde Ernährung fort. Der Ausrutscher an sich macht nicht dick, sondern wenn Sie aufgeben und in alte Gewohnheiten zurückfallen.

Kein Verzicht

Genießen Sie ab und zu Ihre Lieblingsspeisen und -snacks. Bei Dauerverzicht ist Frust vorprogrammiert. Lassen Sie „Heißhunger" gar nicht erst groß werden und verwöhnen Sie sich hin und wieder. Kaufen Sie sich z.B. eine Ihrer Lieblingspralinen und genießen Sie diese ganz bewusst.

Frühstück und Snacks

Starten Sie beschwingt und gut in den Tag – mit den hier vorgestellten Rezepten wird Ihnen das leicht gelingen. Mit Müsli und Früchten, lecker belegten Baguettes und schmackhaften Snacks begrüßen Sie den Morgen. Vollkornprodukte sorgen dafür, dass Ihr Blutzucker stabil bleibt und Sie so länger und gesünder den Tag überstehen.

Frühstück – Energie für den Tag

Alternativen zu Butter und Margarine

Lecker-pikante Alternativen zur üblichen Butter und Margarine bieten Senf in milder bis scharfer Variante und Tomatenmark. Senf und Tomatenmark sind fast kalorienfrei und enthalten keine anrechnungspflichtigen Kohlenhydrate. Ausnahmen sind Honig und Zucker in süßem Senf. Tomatenmark schmeckt intensiv und passt besonders gut zu kräftigem Käse. Senf schmeckt beispielsweise sehr gut unter Wurst.

Darf man als Diabetiker Honig essen?

Wenn Sie einmal Appetit auf Honig haben, dann müssen Sie heutzutage zum Glück nicht mehr darauf verzichten. Die Deutsche Diabetes Gesellschaft (DDG) empfiehlt, die Menge von maximal 10 Prozent der täglichen Gesamtkalorien durch zuckerhaltige Lebensmittel nicht zu überschreiten. Das wären bei 2000 Kalorien etwa 50 g Zucker am Tag. Wenn Sie also den Honig in diese Zuckermenge (BE/KE) einbeziehen, steht dem Genuss nichts im Wege.

Was bedeutet F.i.Tr.?

Die Abkürzung „F.i.Tr." steht für Fett in der Trockenmasse. Sie gibt an, wie viel Fett im Käse enthalten ist, wenn das gesamte Wasser entzogen wurde. Der absolute Fettgehalt im Käse ist deutlich niedriger als mit der Trockenmasse angegeben. Die Bezeichnung F.i.Tr. gibt es für Käse, um die verschiedenen Sorten bezüglich ihres Fettgehaltes besser vergleichen zu können. Den tatsächlichen Fettgehalt können Sie abschätzen, indem Sie die Angabe zu Fett i.Tr. einfach durch zwei teilen. Fettarmer Käse hat einen Fettgehalt von maximal 30 bis 40 Prozent F.i.Tr, das entspricht einem absoluten Fettgehalt von 15 bis 20 Prozent Fett.

Zuckerfalle Müsli

Müsli ist nicht gleich Müsli. Es gibt auch keine einheitliche Bezeichnung dafür. So kann z.B. eine Mischung aus karamellisierten Getreideflocken mit Honig und Schokolade als Müsli bezeichnet werden. Ebenso aber auch eine Getreidemischung mit Sonnenblumenkernen und Haferkleie. Achten Sie deshalb beim Müslikauf darauf, dass in der Mischung wenige, besser keine Rosinen und anderes Trockenobst und weder Zucker noch Honig enthalten sind. Rühren Sie stattdessen frisches Obst unter die Mischung – das spart unnötige Kohlenhydrate durch Zucker und liefert Vitamine und Mineralstoffe auf ganz natürliche Art. Ob und wie viel Trockenobst im Müsli enthalten ist, erkennen Sie an der Mischung in einer transparenten Verpackung. In der Zutatenliste, die Sie auf der Verpackung finden, stehen auch die Angaben über Zucker oder Honig. Hier wird zuerst das genannt, wovon am meisten enthalten ist. Stehen Rosinen, Zucker oder Honig weit vorne, dann ist ihr Anteil entsprechend hoch und das Gesamtprodukt sehr kohlenhydratreich.

Was sind Fitnesscornflakes?

Neben den klassischen Cornflakes gibt es heute eine Reihe von Sorten mit einem hohen Vollkornanteil. Diese Cornflakes werden im Handel häufig als Wellnessflakes, fettarme Spezialflakes oder Fitnessflakes angeboten, die vom Geschmack her eher kernig-nussig sind. Ihr Ballaststoffgehalt ist etwas höher als bei herkömmlichen Cornflakes, was dem Blutzuckerverlauf gut tut. Mithilfe der Nährwertanalyse auf der Verpackung können Sie den BE/KE-Gehalt Ihrer Portionsgröße ganz einfach errechnen.

Zwieback: Vorsicht Zucker!

Wenn Sie Zwieback verwenden, müssen Sie nicht auf Diätprodukte zurückgreifen. Herkömmliche Sorten, wie klassischer oder Vollkornzwieback, können Sie mit zwei Scheiben pro BE/KE einsetzen. Zucker- und damit kohlenhydratreich sind z.B. Spezialsorten mit Kokos, Anis oder Schokolade. Diese Sorten sind bei Diabetes weniger empfehlenswert. Verwechseln Sie Müsli- nicht mit Vollkornzwieback. Müslizwieback ist durch Rosinen BE/KE-reicher.

Getreidemischung zur Herstellung von Müsli

Zutaten pro Rezept: *75 g Weizen, 50 g Roggen, 75 g Hafer, 25 g Buchweizen, 25 g Hirse, 50 g Sesam, 100 g Leinsamen*

Nährwerte pro 25 g = 1 KE

90 kcal, 4 g E, 4 g F, 10 g KH, 1 KE, 0 mg Chol, 4 g Ba

▌ Getreide sowie den Buchweizen in einer Getreidemühle grob schroten.

▌ Hirse, Sesam und Leinsamen dazugeben und gut vermengen. Die Müslimischung in einem luftdicht verschlossenen Gefäß aufbewahren.

Getreide-Müsli

Zutaten pro Rezept: *50 g Getreidemischung (2 KE), 75 g Magerjoghurt, 2 TL 10 %ige Kaffeesahne, 1 TL Zitronensaft, 100 g Apfel m. Schale (1 KE), 60 g Orange oder, 55 g Pfirsich oder 90 g Erdbeeren (0,5 KE), 2 geh. TL gemahlene oder gehackte Haselnüsse, Süßstoff*

Nährwerte pro Rezept

360 kcal, 13 g E, 16 g F, 40 g KH, 3,5 KE, 0 mg Chol, 11 g Ba

▌ Getreidemischung, Magerjoghurt, Kaffeesahne und Zitronensaft vermischen und eine halbe Stunde abgedeckt stehen lassen.

▌ Den Apfel grob reiben, Orange oder Pfirsich oder Erdbeeren in Stücke schneiden und dazugeben.

▌ Zum Schluss die Haselnüsse hinzufügen und das Müsli mit Süßstoff abschmecken.

Multivitamin-Porridge

Zutaten für eine Portion: *150 ml fettarme Milch, 100 ml Multivitaminsaft (mit Süßstoff), 40 g Haferflocken, flüssiger Süßstoff nach Geschmack*

Nährwerte pro Portion

230 kcal, 11 g E, 3 g F, 39 g KH, 3,8 KE, 3 mg Chol, 2 g Ba

▌ Die Milch und den Multivitaminsaft in einen Topf geben, auf mittlerer Stufe zum Kochen bringen und die Haferflocken einrühren. 5 bis 8 Min. quellen lassen, dabei immer wieder umrühren und nach Geschmack mit etwas flüssigem Süßstoff abschmecken und noch warm genießen. Falls das Porridge zu dick ist, einen Schuss Wasser hineinrühren.

Erdbeermüsli

Zutaten für eine Portion: *200 g Erdbeeren, 250 g Joghurt (0,1 % Fett), flüssiger Süßstoff nach Geschmack, 2 EL Müsli, ohne Trockenobst und Zucker (40 g)*

Nährwerte pro Portion

210 kcal, 14 g E, 1 g F, 36 g KH, 3,5 KE, 2 mg Chol, 5 g Ba

▌ Die Erdbeeren abspülen, putzen und je nach Größe halbieren oder vierteln. Den Joghurt glatt rühren und mit dem Süßstoff abschmecken. Das Müsli hinzufügen und zum Schluss mit den Erdbeeren mischen.

Apfel-Zimt-Traum mit Haferflocken

Zutaten für eine Portion: *1 mittelgroßer Apfel (ca. 150 g), 1 TL Zitronensaft, 250 g Joghurt (1,5 % Fett), 1 Msp. Zimt, gemahlen, flüssiger Süßstoff nach Geschmack, 2 EL Vollkornhaferflocken (40 g)*

Nährwerte pro Portion

240 kcal, 14 g E, 2 g F, 42 g KH, 4 KE, 2 mg Chol, 4 g Ba

▌ Den Apfel abspülen, vom Kerngehäuse befreien und mit Schale auf einer Reibe grob raspeln. Mit dem Zitronensaft beträufeln, den Joghurt unterrühren und mit Zimt und Süßstoff abschmecken. Die Haferflocken hinzufügen und alles miteinander vermischen.

Tipp

Wenn Sie die Vollkornhaferflocken lieber etwas weicher mögen, lassen Sie den zubereiteten Joghurt eine halbe Stunde ziehen, bevor Sie ihn genießen.

Himbeeren mit Cornflakes

Zutaten für eine Portion: *50 g Fitnesscornflakes aus Vollkorn, 150 g Himbeeren (frisch oder tiefgekühlt)*

200 ml fettarme Milch, flüssiger Süßstoff nach Geschmack

Nährwerte pro Portion

320 kcal, 13 g E, 4 g F, 58 g KH, 5,8 KE, 10 mg Chol, 9 g Ba

▪ Die Cornflakes in eine Schüssel geben. Die Himbeeren, wenn nötig, kurz abspülen und verlesen. Milch auf die Cornflakes gießen, mit flüssigem Süßstoff abschmecken und die Himbeeren vorsichtig unterheben.

Tipp

Wenn Sie keine Himbeeren vorrätig haben, kein Problem! Die Cornflakes schmecken auch mit frischen Erdbeeren oder anderem Beerenobst köstlich – ein ideales Sommerfrühstück.

Birnenbaguette mit Camembert

Zutaten für eine Portion: *1 Baguettebrötchen (80 g), 20 g vegetarische Pastete (z. B. von Tartex), etwas Kresse, 1 kleine Birne (90 g), 25 g fettreduzierter Camembert (max. 30 % F.i.Tr.)*

Nährwerte pro Portion

335 kcal, 15 g E, 6 g F, 55 g KH, 5 KE, 5 mg Chol, 6 g Ba

▪ Das Baguettebrötchen halbieren und beide Hälften mit der vegetarischen Pastete bestreichen. Etwas Kresse auf den beiden Baguettehälften verteilen.
▪ Die Birne abspülen, vom Kerngehäuse befreien, in schmale Spalten schneiden und auf dem Brötchen verteilen. Zum Schluss den Camembert in dünne Scheiben schneiden, auf eine Brötchenhälfte legen und das Brötchen zusammenklappen.

Knackige Mehrkornstange

Zutaten für eine Portion: *1 Mehrkornstange (ca. 80 g), 1 EL Halbfettmargarine, 1 EL gehackte Kräuter, 2 große Blätter Eisbergoder Lollo-Bionda-Salat, ¼ Salatgurke, 1 kleiner Apfel (100 g), 1 Scheibe gekochter Schinken, 1 Scheibe fettreduzierter Schnittkäse (max. 40 % F.i.Tr.)*

Nährwerte pro Portion

400 kcal, 22 g E, 12 g F, 51 g KH, 5 KE, 35 mg Chol, 6 g Ba

▪ Beide Hälften der Vollkornstange mit Margarine bestreichen. Die Kräuter darauf verteilen. Den Salat abspülen und mit einem Küchenkrepp trocken tupfen. Die Gurke schälen und in mitteldicke Scheiben schneiden. Den Apfel abspülen, vom Kerngehäuse befreien, vierteln und mit der Schale in Spalten schneiden.
▪ Eine Seite der Vollkornstange mit der Hälfte der Gurkenscheiben und die andere Seite mit der Hälfte der Apfelspalten belegen. Die Salatblätter auf den Hälften verteilen. Nun auf die Apfelhälfte die restlichen Gurkenscheiben und auf die Gurkenhälfte die Apfelspalten legen. Zum Schluss die eine Seite mit dem gekochten Schinken und die andere Hälfte mit dem Schnittkäse belegen.

Tipp

Verschiedene Brot- und Brötchenvarianten lassen keine Einseitigkeit aufkommen, wenn Sie beim Belag kreativ sind. Peppen Sie Ihren Snack einmal mit Sprossen, Ruccola oder Kresse auf. Fettarme Käsesorten, magere Wurst oder kalter Bratenaufschnitt, bieten darüber hinaus Abwechslung und kalorienbewussten Genuss.

Vollkornbrot mit Zwiebelharzer

Zutaten für eine Portion: *1 Zwiebel, 1 Scheibe Vollkornbrot (50 g), 1 TL Tomatenmark, 50 g Harzer Roller, 1 TL Rapsöl, ¼ TL Kümmel, ganz, etwas Petersilie*

Nährwerte pro Portion

235 kcal, 19 g E, 6 g F, 26 g KH, 2 KE, 1 mg Chol, 4 g Ba

▌ Die Zwiebel abziehen, kalt abspülen, eine Hälfte sehr fein würfeln und die andere Hälfte in dünne Ringe schneiden. Das Vollkornbrot mit dem Tomatenmark bestreichen und darauf die Zwiebelringe verteilen.

▌ Den Harzer in kleine Würfel schneiden und in einem Schälchen mit Öl, Kümmel und den Zwiebelwürfeln vermengen. Die Mischung auf dem Brot verteilen und mit Petersilie garniert servieren.

Körnerbrötchen zweierlei

1 Körnerbrötchen (50 g), 1 TL fettreduzierte Margarine (max. 24 % Fett), 1 TL fettreduzierter Frischkäse (max. 5 % Fett), 2 Scheiben Lachsschinken, 1 TL Honig (5 g)

Nährwerte pro Portion

185 kcal, 9 g E, 3 g F, 30 g KH, davon 4 g Zucker, 3 KE, 15 mg Chol, 3 g Ba

▌ Eine Brötchenhälfte mit Margarine, die andere mit Frischkäse bestreichen. Auf die Margarinehälfte den Schinken und auf die Frischkäsehälfte den Honig geben. Ein idealer Snack für den Start in den Tag.

Tipp

Egal ob es sich um das Sandwich fürs Büro oder das Frühstücksbrötchen am Sonntag handelt: „On top" muss es nicht immer Butter sein. Fettreduzierte Mayonnaise, Tomatenmark, Senf oder Meerrettich bilden eine pikante Alternative zum üblichen Streichfett. Garniert mit knackigem Gemüse und fettarmem Belag wird es Ihre Waage Ihnen danken.

Zwiebackschmarrn mit Früchten

Zutaten für eine Portion: *1 Ei, 100 ml fettarme Milch, flüssiger Süßstoff nach Geschmack, 1 Prise Salz, 2 Scheiben Vollkornzwieback (20 g), 2 kleine Orangen, 1 EL Sonnenblumenkernöl, 1 TL Streusüße (z. B. „Canderel")*

Nährwerte pro Portion

320 kcal, 14 g E, 17 g F, 28 g KH, 2,5 KE, 240 mg Chol, 4 g Ba

▌ Ei, Milch, Süßstoff und Salz in einem tiefen Teller verquirlen. Den Zwieback in Stücke brechen, in die Eiermilch legen und 10 Min. ziehen lassen. Währenddessen die Orangen schälen und die Filets herausschneiden. Die Reste der Orange über der Zwieback-Eiermilch ausdrücken.

▌ Das Öl in einer Pfanne erhitzen, den Zwieback hineingeben und auf kleiner Flamme stocken lassen. Mit zwei Gabeln in Stücke zupfen – ähnlich wie bei Kaiserschmarrn. Den Zwiebackschmarrn auf einem Teller anrichten und mit den Orangenfilets garnieren. Etwas Streusüße darüberstäuben und lauwarm genießen.

Bagel – süß und pikant

Zutaten für eine Portion: *1 Bagelbrötchen (100 g), 20 g Lachsfrischkäse (16 % Fett), etwas Kresse, 1 TL Halbfettbutter oder -margarine, 1 TL Erdbeerkonfitüre, kalorienreduziert (5 g)*

Nährwerte pro Portion

315 kcal, 10 g E, 7 g F, 53 g KH, 5 KE, 5 mg Chol, 3 g Ba

▐ Den Bagel im Backofen oder auf dem Toaster aufbacken und halbieren. Eine Seite mit Lachsfrischkäse bestreichen und mit etwas Kresse bestreuen. Die andere Bagelseite mit Halbfettbutter oder -margarine bestreichen und darauf die Konfitüre verteilen.

Kräuterrührei auf Vollkornbrot

Zutaten für eine Portion: *1 Ei, 50 ml fettarme Milch, Salz, Pfeffer, frisch gemahlen, 1 TL Rapsöl, 1 TL gehackte Kräuter, 1 Tomate, 1 Scheibe Vollkornbrot (50 g), 1 TL Halbfettmargarine*

Nährwerte pro Portion

300 kcal, 14 g E, 14 g F, 29 g KH, 2 KE, 240 mg Chol, 4 g Ba

▐ Das Ei in einem tiefen Teller mit einer Gabel verquirlen und die Milch unterrühren. Mit Salz und Pfeffer abschmecken. Das Öl in einer Pfanne erhitzen und die Eiermilch darin auf kleiner Flamme stocken lassen. Während des Stockens die gehackten Kräuter unter das Ei rühren.

▐ Die Tomate abspülen, putzen und in Scheiben schneiden. Das Vollkornbrot mit Margarine bestreichen und mit den Tomatenscheiben belegen. Zum Schluss das fertige Rührei darauf verteilen und heiß servieren.

Kasselerbrötchen

Zutaten für eine Portion: *1 Vollkornbrötchen (50 g), 1 TL Senf, 2 Scheiben Kasseler-Aufschnitt, 4 Kapern*

Nährwerte pro Portion

170 kcal, 12 g E, 3 g F, 24 g KH, 2 KE, 30 mg Chol, 3 g Ba

▐ Die Brötchenhälften aufschneiden und mit Senf bestreichen. Die Kasselerscheiben darauflegen. Die Kapern fein hacken und auf die Brötchenhälften streuen.

Obstnest mit Käse und Walnüssen

Zutaten für eine Portion: *½ Papaya (ca. 150 g), 150 g Brombeeren, 5 Physalis (Kapstachelbeeren, ca. 50 g), 50 g Orangensaft (100 % Frucht), 2 TL Streusüße (z. B. „Canderel" oder „Feine Süße" von Natreen), 30 g fettreduzierter Gouda (max. 40 % F.i.Tr.), 2 Walnusskerne*

Nährwerte pro Portion

450 kcal, 18 g E, 32 g F, 23 g KH, 2 KE, 10 mg Chol, 16 g Ba

▐ Die Papaya halbieren und mit einem Teelöffel die Kerne herauskratzen. Die Frucht schälen, in mitteldicke Streifen schneiden und auf einem tiefen Teller drapieren. Die Brombeeren abspülen, verlesen und darüberverteilen. Die Physalis aus der Hülle nehmen, abspülen, halbieren und zum Obst geben.

▐ Den Orangensaft mit 1 Teelöffel Streusüße mischen und über das Obst gießen. Den Schnittkäse in Streifen schneiden und auf das Obst legen. Die Walnusskerne zerdrücken, mit dem zweiten Teelöffel Streusüße bestäuben und über das Obstnest streuen.

Tipp

Wenn Sie keinen Schnittkäse im Haus haben, können Sie auch geriebenen, fettarmen Käse verwenden. Reicht Ihnen die BE/KE-Menge nicht aus, stocken Sie einfach mit Haferflocken, Müsli oder einem frischen Brötchen auf. Achten Sie beim Frühstück auf versteckte Fette. Bei Käse kann das schwierig werden, denn es sind zwei Fettgehaltangaben zulässig. Zum einen der „absolute Fettgehalt" und zum anderen der „Fettgehalt in der Trockenmasse" (F. i.Tr.). Der absolute Fettgehalt liegt immer unter dem, der in Trockenmasse angegeben ist.

Wake-up-Drink

Zutaten für eine Portion: *1 mittelgroße Banane (100 g), 150 ml Karottensaft (naturrein), 100 ml Orangensaft (100 % Frucht), 4 EL Zitronensaft, 2 EL schnell lösliche Instantflocken (ca. 20 g), flüssiger Süßstoff nach Geschmack*

Nährwerte pro Portion

245 kcal, 6 g E, 2 g F, 51 g KH, 4 KE, 0 mg Chol, 4 g Ba

▌ Die Banane schälen, mit einer Gabel zerdrücken und zusammen mit dem Karotten-, Orangen- und Zitronensaft pürieren. Die Flocken einrühren und mit dem flüssigem Süßstoff abschmecken.

Aprikosenquark mit körnigem Frischkäse

Zutaten für eine Portion: *3 kleine Aprikosen (ca. 120 g), 150 g Magerquark, etwas Sprudelwasser, 50 ml Orangensaft (100 % Frucht), 50 g körniger Frischkäse flüssiger Süßstoff nach Geschmack*

Nährwerte pro Portion

230 kcal, 28 g E, 3 g F, 22 g KH, 1,5 KE, 10 mg Chol, 2 g Ba

▌ Die Aprikosen abspülen, entsteinen und die Früchte in Spalten oder kleine Würfel schneiden. Den Quark mit etwas Sprudelwasser und dem Orangensaft glatt rühren. Zum Schluss den körnigen Frischkäse unterrühren, die geschnittenen Aprikosen hinzufügen und mit Süßstoff abschmecken.

Magerquark können Sie sehr gut mit Sprudelwasser glatt rühren. So schmeckt er schön cremig, auch mit niedrigem Fettgehalt. Wenn Sie Orangensaft kaufen, dann achten Sie darauf, dass er zu 100 Prozent aus Frucht bzw. Fruchtkonzentrat besteht - also ohne Zuckerzusatz. So ist nur der im Obst natürliche Fruchtzuckeranteil enthalten.

Apfel-Zimt-Traum mit Haferflocken

Zutaten für eine Portion: *1 mittelgroßer Apfel (ca. 150 g), 1 TL Zitronensaft, 250 g Joghurt (1,5 % Fett), 1 Msp. Zimt, gemahlen, flüssiger Süßstoff nach Geschmack, 2 EL Vollkornhaferflocken (40 g)*

Nährwerte pro Portion

240 kcal, 14 g E, 2 g F, 42 g KH, 4 KE, 2 mg Chol, 4 g Ba

▌ Den Apfel abspülen, vom Kerngehäuse befreien und mit Schale auf einer Reibe grob raspeln. Mit dem Zitronensaft beträufeln, den Joghurt unterrühren und mit Zimt und Süßstoff abschmecken. Die Haferflocken hinzufügen und alles miteinander vermischen.

Tipp

Wenn Sie die Vollkornhaferflocken lieber etwas weicher mögen, lassen Sie den zubereiteten Joghurt eine halbe Stunde ziehen, bevor Sie ihn genießen.

Köstliche Kleinigkeiten

Es gibt Anlässe, bei denen man seine Familie und Gäste mit etwas Besonderem verwöhnen und überraschen möchte. Vielleicht ein Toastgericht anlässlich eines Geburtstages, eine pikante Torte bei einem Kartenabend oder einen herzhaften Salat zum Ausklang des Wochenendes.

Eine vielfältige Auswahl an kleinen Zubereitungen für das nicht alltägliche Abendessen haben wir für Sie auf den nachfolgenden Seiten zusammengestellt. Die Rezepte sind für alle – Gäste wie Betroffene – gut geeignet. Sie sind leicht zu planen und abzuschätzen. Die Vor- und Zubereitung ist einfach und nicht zeitaufwendig.

Der etwas höhere Energiegehalt der kleinen Gerichte sollte Sie nicht davon abhalten, auch diese Rezepte auszuprobieren. Schließlich ist nicht jeder Tag ein Tag mit besonderem Anlass.

Quiche Lorraine

Zutaten pro Torte: *160 g Weizenvollkornmehl Type 1700 (8 KE), 60 g Margarine, 1 Ei, 1½ EL Wasser, 125 g Gemüsezwiebeln, 150 g Truthahnbierschinken, 150 g Lauch, 2 TL Öl, 120 g Scheibletten (45 % Fett i. Tr.), 1 EL gehackte Petersilie, 100 g Magerjoghurt, 100 g 10 %ige saure Sahne, 3 Eier, Pfeffer, Salz, Kräuter der Provence, 300 g Tomatenscheiben*

Nährwerte pro Stück

290 kcal, 15 g E, 18 g F, 15 g KH, 1 KE, 143 mg Chol, 4 g Ba

- Aus Mehl, Margarine, Ei und Wasser einen Mürbeteig herstellen (s. bei Champignon-Käse-Torte).
- Zwiebeln und Truthahnbierschinken würfeln, Lauch in feine Ringe schneiden, in heißem Öl anbraten und erkalten lassen.
- Die in Würfel geschnittenen Scheibletten sowie die Petersilie unter die erkaltete Masse mengen und gleichmäßig auf dem Teigboden verteilen.
- Magerjoghurt, saure Sahne und Eier verquirlen, mit Pfeffer, Salz sowie Kräutern der Provence würzen und über die Quiche-Lorraine-Füllung gießen.
- Die Torte mit Tomatenscheiben belegen, im vorgeheizten Backofen bei 200 °C ca. 40–45 Min. backen, in 8 Stücke teilen und heiß servieren.

Champignon-Käse-Torte

Zutaten pro Torte: *160 g Weizenvollkornmehl Type 1700 (8 KE), 1 Ei, 1½ EL Wasser, 60 g Margarine, 200 g Gemüsezwiebeln, 400 g Champignons (Dose, III. Wahl), 2 TL Öl Pfeffer, Salz, 125 g Edamer (30 % Fett i. Tr.), 1 EL gehackte Petersilie, 100 g Magerjoghurt, 100 g 10 %ige saure Sahne, 3 Eier, Pfeffer, Salz, Schnittlauchröllchen*

Nährwerte pro Stück

240 kcal, 12 g E, 15 g F, 14 g KH, 1 KE, 113 mg Chol, 4 g Ba

- Das Mehl auf ein Backbrett sieben, in die Mitte eine Vertiefung drücken, das Ei und das Wasser hineingeben. Die Margarine auf dem Mehlkranz verteilen und alle Zutaten miteinander verkneten.
- Den Teig etwa 30 Min. an einem kühlen Ort ruhen lassen, danach dünn ausrollen und in eine beschichtete Springform (26 cm Durchmesser) geben. Den Teig am Rand etwa 1–2 cm hoch stehen lassen.
- Zwiebeln würfeln, Champignons gut abtropfen lassen, beides in heißem Öl anbraten, würzen und erkalten lassen.
- Den in dünne Streifen geschnittenen Edamer sowie die Petersilie unter die erkaltete Masse mengen und gleichmäßig auf dem Teigboden verteilen.
- Magerjoghurt, saure Sahne, Eier verquirlen, mit Pfeffer, Salz sowie den Schnittlauchröllchen würzen und über die Champignon-Käse-Füllung gießen.
- Die Torte im vorgeheizten Backofen bei 200 °C ca. 40–45 Min. backen, in 8 Stücke teilen und heiß servieren.

Hackfleisch-Käse-Torte

Zutaten pro Torte: *160 g Weizenvollkornmehl (8 KE), 60 g Margarine, 1 Ei, 1½ EL Wasser, 125 g Gemüsezwiebeln, 150 g Paprika, 200 g Tatar, 2 TL Öl, Pfeffer, Knoblauch, Salz, 125 g Camembert, 100 g Magerjoghurt, 100 g 10 %ige saure Sahne, 3 Eier, Pfeffer, Salz, Schnittlauchröllchen, 100 g Gewürzgurken*

Nährwerte pro Stück

260 kcal, 16 g E, 15 g F, 15 g KH, 1 KE, 133 mg Chol, 3 g Ba

- Aus Mehl, Margarine, Ei und Wasser einen Mürbeteig herstellen.
- Gemüsezwiebeln und Paprikawürfel zusammen mit dem Tatar in heißem Öl anbraten, würzen und erkalten lassen.
- Camembert in Streifen schneiden, unter die erkaltete Masse mengen und auf dem Teigboden verteilen.
- Magerjoghurt, saure Sahne und Eier verquirlen, mit Pfeffer, Salz sowie den Schnittlauchröllchen würzen und über die Masse gießen.
- Die Torte mit dünnen Gewürzgurkenscheiben belegen und im vorgeheizten Backofen bei 200 °C ca. 40–45 Min. backen, in 8 Stücke teilen und heiß servieren.

Käsesalat

Zutaten für 2 Portionen: *80 g Emmentaler, 100 g grüne Paprika, 20 g Zwiebeln, 100 g Gurke, 100 g Tomatenachtel, 1 EL Essig, 3–4 EL Wasser, Pfeffer, Paprika, Senf, Salz, evtl. Süßstoff, 1 TL Öl Petersilie, Dill*

Nährwerte pro Portion

210 kcal, 13 g E, 15 g F, 4 g KH, 0 KE, 36 mg Chol, 3 g Ba

▌ Käse, Paprika und Zwiebeln in feine Streifen schneiden. Gurke schälen, halbieren, aushöhlen und in dünne Scheiben schneiden. Tomatenachtel dazugeben und alles vorsichtig mischen.
▌ Aus Essig, Wasser, Gewürzen und Öl eine Marinade herstellen, über den Salat geben und gut durchziehen lassen. Auf Salatblättern anrichten und mit den gehackten Kräutern bestreuen.

Käse-Kräuter-Topf

Zutaten für 2 Portionen: *100 g Romadur (20 % Fett i. Tr.), 60 g Fleischkäse, 1 geh. EL Zwiebelwürfel, 2 EL Gewürzgurken, 2 EL Magerjoghurt, leicht gehäuft, 2 EL Magerquark, 2 gestr. TL Mayonnaise, 50 % Fett, Pfeffer, Salz, Petersilie, Schnittlauchröllchen*

Nährwerte pro Portion

235 kcal, 24 g E, 14 g F, 3 g KH, 0 KE, 33 mg Chol, 0 g Ba

▌ Den Romadur von der rötlichen Haut befreien und in Streifen schneiden.
▌ In Streifen geschnittenen Fleischkäse, Zwiebelwürfel und in Würfel geschnittene Gewürzgurken dazugeben.
▌ Joghurt, Quark und Mayonnaise verrühren, würzen, Petersilie sowie Schnittlauch dazugeben.
▌ Alle Zutaten miteinander vermengen und 1 Stunde durchziehen lassen.

Pizza

Zutaten pro Rezept: *50 g Magerquark, trocken, 2 EL Milch (1,5 % Fett), 1 TL Öl, 1 Messerspitze Satz, 80 g Weizenvollkornmehl (4 KE), 1 gestr. TL Backpulver, 50 g Frisches Tomatenpüree, Paprika, Pfeffer, Oregano, Salz, 50 g Zwiebeln, 30 g Kochschinken, 100 g Champignons (Dose), 100 g Tomaten, 60 g Emmentaler (45 % Fett i. Tr.), Oregano*

Nährwerte pro Rezept

710 kcal, 47 g E, 32 g F, 57 g KH, 4 KE, 74 mg Chol, 14 g Ba

▌ Quark, Milch, Öl und Salz verrühren.
▌ Mehl und Backpulver vermischen, nach und nach zur Quarkmasse geben, zu einem Teigkloß verarbeiten und eine ½ Stunde kühl stellen.
▌ Den Teig zwischen Frischhaltefolie ausrollen und in eine Springform (24–26 cm) legen. Den Teig mit gewürztem, frischem Tomatenpüree bestreichen.
▌ Zwiebeln und Kochschinken fein würfeln, Champignons gut abtropfen lassen. Tomaten in dünne Scheiben, den Käse in feine Streifen schneiden, den Boden damit belegen und mit Oregano bestreuen.
▌ Die Pizza im vorgeheizten Backofen bei 200–225 °C ca. 25–30 Min. backen.

Schweinefilet-Camembert-Toast

Zutaten für 2 Portionen: *100 g Schweinefilet (je 50 g), Pfeffer, Paprika, Basilikum, Salz, 1 TL Öl, 40 g Zwiebelringe, 40 g Paprika, 60 g Roggenvollkornbrot (2 KE), Gurkenscheiben, 50 g Camembert, reif (30 % Fett i. Tr.)*

Nährwerte pro Portion

200 kcal, 19 g E, 8 g F, 13 g KH, 1 KE, 45 mg Chol, 3 g Ba

▌ Schweinefilet klopfen, würzen, in heißem Öl scharf anbraten und danach salzen.

▌ Zwiebelringe sowie die in feine Streifen geschnittenen Paprika dazugeben und dünsten, evtl. nachwürzen.

▌ Das Brot halbieren, am Rand mit Gurkenscheiben belegen und diese etwas überstehen lassen. Das Filet in die Mitte legen und das Paprika-Zwiebel-Gemüse darauf verteilen.

▌ Den Camembert in kleine Würfel schneiden, darübergeben und im Backofen oder Grill überbacken.

Hot-Dog-Toast

Zutaten für 2 Portionen: *100 g Sauerkraut, Pfeffer, Zwiebelpulver, Salz, evtl. Süßstoff, 50 g Mehrkornbrot (2 KE), 100 g Geflügelwürstchen, Senf, 3 geh. EL Edamer (30 % Fett i. Tr.)*

Nährwerte pro Portion

240 kcal, 15 g E, 15 g F, 11 g KH, 1 KE, 37 mg Chol, 3 g Ba

▌ Die Brotscheibe in der Mitte teilen, das Sauerkraut klein schneiden, abschmecken und auf den Brothälften verteilen.

▌ Würstchen halbieren, der Länge nach aufschneiden, die Schnittfläche mit Senf bestreichen und auf das Brot legen.

▌ Edamer grob raspeln und auf den belegten Brothälften verteilen. Im vorgeheizten Backofen oder Grill bei 175 – 200 °C überbacken, bis der Käse zerläuft.

Spargel mit Rucola in Balsamicodressing

Zutaten für 2 Portionen: *500 g weißer Spargel, Salz, flüssiger Süßstoff nach Geschmack, 1 TL Halbfettmargarine, 3 EL Balsamico, 20 g Rucolasalat, 30 g Parmesankäse am Stück, 1 EL Haselnüsse, gemahlen (10 g)*

Nährwerte pro Portion

310 kcal, 21 g E, 20 g F, 12 g KH, 0 KE, 25 mg Chol, 8 g Ba

▌ Den Spargel schälen und den unteren Strunk abschneiden. Etwa 500 ml Wasser mit Salz, flüssigem Süßstoff und der Margarine zum Kochen bringen. Den Spargel 15 bis 20 Min. darin garen, dann abtropfen lassen und auf eine Platte legen.

▌ Den Essig mit etwas Spargelwasser mischen und den Spargel damit übergießen. Rucola abspülen, trocken schütteln, klein zupfen und über den Spargel verteilen. Mit einem Parmesan- oder Gemüsehobel den Käse in hauchdünne Scheiben schneiden und über den Spargel verteilen. Mit gemahlenen Haselnüssen bestreut servieren.

 Tipp

Wenn Ihnen die Rucolablätter zu lang sind, können sie mit einer Küchenschere in der Mitte durchgeschnitten werden. Oder Sie zupfen sie mit den Händen in mundgerechte Stücke.

Eiliger Spargelsalat

Zutaten für 2 Portionen: *500 g grüner Spargel, Salz, Pfeffer, frisch gemahlen, flüssiger Süßstoff nach Geschmack, 1 TL Halbfettmargarine, 2 EL Weißweinessig, 1 EL Rapsöl, 20 g Parmesankäse am Stück*

Nährwerte pro Portion

140 kcal, 8 g E, 10 g F, 5 g KH, 0 KE, 10 mg Chol, 5 g Ba

▌ Den Spargel abspülen und den unteren Strunk abschneiden. Jede Spargelstange in drei gleich große Stücke schneiden. Dabei die Enden schräg abschneiden. Die Spargelköpfe ebenfalls abschneiden und beiseite legen. 500 ml Wasser zum Kochen bringen und Salz, Süßstoff und Margarine hinzufügen.
▌ Die Spargelstücke (ohne die Köpfe) 5 bis 8 Min. bissfest garen und abtropfen lassen. Die Spargelköpfe mit wenig Wasser in der Mikrowelle oder in einem Topf etwa 3 Min. blanchieren, aus dem Wasser nehmen und abtropfen lassen.
▌ Aus Essig, Pfeffer, Salz und Süßstoff eine Marinade rühren und zum Schluss das Rapsöl unterschlagen. Die Marinade mit den Spargelstücken mischen und etwa 1 Stunde durchziehen lassen. Vor dem Servieren den Parmesankäse über den Salat hobeln.

Krabbencocktail, exotisch

Zutaten für 2 Portionen: *200 g Krabbenfleisch, Pfeffer, 160 g Ananas, frisch (2 KE), 200 g Papaya frisch, Zitronensaft, 100 g 10 %ige saure Sahne, 4 TL Mayonnaise, 4 EL Buttermilch, 1 TL Tomatenmark, Cayennepfeffer, Salz*

Nährwerte pro Portion

315 kcal, 22 g E, 17 g F, 17 g KH, 1 KE, 166 mg Chol, 3 g Ba

▌ Krabbenfleisch mit frisch gemahlenem Pfeffer bestreuen.
▌ Ananas in kleine Stücke schneiden. Papaya grob würfeln, mit Zitronensaft beträufeln und alle bisherigen Zutaten vorsichtig vermengen.
▌ Aus saurer Sahne, Mayonnaise, Buttermilch, Tomatenmark und Gewürzen eine Soße herstellen.
▌ Den Krabbencocktail auf Salatblättern anrichten, die Soße darübergeben und kühl servieren.

Pumpernickeltaler

Zutaten für 2 Portionen: *½ rote Paprikaschote, 1 Knoblauchzehe, 75 g Magerquark, 75 g körniger Frischkäse, ½ Packung gemischte Kräuter (tiefgekühlt), Pfeffer, frisch gemahlen, Paprikapulver, edelsüß, Paprika-Jodsalz, 1 Prise Chili, gemahlen, flüssiger Süßstoff nach Geschmack, 1 TL Rapsöl, 8 Pumpernickeltaler (50 g)*

Nährwerte pro Portion

145 kcal, 12 g E, 5 g F, 13 g KH, 1 KE, 5 mg Chol, 4 g Ba,

▌ Die Paprika putzen, abspülen und in feine Würfel schneiden. Die Knoblauchzehe abziehen, fein hacken oder zerdrücken. In einer Schüssel Quark, körnigen Frischkäse, Kräuter, und Gewürze zu einer glatten Creme rühren. 1 Teelöffel Kräuter beiseite stellen.
▌ Die Creme mit Süßstoff abschmecken und Öl, Knoblauch und Paprikawürfel unterrühren. Die Pumpernickeltaler mit der Creme bestreichen und auf einer Platte anrichten. Mit etwas Paprikapulver und den restlichen Kräutern bestreut servieren.

Sushi mit Lachs und Gurke

*Zutaten für 2 Portionen: 80 g Sushireis, 1½ TL Su (Reisessig),
½ TL Salz, flüssiger Süßstoff nach Geschmack, Sojasauce, 50 g
frisches Lachsfilet oder hauchdünner Räucherlachs, ¼ Salatgurke,
2 – 3 Noriblätter (Algenblätter), 1 TL Wasabi (grüne Rettichpaste),
1 Bambusmatte zum Aufrollen der Sushi, 50 g eingelegter Ingwer*

Nährwerte pro Lachs-Gurke-Sushi bei insgesamt 20 Stück

30 kcal, 1 g E, 0 g F, 6 g KH, 0,8 KE, 1 mg Chol, 0 g Ba

▌ Den Reis in einem Sieb unter fließendem Wasser abspülen, bis
das Wasser klar bleibt, dann in einem Sieb abtropfen lassen.
Knapp 100 ml Wasser zum Kochen bringen und den Reis bei
schwacher Hitze 20 Min. darin ausquellen lassen. Zwischen
Topf und Deckel ein Küchentuch legen, um den Wasserdampf
aufzusaugen.

▌ Reisessig, Salz, Süßstoff und 1 Teelöffel Sojasauce in einem
weiteren Topf bei starker Hitze kurz aufkochen und abkühlen lassen. Den fertig gegarten, warmen Reis in eine Schüssel
geben, den Würzsud mit einem Holzlöffel vorsichtig untermischen. Die Reiskörner dabei nicht zerdrücken. Den Reis vor der
Weiterverarbeitung mindestens 2 Stunden auskühlen lassen.

▌ Den Lachs mit einem sehr scharfen Messer in hauchdünne,
etwa 1,5 cm breite und 5 cm lange Streifen schneiden. Die Gurke schälen, längs halbieren und mit einem Teelöffel das Kerngehäuse herauskratzen. Anschließend in ½ cm breite Streifen
schneiden.

▌ Ein Noriblatt auf die Bambusmatte legen und vorsichtig ½ cm
dick mit Sushireis bestreichen. Den oberen Rand 1 cm frei lassen. Auf dem Reis eine hauchdünne Schicht Wasabi verteilen
(er ist wirklich sehr scharf). Darauf die Lachs- oder Gurkenstü-
cke im Wechsel legen. Die Bambusmatte von der unteren Seite
beginnend aufrollen. Achten Sie darauf, dass die Noriblätter
nicht brechen und eine schöne feste Rolle entsteht.

▌ Die Bambusmatte entfernen und mit einem in kaltem Wasser
getränkten, scharfen Küchenmesser die Rolle in Stücke schneiden. Die fertigen Sushiröllchen auf einer Platte anrichten. Etwas süß-sauer eingelegten Ingwer und Wasabi dazu reichen.
Zum Dippen der Sushi ein Schälchen Sojasauce bereitstellen.

Gratinierter Chicorée

Zutaten für 2 Portionen: 4 Chicorée-Stauden, 1 EL Rapsöl Salz, Pfeffer, frisch gemahlen, 200 ml fettarme Milch, Muskatnuss, frisch gerieben, 2 EL Mehl (20 g), 2 Scheiben gekochter Schinken, ½ Packung Petersilie (tiefgekühlt)

Nährwerte pro Portion

180 kcal, 14 g E, 7 g F, 15 g KH, 1 KE, 25 mg Chol, 2 g Ba

▌ Den Backofen auf 180 °C (Gas Stufe 2 bis 3, Umluft 160 °C) vorheizen. Die Chicoréestauden putzen, halbieren und das bitter schmeckende Herz entfernen. Das Öl in einem Topf erhitzen. Chicorée salzen und pfeffern und im Öl etwa 15 bis 20 Min. dünsten. Aus dem Topf nehmen und gut abtropfen lassen.

▌ Die Milch in einen Topf geben, salzen, pfeffern, mit Muskat würzen und zum Kochen bringen. Das Mehl mit etwas Wasser anrühren und in die kochende Milch geben. Die Schinkenscheiben halbieren. Den Chicorée je mit einer halben Scheibe Schinken umwickeln und in eine Auflaufform legen.

▌ Die Sauce darübergießen und auf mittlerer Höhe 10 Min. backen. Anschließend mit der gehackten Petersilie bestreut servieren.

Marinierte Kirschtomaten

Zutaten für 6 Portionen: 500 g Kirschtomaten, 1 EL Olivenöl, 200 bis 300 ml Balsamico, Kräuter-Jodsalz, Pfeffer, frisch gemahlen, flüssiger Süßstoff nach Geschmack

Nährwerte pro Portion

60 kcal, 1 g E, 5 g F, 3 g KH, 0 KE, 0 mg Chol, 1 g Ba

▌ Die Kirschtomaten abspülen. Das Olivenöl in einer Pfanne erhitzen und die Tomaten in die Pfanne geben. Im heißen Öl maximal 5 Min. anschwitzen. Herausnehmen, wenn sich die Schale der Tomaten an einer Seite langsam öffnet.

▌ In einer Schüssel den Essig mit den Gewürzen mischen und abschmecken. Die Tomaten in den Sud geben, so dass sie mit dem Essig bedeckt sind. Mindestens 2 Stunden ziehen lassen.

Marinierte Paprikaschoten

Zutaten für 6 Portionen: 2 rote Paprikaschoten, 2 gelbe Paprikaschoten, 2 grüne Paprikaschoten, 6 Knoblauchzehen, ½ Chilischote, 2 Rosmarinzweige, 250 ml weißer Balsamico, 250 ml dunkler Balsamico, 6 EL Olivenöl, 2 EL grüne Pfefferkörner, 1 EL grobes Meersalz, 2 Gläser mit Twist-off-Deckel

Nährwerte pro Portion, abgetropft:

120 kcal, 2 g E, 10 g F, 5 g KH, 0 KE, 0 mg Chol, 6 g Ba

▌ Die Paprikaschoten putzen, abspülen und in Stücke schneiden. Die Knoblauchzehen abziehen und in dünne Scheiben schneiden. Die Chilischote längs halbieren, die Kerne herauskratzen und die halbe Schote in dünne Stückchen schneiden. Die Rosmarinzweige abspülen und trocken schütteln.

▌ Essig und Öl in einen Topf gießen, die Gewürze, Rosmarin und Pfefferkörner zugeben und kurz aufkochen lassen. Jetzt die Paprikaschoten in die warme Marinade geben und etwa 15 Min. ziehen lassen. Mit dem Sud in die Gläser füllen und einige Tage im Kühlschrank ruhen lassen.

Kürbis-Tarte

Zutaten für 20 Portionen: Teig: 220 g Mehl (Type 405), 1 TL Backpulver, 125 g Halbfettmargarine, 1 Ei, 1 Prise Salz. Belag: 500 g Kürbisfleisch, 40 g Sonnenblumen- oder Pinienkerne, 50 g geschälte Kürbiskerne, 200 g Schlagcreme zum Kochen, 3 Eier, 3 TL Speisestärke Pfeffer, Salz, Muskatnuss

Nährwerte pro Stück

163 kcal, 5 g E, 10 g F, 13 g KH, 1,3 KE

- Mehl mit Backpulver mischen, mit Margarine, Ei und Salz verkneten. Teig 30 Min. im Kühlschrank ruhen lassen. Kürbis in Spalten schneiden, Fruchtfleisch von der Schale lösen, Kerne entfernen und 500 g abwiegen. Kürbisfleisch klein würfeln, mit Pinien- und Kürbiskernen vermengen.
- Backofen auf 200 °C (Umluft 180 °C) vorheizen. Teig ausrollen, die mit Backpapier ausgelegte Tarteform damit auskleiden und den Boden mehrmals einstechen. Kürbismasse darauf verteilen.
- Für den Guss Schlagcreme mit den Eiern und Stärke verrühren, abschmecken und über den Belag gießen. Im Ofen (mittlere Einschubleiste) 40 bis 45 Min. backen.

Olivenschnecken

Zutaten für 20 Stück: Teig: 350 g Mehl (Type 405), 150 g Roggenmehl (Type 1150), 1 Würfel Hefe, ⅛ l Wasser, lauwarm, 1 Prise Zucker, 1 TL Salz, 375 ml Buttermilch. Füllung: 1 Bund Basilikum, 1 Knoblauchzehe, 100 g Schafskäse, 50 g schwarze Oliven, entsteint, 100 g Magerquark, 2 Eier

Nährwerte pro Stück

124 kcal, 6 g E, 9 g F, 19 g KH, 2 KE

- Mehl mischen, in eine Schüssel geben und in die Mitte eine Vertiefung drücken. Hefe in etwas lauwarmem Wasser auflösen, Zucker hinzufügen und in die Vertiefung geben. Mit Mehl bestäuben. Zugedeckt an einem warmen Ort 15 Min. gehen lassen.
- Übrige Zutaten hinzufügen und zu einem glatten Teig verkneten. Weitere 30 Min. zugedeckt gehen lassen, bis sich der Teig verdoppelt hat. Basilikum und Knoblauch fein hacken. Schafskäse und Oliven sehr fein würfeln. Mit Quark, 1 Ei, Basilikum und Knoblauch verrühren.
- Backofen auf 200 °C (Umluft 180 °C) vorheizen. Teig auf einer leicht bemehlten Arbeitsfläche ausrollen (40 × 30 cm). Die Füllung aufstreichen, unten 2 cm frei lassen. Teig von der langen Seite her dicht aufrollen, in 20 Scheiben schneiden und auf ein mit Backpapier belegtes Backblech geben und leicht flach drücken.
- Das zweite Ei verquirlen, Schnecken damit bestreichen und zugedeckt ca. 15 Min. gehen lassen. Im Ofen (mittlere Einschubleiste) 25 bis 30 Min. backen.

Lachs-Miniquiches

Zutaten für 8 kleine Quicheförmchen: 220 g Mehl (Type 1050), 100 g Halbfettbutter, kalt, 1 Ei, 2–3 EL Milch (1,5 %), ½ TL Salz, 400 g Lauch, 200 g Räucherlachs, in dünnen Scheiben, 2 Eier, 4 EL Crème fraîche légère, Pfeffer, Salz, Muskatnuss, Zitronensaft.
Außerdem: Fett für die Förmchen

Nährwerte pro Stück

260 kcal, 17 g E, 12 g F, 21 g KH, 2 KE

- Mehl, Butter, Ei, Milch und Salz zu einem geschmeidigen Teig verkneten, 30 Min. kalt stellen. Lauch putzen, längs aufschneiden, waschen und in Streifen schneiden. Mit etwas Wasser bei mittlerer Hitze 5 Min. dünsten. In einem Sieb abtropfen lassen. Lachs in Streifen schneiden.
- Förmchen einfetten, Backofen auf 200 °C (Umluft 175 °C) vorheizen. Eier mit Crème fraîche verrühren, Lauch und Lachs untermengen. Mit Pfeffer, Salz, Muskat und Zitronensaft abschmecken.
- Den Teig in 8 Portionen teilen, jede Portion leicht ausrollen und die Förmchen damit auslegen. Die Lachs-Lauch-Masse einfüllen. Im Ofen (mittlere Einschubleiste) 25 bis 30 Min. goldbraun backen.

Pizzaecken Toskana

Zutaten für ein Backblech mit 8 Stück:
*200 g Mehl (Type 405), 1 TL Salz, 10 g
Hefe, 100 ml Wasser, lauwarm, 4 EL Olivenöl, 2 Knoblauchzehen, 3 EL Tomaten,
passiert (aus dem Tetrapack), 2 EL frische
Basilikumblätter, grob gehackt, Salz,
Pfeffer*

Nährwerte pro Stück

132 kcal, 3 g E, 5 g F, 18 g KH, 2 KE

▌ Das Mehl mit dem Salz verrühren. Die
Hefe zerbröseln und in dem Wasser
auflösen. Mit 2 EL Öl zum Mehl geben
und zu einem Teig verkneten. Den Teig
zugedeckt ca. 1 Stunde an einem warmen Ort gehen lassen.

▌ Den Backofen auf 220 °C (Umluft
200 °C) vorheizen. Ein Backblech mit
Backpapier auslegen. Die Knoblauchzehen schälen und sehr fein hacken. Die
Tomaten mit dem Knoblauch und 1 EL
Basilikum mischen, mit Salz und Pfeffer
abschmecken.

▌ Den Teig nochmals gut durchkneten
und zu einem dünnen Fladen ausrollen,
dabei den Rand ein wenig höher formen. Auf das Backblech legen, Toma-
tenmasse daraufstreichen, das restliche
Olivenöl darüberträufeln.

▌ Im Ofen (mittlere Einschubleiste) ca.
12 Min. backen. Mit dem restlichen
Basilikum bestreuen. Die Pizza in acht
Stücke schneiden.

Focaccia

Zutaten für ein Backblech mit *8* ***Stück:*** *Teig: 400 g Mehl (Type 405), 1 TL Salz, 20 g Hefe,
6 EL Olivenöl, 1 EL gehackte Rosmarinnadeln, 20 g Pinienkerne, grob gehackt, 50 g Oliven,
entsteint. Außerdem:* **Mehl zum Ausrollen Meersalz zum Bestreuen**

Nährwerte pro Stück

346 kcal, 8 g E, 13 g F, 48 g KH, 4,8 KE

▌ Mehl mit dem Salz vermischen. Die Hefe zerbröseln und mit 200 ml Wasser verrühren,
vier EL Öl zum Mehl geben und zu einem glatten Teig verkneten. Den Teig an einem
warmen Ort etwa eine Stunde gehen lassen (bis sich sein Volumen verdoppelt hat).

▌ Backofen auf 220 °C (Umluft 200 °C) vorheizen. Backblech mit Backpapier auslegen.
Oliven in Ringe schneiden. Rosmarin, Pinienkerne und Oliven unter den Teig kneten.

▌ Den Teig in sechs Teile teilen, auf einer bemehlten Arbeitsfläche zu kleinen Fladen
ausrollen. Auf die Backbleche legen und kleine Mulden in die Oberfläche drücken. Mit
restlichem Olivenöl beträufeln und nochmals 10 Min. gehen lassen.

▌ Nach Belieben mit Meersalz bestreuen. Die Fladen im Ofen (mittlere Einschubleiste)
20 Min. backen.

Kräuter-Muffins

*Teig: 250 g Dinkelmehl, 3 TL Backpulver, 1 Pck. gemischte Kräuter (TK, gehackt),
100 g Parmesan, fein gerieben, 1 Ei, 250 ml Buttermilch, 1 EL Rapsöl, Salz, Pfeffer.
Außerdem:* **Papierförmchen**

Nährwerte pro Stück

129 kcal, 6 g E, 4 g F, 16 g KH, 1,6 KE

▌ Den Backofen auf 200 °C (Umluft 180 °C) vorheizen. Papierförmchen in die Muffinform
setzen.

▌ Das Mehl mit Backpulver, Kräutern und Parmesan mischen. Das Ei zusammen mit der
Buttermilch schaumig schlagen, Öl hinzufügen und die Mehlmischung löffelweise da-
zurühren. Mit Salz und Pfeffer abschmecken.

▌ Den Teig gleichmäßig in die Muffinform verteilen. Im Ofen (mittlere Einschubleiste)
ca. 20 Min. backen.

Tipp

Backen Sie Quiche und Gemüsekuchen mit fettarmen Milchprodukten. Tauschen Sie
beim Guss Sahne, Crème fraîche oder Schmand gegen fettarme Milch oder Joghurt
(1,5 % Fett). Auf eine wohlschmeckende Kruste müssen Sie nicht verzichten: Reiben Sie
Käse mit max. 40 % Fett i.Tr. Die Hälfte der im Rezept angegebenen Käsemenge können
Sie durch Semmelbrösel ersetzen. Streuen Sie nach dem Backen frische Kräuter und
fettfrei in der beschichteten Pfanne geröstete Pinienkerne über das Gericht. Einfach
köstlich!

Flammkuchen

Zutaten für ein Backblech mit 6 Stück:
*Teig: 10 g Frische Hefe, 3 EL Milch
(1,5 % Fett), 150 g Weizenmehl (Type 405),
3 EL Weißwein, trocken, 1 Prise Salz.
Belag: 1 große Zwiebel, 100 g Frischkäse
(Rahmstufe, z. B. Exquisa Joghurt Natur),
100 g saure Sahne, 100 g Hüttenkäse
(körniger Frischkäse), Salz, Pfeffer, Muskat, 50 g geräucherter Schinkenspeck, in
feinen Streifen*

Nährwerte pro Stück

172 kcal, 9 g E, 6 g F, 20 g KH, 2 KE

- Die Hefe zerbröseln und in 3 EL Wasser und der Milch verrühren. Mehl,
Weißwein und Salz hinzufügen und zu
einem Teig kneten. Mit einem Tuch abdecken und 30 Min. ruhen lassen.
- Backofen auf 200 °C vorheizen (Umluft
180 °C). Ein Backblech mit Backpapier
auslegen. Zwiebel schälen, halbieren und in dünne Streifen schneiden.
Frischkäse, saure Sahne und Hüttenkäse vermischen. Mit Salz, Pfeffer und
Muskatnuss abschmecken.
- Den Teig dünn ausrollen, auf das Backblech legen und die Frischkäsemasse
darauf verteilen. Zwiebeln und Speck
darauf streuen. Im heißen Ofen (untere
Einschubleiste) ca. 15 Min. backen, bis
der Teig knusprig ist. Flammkuchen in
6 Stücke teilen und warm servieren.

Forellen Pizettes

Zutaten für 12 Stück: *Teig: 190 g Mehl (Type 405), ½ TL Salz, 4 EL Olivenöl, 10 g Hefe,
125 ml Wasser, lauwarm, 2 EL Schnittlauchröllchen. Belag: 200 g Forellenfilet, geräuchert,
4 EL Crème fraîche légère. Außerdem: Dill Roter Kaviar*

Nährwerte pro Stück

108 kcal, 5 g E, 5 g F, 11 g KH, 1 KE

- Mehl mit Salz und Öl mischen. Die Hefe zerbröseln und in dem Wasser verrühren.
Zum Mehl geben, Schnittlauch hinzufügen und alles gut verkneten. Den Teig zugedeckt ca. 1 Stunde an einem warmen Ort gehen lassen.
- Den Backofen auf 220 °C (Umluft 200 °C) vorheizen. Backblech mit Backpapier auslegen. Teig etwa 3 mm dick ausrollen. Mit einer Form ca. 8 cm große Kreise ausstechen,
mit Abstand auf dem Blech verteilen, mit einer Gabel mehrmals einstechen, noch mal
10 Min. gehen lassen.
- Im Ofen (mittlere Einschubleiste) ca. 15 Min. backen. Forellenfilets in 12 Stücke
schneiden und auf den Pizettes verteilen. Mit einem Tupfer Crème fraîche légère krö-
nen. Darauf etwas roten Kaviar setzen und mit Dill garnieren.

Tipp

Reichern Sie Gebäck und Brot mit wertvollen Ballaststoffen an. Halbieren Sie die Menge an Auszugsmehl (Type 405) und tauschen Sie eine Hälfte gegen Vollkornmehl aus.
Beachten Sie dabei, dass Sie dann etwas mehr Flüssigkeit zufügen. Durch den höheren
Ballaststoffgehalt steigt nicht nur Ihr Blutzucker langsamer an, sondern Sie sind auch
länger satt.

Spinat-Käse-Taschen

Zutaten für 10 Stück: *Teig: 300 g Mehl (Type 405), 1 Pck. Backpulver, 150 g Magerquark, 5 EL Milch (1,5 % Fett), 60 g Butter, weich, ½ TL Salz. Füllung: 1 kleine Zwiebel, 1 EL Pflanzenöl, 400 g Spinat, gehackt (frisch oder TK aufgetaut), 150 g Schafskäse 45 % F.i.Tr. Salz, Pfeffer, 1 Ei, 3 EL Sesamsamen*

Nährwerte pro Stück

219 kcal, 10 g E, 9 g F, 24 g KH, 2,4 KE

▌ Mehl und Backpulver mischen. Quark, Milch, Butter und Salz hinzufügen, zu einem glatten Teig verkneten. Zwiebel schälen und in Würfel schneiden. Zwiebelwürfel im Öl glasig anbraten. Spinat zufügen und 5 Min. dünsten. Schafskäse zerbröseln, unter den Spinat mischen. Mit Salz und Pfeffer würzen.

▌ Backofen auf 200 °C (Umluft 175 °C) vorheizen. Den Teig durchkneten, in 10 Portionen teilen. Jede Portion auf einer leicht bemehlten Arbeitsfläche zu einem Kreis ausrollen (Ø 15 cm). Spinat-Käse-Mischung in die Mitte der Kreise geben.

▌ Das Ei trennen, Teigränder mit Eiweiß bestreichen. Teig zusammenklappen, Ränder festdrücken.

▌ Die Teigtaschen auf ein mit Backpapier ausgelegtes Backblech setzen, das Eigelb verquirlen und die Täschchen damit bestreichen. Mit Sesam bestreuen. Im Ofen (mittlere Einschubleiste) 20 bis 25 Min. goldbraun backen.

Tipp

Für pikantes Kleingebäck mit herzhaften Füllungen wird oft Blätterteig verwendet. Eine fettarme Alternative bieten so genannter Filo- und Yufkateig. Erhältlich sind diese Teigwaren in türkischen bzw. griechischen Lebensmittelläden. Die dünnen Blätter gehen beim Backen ähnlich wie Blätterteig in vielen Schichten auf und eignen sich hervorragend für Teigtaschen, Pasteten und würzige Strudel.

Pikante Partybrötchen

Zutaten für 16 Stück: *Teig: 150 g Magerquark, 6 EL Rapsöl, 6 EL Milch (1,5 % Fett), 300 g Vollkornmehl, 1 Pck. Backpulver, 1 TL Salz. Füllung: 100 g Käse, gerieben (z. B. Emmentaler 40 % F.i.Tr.), 1 EL Schnittlauch, gehackt, 4 EL saure Sahne*

Nährwerte pro Stück

121 kcal, 5 g E, 6 g F, 12 g KH, 1 KE

▌ Ein Backblech mit Backpapier auslegen. Den Quark mit Öl und Milch glatt rühren. Das Mehl mit dem Backpulver und dem Salz mischen, zu dem Quarkgemisch geben und alles zu einem geschmeidigen Teig verkneten. Aus dem Teig ca. 16 gleich große Kugeln formen und auf das Backblech setzen.

▌ Den Backofen auf 180 °C (Umluft 160 °C) vorheizen. Den geriebenen Käse mit Schnittlauch und saure Sahne vermengen. Die Brötchen kreuzweise einschneiden und vorsichtig mit jeweils einem Teelöffel der Käsemasse füllen. Im Ofen (mittlere Einschubleiste) ca. 30 Min. backen.

Schinkenhörnchen

Zutaten für 8 Stück: *Füllung: 2 Zwiebeln, 250 g roher Schinken, mager, 2 EL Butter, 2 EL gehackte Petersilie, Pfeffer, 1 Ei. Teig: 250 g Mehl (Type 405), 3 TL Backpulver, 125 g Magerquark, 60 ml Milch (1,5 % Fett), 40 ml Pflanzenöl, 1 Eiweiß, ½ TL Salz, Eigelbmilch zum Bestreichen*

Nährwerte pro Stück

238 kcal, 11 g E, 10 g F, 25 g KH, 2,4 KE

▌ Zwiebeln schälen und fein hacken, Schinken würfeln. Butter erhitzen und die Zwiebeln darin glasig braten, Schinken und Petersilie hinzufügen. Mit Pfeffer würzen, das verquirlte Ei unter die abgekühlte Masse rühren.

▌ Backofen auf 180 °C (Umluft 160 °C) vorheizen. Mehl mit Backpulver mischen. Quark, Milch, Öl, Eiweiß und Salz hinzufügen und zu einem glatten Teig verarbeiten. Den Teig durchkneten und auf einer bemehlten Arbeitsfläche zu einem Kreis ausrollen (Ø 35 cm), in 8 Dreiecke schneiden.

▌ Die Schinkenfüllung in die Mitte der Dreiecke verteilen, von der breiten Seite her zu Hörnchen aufrollen und auf ein mit Backpapier ausgelegtes Backblech legen. Eigelb mit der Milch verquirlen, Hörnchen damit bestreichen. Im Ofen (mittlere Einschubleiste) 15 bis 20 Min. backen.

Schnelle Frühstücksbrötchen

Zutaten für 2 Portionen: *2 Eier, 200 g Magerquark, 250 g Weizenmehl, Type 1050, 150 g Vollkorn-Haferflocken, 1 Prise Salz, ½ Päckchen Backpulver, 2 EL Sonnenblumenkerne*

Nährwerte pro Brötchen (bei 8 gesamt)
220 kcal, 12 g E, 5 g F, 32 g KH, 3,2 KE

- Den Backofen auf 180 °C (Gas Stufe 2, Umluft 160 °C) vorheizen. Die Eier schaumig schlagen und den Quark unterrühren. Das Vollkornmehl, die Haferflocken, Salz und Backpulver mischen. Zu der Eiermasse geben und gut durchkneten. Aus dem Teig 8 gleich große Brötchen formen.
- Ein Backblech mit Backpapier oder einer Silikonbackunterlage auslegen. Die Brötchen auf das Blech setzen, die Oberseite der Brötchen mit Wasser einpinseln und mit den Sonnenblumenkernen bestreuen. Dabei die Kerne auf der Brötchenoberfläche andrücken, damit sie nach dem Backen nicht abfallen. Auf der mittleren Schiene 20 bis 25 Min. goldgelb backen.
- **Variante:** Sie können den Teig auch mit hellem Mehl und flüssigem Süßstoff zu süßen Frühstücksbrötchen verarbeiten.

Backpulver

Backpulver ist ein klassisches und seit Jahrhunderten beliebtes Backtriebmittel. Ohne Backpulver bleibt der Rührkuchen fest und klumpig und auch die Konsistenz der Frühstücksbrötchen ließe zu wünschen übrig. Viele Köche greifen gerne zu Backpulver. Das weiße Pulver besteht aus Weinsteinsäure und Substanzen, die Kohlendioxid frei setzen. Dazu gehören Natron (Natriumhydrogenkarbonat), Hirschhornsalz (Ammoniumkarbonat) und Pottasche (Kaliumkarbonat).

Zwiebelbrot

4 Zwiebeln, 1 EL Olivenöl, 2 TL Kümmelkörner, 300 g Roggenmehl (Type 997), 200 g Weizenvollkornmehl, 1 TL Salz, 15 g Trockensauerteig, 12 g Trockenhefe

Nährwerte pro Scheibe (50 g):
110 kcal, 3 g E, 1 g F, 22 g KH, 2,2 KE

- Die Zwiebeln abziehen, halbieren und in feine Ringe schneiden. Das Öl in einer Pfanne erhitzen, die Zwiebeln darin glasig dünsten und die Kümmelkörner mit den Zwiebeln mischen. Aus der Pfanne nehmen und beiseite stellen. Die beiden Mehlsorten mit dem Salz mischen und in eine Schüssel geben.
- In die Mitte eine Mulde drücken und den Trockensauerteig und die Trockenhefe hineingeben. 325 ml lauwarmes Wasser hinzufügen und mit den Knethaken des Handrührgeräts zu einem glatten Teig verarbeiten. Den Teig mit einem Küchentuch abdecken und 40 Min. an einem warmen Ort gehen lassen.
- Anschließend sorgfältig kneten und die Zwiebeln einarbeiten. Den Teig zu einer Rolle formen und in eine beschichtete Kastenform legen (wenn Sie keine spezielle Brotform besitzen, können Sie auch eine mit wenig Öl eingefettete Kastenform verwenden). Den Teig in der Form weitere 30 Min. gehen lassen.
- Den Backofen auf 200 °C (Gas Stufe 3, Umluft 180 °C) vorheizen. Das Brot mit Wasser einpinseln und auf der unteren Schiene etwa 50 Min. backen. Eine feuerfeste Schale mit kaltem Wasser zum Brot stellen. Nach Ende der Backzeit mit einem Holzspieß in die Mitte des Brotes stechen. Bleibt noch etwas Teig am Spieß kleben, das Brot weitere 5 bis 10 Min. backen. Haftet kein Teig mehr am Holzstäbchen, das Brot aus dem Ofen nehmen und in der Form auskühlen lassen.

Lockeres Brot muss kein Geheimnis sein

Es gibt verschiedene Wege, Brotteige zu lockern. Die bekanntesten Backtriebmittel sind Hefe und Sauerteig. Die Hefepilze und Milchsäurebakterien aus dem Sauerteig sind erwünschte Mikroorganismen, die durch ihre Enzyme den im Mehl enthaltenen Zucker in Kohlensäure und Alkohol spalten. Das entstandene Gas bildet Bläschen und sorgt dafür, dass der Teig aufgeht. Ohne diese Backtriebmittel würde der Teig ein schwer verdaulicher Kloß bleiben. Frische Hefe oder Trockenhefe wird meistens für die Herstellung von Weizenbrot und Sauerteig für Roggenbrote eingesetzt.

Püree aus roten Linsen

Zutaten pro Rezept: 100 g *Rote Linsen, Wasser, Bohnenkraut, 1 kleine Peperoni, 2 gestr.* EL, *Tomatenmark,* ½ TL *Basilikum,* ¼ TL *Thymian, Chilipulver, Salz, evtl. Knoblauch*

Nährwerte pro 25 g

25 kcal, 2 g E, 0 g F, 4 g KH, – KE

▌ Linsen über Nacht mit der doppelten Menge Wasser einweichen, abspülen und in der 1½-fachen Menge an frischem Wasser sowie mit dem Bohnenkraut ca. 15 Min. weich kochen und abkühlen lassen.

▌ Peperoni fein zerkleinern, Tomatenmark, Gewürze sowie die gegarten Linsen hinzufügen und im Mixer zu einer cremigen Paste verarbeiten.

Tipp

Das Püree ist ein idealer Brotaufstrich, es passt auch als Beilage zu Grillfleisch.

Eiersalat

Zutaten für 2 Portionen: 60 g *Lachsschinken, 2 Eier, 100 g Tomaten,* 2 EL *Magerquark,* 4 EL *Milch 1,5 %, Fett, Pfeffer, Senf, Worcestersoße, Salz, Schnittlauchröllchen*

Nährwerte pro Portion

165 kcal, 19 g E, 8 g F, 4 g KH, – KE

▌ Lachsschinken in feine Würfel, die hart gekochten Eier und die Tomaten in Scheiben schneiden. Die Zutaten schichtweise in ein Gefäß geben.

▌ Aus Magerquark und Milch eine dickflüssige Soße herstellen und abschmecken. Die Soße über die Zutaten gießen und einige Stunden durchziehen lassen. Den Salat vor dem Servieren mit Schnittlauchröllchen bestreuen.

Suppen und Salate

Beginnen Sie Ihr Sonntagsessen am liebsten mit einer warmen Suppe oder einem Salat? Kein Problem. Zur Zubereitung von Vorsuppen für Diabetiker eignen sich fettarme Fleisch- oder Gemüsebouillons. Anrechnungsfreie Gemüse sowie Eierstich, Eiereinlauf, gekochtes Rind- oder Hühnerfleisch und kleine Fleischklößchen ermöglichen als Suppeneinlage viele Variationen. Frische, fein gehackte Kräuter wie Petersilie, Schnittlauch, Kerbel, Kresse oder Liebstöckel verleihen der Suppe eine besondere geschmackliche Note und erfreuen das Auge. Ihrer Fantasie sind keine Grenzen gesetzt.

Leckere Suppen und Salate

Suppen bestehen hauptsächlich aus Gemüse, Hülsenfrüchten, Kartoffeln oder Nährmitteln sowie einer Fleischbeigabe. Gerade in der kalten Jahreszeit sind Eintöpfe mit Hülsenfrüchten wie Bohnen, Erbsen oder Linsen besonders beliebt. Möchten Sie mehrere Portionen Suppe oder Eintopf auf einmal und zusammen herstellen, so wird die Kohlenhydratmenge beim Portionieren geschätzt.

Eine vielfältige Auswahl an Suppen und Salaten für das nicht alltägliche Abendessen haben wir für Sie auf den nachfolgenden Seiten zusammengestellt. Die Rezepte sind leicht zu planen und abzuschätzen und die Vor- und Zubereitung ist einfach und nicht zeitaufwendig.

Der etwas höhere Energiegehalt der kleinen Gerichte sollte Sie nicht davon abhalten, auch diese Rezepte auszuprobieren. Schließlich ist nicht jeder Tag ein Tag mit besonderem Anlass. Salate und Rohkost sind vitamin- und mineralstoffreicher als gegartes Gemüse und sollten daher einen festen Platz in Ihrer Ernährung einnehmen. Sie sind außerdem wichtige Ballaststofflieferanten und dämpfen das Hungergefühl. Sie können Salate und Rohkostgerichte als wertvolle Beilage zum Mittagessen oder als Ergänzung zum Abendessen genießen. Nicht nur im Sommer zur Salatsaison, sondern das ganze Jahr über steht uns ein reichhaltiges Angebot an Gemüse, das sich zur Herstellung von Salaten und Rohkost eignet, zur Verfügung.

Salate und Rohkost – die ideale Beilage

Auch hier gilt: Möglichst frisches Gemüse verwenden, keine langen Lagerzeiten und erst kurz vor der Zubereitung putzen und waschen. Zerkleinertes Gemüse nicht unnötig der Luft aussetzen und sofort weiterverarbeiten, sonst abdecken. Das Öl und die frischen, gehackten Kräuter erst kurz vor dem Anrichten dazugeben.

Getrocknete Kräuter entfalten ihr Aroma erst, wenn sie die entzogene Flüssigkeit wieder aufgenommen haben. Eine vorsichtige Dosierung ist angebracht, nachwürzen können Sie immer noch. Der Vitamin- und Mineralstoffverlust kann durch sachgemäße Behandlung der verarbeiteten Lebensmittel und kurze Aufbewahrungszeiten von zubereitetem Salat gering gehalten werden.

Blattsalate Sie sind von zarter Beschaffenheit und müssen dementsprechend behandelt werden. Aus diesem Grund wird der geputzte Salat in reichlich stehendem Wasser gewaschen und zum Abtropfen auf ein Sieb gegeben. Möchten Sie Blattsalate in geschnittener Form verwenden, ist es küchentechnisch angebracht, ihn ungewaschen zu schneiden und dann vorsichtig zu waschen.
Werden Blattsalate unsachgemäß behandelt, zerstört man die zarte Struktur. Der Salat wird welk, fällt zusammen und sieht unappetitlich aus. Ebenso ratsam ist es, bei Blattsalaten

Köstliche Salatsoßen

Salate bringen Frische und Farbe in die Mahlzeit. Die Krönung von Salaten oder Rohkost erfolgt jedoch erst durch die Salatsoße. Es lohnt sich, bei der Auswahl der Zutaten Wert auf Qualität zu legen.

Fein, gesund und beliebt ist die Kräutermarinade oder Vinaigrette, eine Mischung aus Essig und Öl.
Durch eine besondere Frische zeichnet sich die Zitronenmarinade aus. Sie ist eine Alternative für alle, die keinen Essig vertragen, jedoch auf einen herb säuerlichen Geschmack nicht verzichten möchten.

Für milde Salatgenießer sind zwei süße Dressings aus Joghurt, Quark, Milch und Buttermilch vorgesehen. Eine liebliche und dennoch pikante Geschmacksrichtung ist durch die Joghurt-Mayonnaise-Soße gegeben. Salatsoßen können kräftig gewürzt werden. Der Wassergehalt der Salatgemüse und das von gewaschenen Blattsalaten nicht völlig abgetropfte Wasser mildern die Würzung von selbst.

Wenn es schnell gehen soll, spricht auch nichts dagegen, gelegentlich fertige Salatsoßen einzusetzen. Viele Produkte haben Nährwertangaben, so dass die Kohlenhydrat- und Fettmenge erkennbar wird. In der Regel brauchen die Salatsoßen nicht berechnet werden. Auf Dauer liefern Fertigprodukte aber den immer gleichen Einheitsgeschmack und nehmen uns die Freude an der individuellen Zubereitung von Salaten und Rohkost.

die fertige Marinade erst unmittelbar vor dem Anrichten über den Salat zu geben und vorsichtig durchzumengen.

Gemüsesalate sind Salate aus rohem oder gegartem Gemüse. Stellen Sie zuerst die Marinade bis auf Öl und Kräuter her. Das frisch vorbereitete oder gegarte Gemüse nach dem Zerkleinern sofort in die Marinade geben und abgedeckt durchziehen lassen.

Die frisch gehackten Kräuter und das Öl erst kurz vor dem Servieren dazugeben.

Bei Rohkost gleicht die Zubereitung im Prinzip der von Gemüsesalaten. Es wird jedoch ausschließlich rohes Gemüse in geriebener, geraspelter oder fein geschnittener Form verarbeitet. Zuerst die Marinade herstellen. Das Öl, sofern im Rezept angegeben, erst unmittelbar vor dem Verzehr hinzufügen.

Das Reiben vergrößert die Oberfläche des Gemüses um ein Vielfaches. Der Luftsauerstoff hat damit ein leichtes Spiel, die Vitamine anzugreifen.

Darum ist bei der Zubereitung von Rohkost besonders darauf zu achten, dass das geputzte und gewaschene Gemüse sofort und schnell in die vorbereitete Marinade gegeben wird. Das Gemüse mit der Marinade vermengen und unbedingt zugedeckt bis zum Verzehr aufbewahren.

Lauchsuppe

Zutaten für 2 Portionen: *1 TL Öl, 50 g Lauch, ¼ l klare Fleischsuppe, ⅛ l Wasser, Pfeffer, Muskat, Salz, gehackte Petersilie oder Liebstöckel*

Nährwerte pro Portion
40 kcal, 1 g E, 4 g F, 1 g KH, 0 KE, 0 mg Chol, + g Ba

▐ Öl in einem Topf erhitzen und den geputzten, gewaschenen, in feine Ringe geschnittenen Lauch dazugeben und andünsten.
▐ Klare Fleischsuppe und Wasser dazugeben und bei kleiner Flamme gar ziehen lassen (ca. 10 Min.).
▐ Mit Pfeffer, Muskat und wenig Salz abschmecken, vor dem Anrichten die Petersilie oder den Liebstöckel dazugeben.

Blumenkohlsuppe

Zutaten für 2 Portionen: *100 g Blumenkohl, Wasser, Salz, ¼ l Blumenkohlwasser, ⅛ l klare Fleischbrühe, Pfeffer, Muskat, gehackte Petersilie*

Nährwerte pro Portion
15 kcal, 1 g E, + g F, 1 g KH, 0 KE, 0 mg Chol, 1 g Ba

▐ Blumenkohl waschen und in kleine Röschen zerschneiden.
▐ Wasser zum Kochen bringen, mit Salz abschmecken und den Blumenkohl darin ca. 10 Minuten garen. Blumenkohl mit dem Schaumlöffel herausnehmen und abtropfen lassen.
▐ Blumenkohlwasser und klare Fleischbrühe zusammen aufkochen, nachwürzen. Den gegarten Blumenkohl hinzufügen und die Suppe vor dem Servieren mit Petersilie bestreuen.

Hühnersuppe mit Curry

Zutaten für 2 Portionen: *⅜ l entfettete Hühnerbrühe, 2 ml Andickungspulver, Curry, Pfeffer, Salz, 50 g Hühnerbrust, gekocht, Kresse*

Nährwerte pro Portion

50 kcal, 8 g E, 1 g F, 1 g KH, 0 KE, 0 mg Chol, 0 g Ba

▌ Hühnerbrühe erhitzen, Andickungspulver in die heiße, nicht kochende Brühe einrühren und aufkochen lassen. Die Suppe mit Curry, Pfeffer und wenig Salz abschmecken.

▌ Die gekochte Hühnerbrust in kleine Würfel schneiden, in die Suppe geben und erhitzen.

▌ Die Suppe vor dem Servieren mit Kresse verzieren.

▌ Sollten Sie Hühnerfrikassee als Mittagsgericht gewählt haben, planen Sie bei Ihrem Einkauf die Hühnersuppe mit Curry für den nächsten oder übernächsten Tag gleich mit ein.

Mitternachtssuppe

Zutaten für 2 Portionen: *1 TL Öl, 1 geh. EL Zwiebelwürfel, 1 geh. TL Tomatenmark, 150 g Dosentomaten, ¼ l Wasser, Cayennepfeffer, Paprika, Salz, 60 g Cornedbeef, 1 geh. EL Gewürzgurken, Schnittlauchröllchen*

Nährwerte pro Portion

90 kcal, 8 g E, 5 g F, 4 g KH, 0 KE, 0 mg Chol, 1 g Ba

▌ Öl in einem Topf erhitzen, Zwiebelwürfel hinzufügen, glasig dünsten, Tomatenmark unterrühren.

▌ Tomaten durchpassieren, zur Masse geben, mit Wasser auffüllen und kurz aufkochen lassen. Mit Cayennepfeffer, Paprika und wenig Salz würzen.

▌ Das Cornedbeef grob und die Gewürzgurken fein gewürfelt in die Suppe geben und durchziehen lassen (ca. 5 Min.). Die Schnittlauchröllchen auf die angerichtete Suppe streuen.

Tomatensuppe mit Fleischklößchen

Zutaten für 2 Portionen: *60 g Hackfleisch-Teig, 1 geh. EL Zwiebelwürfel, 1 TL Öl, 2 TL Tomatenmark, 150 g Dosentomaten, ¼ l Kloßbrühe, Pfeffer, Oregano, Salz, Petersilie/Schnittlauch*

Nährwerte pro Portion

100 kcal, 7 g E, 6 g F, 4 g KH, 0 KE, 16 mg Chol, 1 g Ba

▌ Hackfleischteig zu kleinen Klößchen formen und garen (s. gekochte Hackbällchen S. 128).

▌ Zwiebeln in heißem Öl glasig dünsten und das Tomatenmark darunterrühren.

▌ Passierte Tomaten dazugeben, Kloßbrühe aufgießen und kurz durchkochen lassen.

▌ Mit Pfeffer, Oregano und wenig Salz abschmecken. Die gegarten Klößchen dazugeben und die Suppe vor dem Servieren mit Petersilie oder Schnittlauchröllchen garnieren.

Tipp

Kräuterpower: Peppen Sie Suppen und Salate mit Kräutern auf. Mit den duftenden Blättchen können Sie eventuelle Geschmackseinbußen beim Fettsparen ganz leicht ausgleichen. Die grünen Powerpakete bringen nicht nur Würze auf den Teller, sondern auch eine Extraportion gesunder Inhaltsstoffe. Kräuter enthalten Vitamine, Mineralstoffe, ätherische Öle und sekundäre Pflanzenstoffe in konzentrierter Form. Eine praktische Alternative zu frischem Grün sind gehackte Kräuter aus der Tiefkühltruhe.

Flusskrebssuppe

Zutaten für 2 Portionen: *1 Bund Lauchzwiebeln, 2 Zwiebeln, 1 Knoblauchzehe, 20 g Krebsbutter, 200 ml trockener Weißwein, Salz, Pfeffer, frisch gemahlen, 1 Prise Safran oder Kurkuma, 150 g Flusskrebse, 2 EL Zitronensaft, 100 ml fettreduzierte Sahne (z. B. „Rama Cremefine"), 1 Packung Dill (tiefgekühlt)*

Nährwerte pro Portion

305 kcal, 17 g E, 15 g F, 10 g Alk, 8 g KH, 0 KE, 120 mg Chol, 2 g Ba

▮ Die Lauchzwiebeln putzen und abspülen. Eine Lauchzwiebel in dünne Streifen schneiden und beiseite stellen. Die restlichen Lauchzwiebeln in Ringe schneiden. Zwiebeln und Knoblauch abziehen, die Zwiebeln würfeln und den Knoblauch fein hacken oder zerdrücken.

▮ Die Krebsbutter in einem Topf erhitzen und die gewürfelten Zwiebeln und den Knoblauch darin andünsten. Mit 200 ml Wasser und dem Weißwein aufgießen und ablöschen. Salzen, pfeffern und eine Prise Kurkuma oder Safran zur Gelbfärbung zugeben. 10 Min. köcheln lassen.

▮ Die Lauchzwiebelringe zugeben und weitere 2 bis 3 Min. köcheln. Das abgetropfte Flusskrebsfleisch und den Zitronensaft hinzufügen. Noch einmal erhitzen und die fettreduzierte Sahne und den Dill einrühren. Mit Lauchzwiebelstreifen garniert servieren.

Tipp

Wenn Sie keinen Weißwein verwenden möchten, ersetzen Sie ihn einfach durch ⅓ Zitronensaft und ⅔ Wasser.

Mediterrane Kichererbsencreme

Zutaten für 4 Portionen: *100 g Kichererbsen, getrocknet, ½ TL Natron, 2 Knoblauchzehen, 4 EL Olivenöl, 4 EL Zitronensaft, Salz, Pfeffer, frisch gemahlen*

Nährwerte pro Portion

175 kcal, 6 g E, 11 g F, 13 g KH, 1,5 KE, 0 mg Chol, 7 g Ba

▮ Die Kichererbsen mindestens 12 Stunden in reichlich Wasser einweichen. Samt Einweichwasser in einen Topf geben und mit dem Natron bei schwacher Hitze etwa 1 ½ Stunden weich kochen.

▮ Knoblauch abziehen und fein hacken oder zerdrücken. Die Kichererbsen abtropfen lassen und zusammen mit dem Knoblauch, Olivenöl und Zitronensaft zu einer cremigen Masse rühren. Die Kichererbsencreme abkühlen lassen und zum Schluss mit Salz und Pfeffer abschmecken.

Feldsalatsuppe mit Räucherlachs

Zutaten für 2 Portionen: *75 g Feldsalat, 2 Zwiebeln, 2 Knoblauchzehen, 1 EL Rapsöl, 4 EL Mehl (40 g), 300 ml fettarme Milch, Salz, Pfeffer, frisch gemahlen, 2 Scheiben geräucherter Lachs*

Nährwerte pro Portion

235 kcal, 15 g E, 8 g F, 25 g KH, 2 KE, 15 mg Chol, 3 g Ba

▮ Den Feldsalat gründlich abspülen, verlesen und gut abtropfen lassen. Zwiebeln und Knoblauchzehen abziehen. Die Zwiebel fein würfeln und den Knoblauch fein hacken oder zerdrücken. Das Öl erhitzen und die Zwiebeln und den Knoblauch darin anschwitzen. Die Feldsalatblätter dazugeben und etwa 2 Min. dünsten.

▮ Das Mehl über das Gemüse stäuben und gut umrühren. Die Milch und 200 ml Wasser angießen und mit Salz und Pfeffer würzen. Die Suppe mit halb geöffnetem Deckel weitere 5 bis 8 Min. kochen lassen. In der Zwischenzeit den Lachs in Streifen schneiden. Die Suppe auf zwei tiefe Teller verteilen und mit den Lachsstreifen garnieren.

Rüblisuppe mit Ingwer

Zutaten für 2 Portionen: *3 mittelgroße Karotten, 1 EL Sesamöl, 2 TL gekörnte Gemüsebrühe, 1 kleines Stück Ingwer, 1 EL Sesam, Pfeffer, frisch gemahlen, flüssiger Süßstoff nach Geschmack, 100 ml fettreduzierte Sahne (z. B. „Cuisine" von Alpro), 1 EL gehackte Petersilie*

Nährwerte pro Portion

215 kcal, 4 g E, 16 g F, 14 g KH, 0 KE, 5 mg Chol, 9 g Ba

- Karotten putzen, schälen und klein schneiden. Sesamöl in einem Topf erhitzen und Karotten darin andünsten. 400 ml Wasser zugießen, zum Kochen bringen und die Gemüsebrühe darin auflösen. 15 Min. auf mittlerer Flamme köcheln lassen.
- Die Suppe mit einem Stabmixer pürieren. Den Ingwer schälen und fein reiben. Die Sesamkörner in einer Pfanne ohne Fett goldgelb rösten und beiseite stellen. Den Ingwer in die Suppe geben und mit Pfeffer und nach Geschmack mit 1 bis 2 Tropfen flüssigem Süßstoff abschmecken.
- Noch einmal aufkochen lassen und die Sahne einrühren. Etwas Petersilie in die nicht mehr kochende Suppe geben, den Rest nach dem Portionieren auf die Suppe streuen. Zum Schluss die Suppe mit dem gerösteten Sesam garnieren.

Feurige Kartoffelsuppe

Zutaten für 2 Portionen: *40 g Kidneybohnen, 4 TL Öl, 2 geh. EL Zwiebelwürfel, 1 kl. Knoblauchzehe, 260 g Kartoffelwürfel (4 KE), ½ l klare Fleischsuppe, 150 g rote Paprikawürfel, Cayennepfeffer, Tabasco, Thymian, Salz, 4 TL 10%ige saure Sahne, Schnittlauchröllchen*

Nährwerte pro Portion

290 kcal, 9 g E, 13 g F, 35 g KH, 2 KE, 0 mg Chol, 10 g Ba

- Kidneybohnen in kaltem Wasser 12 Stunden einweichen, mit dem Einweichwasser aufsetzen und ca. 30 Min. vorgaren, danach abgießen.
- Öl in einem Topf erhitzen, Zwiebelwürfel sowie die sehr fein gewürfelte Knoblauchzehe dazugeben, glasieren.
- Kartoffelwürfel, klare Fleischsuppe sowie die vorgegarten Kidneybohnen hinzufügen und weitergaren. Nach etwa 10 Min. die Paprikawürfel dazugeben und weitere 5 Min. mitgaren.
- Mit Cayennepfeffer, Tabasco, Thymian, Salz abschmecken.
- Vor dem Servieren je 2 Teelöffel saure Sahne pro Portion und Schnittlauchröllchen auf die Suppe geben.

Zwiebelsuppe

Zutaten für 2 Portionen: *100 g Gemüsezwiebeln, 1 TL Öl, ¼ l klare Fleischsuppe, ⅛ l Wasser, 1 EL Weißwein, trocken, Pfeffer, Knoblauch, Majoran oder Oregano, Salz, 1 EL Kaffeesahne (10 % Fett), gehackte Petersilie*

Nährwerte pro Portion

65 kcal, 1 g E, 4 g F, 3 g KH, 0 KE, 0 mg Chol, 1 g Ba

- Zwiebeln in Ringe schneiden und in dem heißen Öl glasig dünsten.
- Klare Fleischsuppe und Wasser aufgießen und ca. 10 Min. langsam gar ziehen lassen.
- Mit Weißwein, Pfeffer, Knoblauch, Majoran oder Oregano und wenig Salz abschmecken.
- Zum Schluss die Kaffeesahne dazugeben und die Suppe nach dem Anrichten mit Petersilie bestreuen.

Fleischklößchen auf Kohlrabi

Zutaten für 2 Portionen: *1 Grundrezept Hackfleischteig s. S. 128, 500 g Kohlrabi, 260 g Kartoffeln (4 KE), ¾ l Wasser Würzmittel, Muskat, Salz, gehackte Petersilie*

Nährwerte pro Portion

345 kcal, 28 g E, 12 g F, 30 g KH, 2 KE, 58 mg Chol, 6 g Ba

- Hackfleischteig zu kleinen Klößen formen.
- Kohlrabi und Kartoffeln schälen, waschen und in Stifte oder Würfel schneiden.
- Wasser zum Kochen bringen und mit Würzmittel, Muskat und wenig Salz würzen. Kohlrabi, Kartoffeln dazugeben und ca. 10 Min. langsam kochen, evtl. zusätzlich Flüssigkeit auffüllen.
- Fleischklößchen dazugeben und vorsichtig gar ziehen lassen. Mit gehackter Petersilie anrichten.

Linseneintopf

Zutaten für 2 Portionen: *120 g Linsen (3 KE berechnet), 200 g Kasseler, schier, 1 kleiner Kasselerknochen, 3 – 4 Pfefferkörner, ½ Lorbeerblatt, ¾ l Wasser, Würzmittel, Salz, 200 g Kartoffeln (3 KE), 50 g Möhren, 50 g Sellerie, 100 g Lauch, Essig, Süßstoff*

Nährwerte pro Portion

430 kcal, 38 g E, 9 g F, 49 g KH, 1,5 KE, 50 mg Chol, 11 g Ba

- Linsen, Fleisch, Knochen und Gewürze in kaltem Wasser aufsetzen und zum Kochen bringen. Bei verminderter Energiezufuhr ca. 30 Min. vorgaren.
- Mit Würzmittel und wenig Salz würzen. Die in Würfel geschnittenen Kartoffeln dazugeben und 10 Min. weitergaren.
- Das Gemüse putzen und waschen. Möhren, Sellerie in feine Stifte sowie den Lauch in feine Ringe schneiden und hinzufügen, ca. 10 – 15 Min. weitergaren.
- Das gegarte Fleisch herausnehmen, in Würfel schneiden, wieder hinzufügen und den Eintopf nachwürzen. Evtl. mit Essig und Süßstoff abschmecken.

Gemüseeintopf mit Kräuterfrischkäse

Zutaten für 2 Portionen: *2 TL Öl, 40 g Zwiebelringe, 300 g Kohlrabistifte, 300 g frische grüne Bohnen, 260 g Kartoffelstifte (4 KE), Pfeffer, Würzmittel, Salz, 1 Pr. Bohnenkraut, 2 Tassen Wasser, 4 TL 10 %ige saure Sahne, 40 g Kräuterfrischkäse (60 % F. i. Tr.), 200 g Tomatenachtel, gehackte Petersilie*

Nährwerte pro Portion

320 kcal, 13 g E, 13 g F, 36 g KH, 2 KE, 24 mg Chol, 9 g Ba

- Öl in einem Topf erhitzen, Zwiebelringe, Kohlrabistifte und die halbierten Bohnen darin kräftig anbraten.
- Kartoffelstifte dazugeben und mit Pfeffer, Würzmittel, wenig Salz und Bohnenkraut würzen.
- Wasser hinzufügen und das Ganze zugedeckt bei kleiner Flamme ca. 15 – 20 Min. garen. Gelegentlich umrühren und evtl. noch Flüssigkeit nachgießen.
- Saure Sahne, Kräuterfrischkäse und Tomatenachtel dazugeben, unterrühren und ca. 5 Min. langsam ziehen lassen, nachschmecken.
- Vor dem Anrichten mit gehackter Petersilie bestreuen.

Berechnung von Linsen und Co.

Früher gab es die Empfehlung, bei Diabetes keine Hülsenfrüchte wie Linsen, weiße Bohnen oder Erbsen zu essen, da sie sehr kohlenhydratreich sind. Nach neuen Empfehlungen rät die Deutsche Diabetes Gesellschaft (DDG), Hülsenfrüchte, so oft es geht, in den Wochenspeiseplan einzubauen. Hülsenfrüchte sind sehr gesund, weil sie hochwertiges Eiweiß, wenig Fett, eine große Menge Kohlenhydrate in Verbindung mit reichlich Ballaststoffen sowie Vitamine und Mineralstoffe enthalten. Dank ihrer großen Ballaststoffmenge ist der Blutzuckerverlauf nach dem Genuss von Linsen und Co. gemäßigt. Für die Kohlenhydratberechnung ist es sinnvoll, pro BE 30 g und pro KE 20 bis 25 g getrocknete Hülsenfrüchte zu berechnen. Es empfiehlt sich, den Blutzucker nach dem Essen (nach ca. 1½ bis 2 Stunden) zu testen und entsprechend zu reagieren.

Tipp

Sie kennen Tofu nur als fades „gummiartiges Zeug", das nicht schmeckt? Schade! Tofu ist nicht nur kulinarisch ein Hit, sondern auch ernährungsphysiologisch sehr wertvoll. Tofu enthält neben hochwertigem Eiweiß viele Vitamine und Mineralstoffe sowie praktisch kein Fett. Greifen Sie unbedingt einmal zu bereits gewürzten Sorten wie Räuchertofu. Kurz und knusprig angebraten zum Salat reichen. Einfach lecker!

Weißkohltopf mit Hackbällchen

Zutaten für 2 Portionen: *1 kleiner Weiß-kohlkopf, 300 g Kartoffeln, vorwiegend fest kochend, 1 Zwiebel, 1 – 2 TL gekörnte Ge-müsebrühe, 1 TL Kümmel, ganz, 1 kleine Dose Tomaten (400 g), 250 g Rinderhack-fleisch, 1 Ei, Kräuter-Jodsalz, Pfeffer, frisch gemahlen, 2 EL Paniermehl (30 g), 2 EL Weizenmehl (20 g)*

Nährwerte pro Portion

565 kcal, 38 g E, 22 g F, 54 g KH, 4 KE, 190 mg Chol, 12 g Ba

▪ Den Weißkohl putzen, abspülen und in mittelgroße Stücke schneiden. Die Kar-toffeln schälen, abspülen und würfeln. Die Zwiebel abziehen und fein würfeln. Weißkohl und Kartoffelwürfel in einen Topf geben und so viel Wasser hin-zufügen, dass sie leicht bedeckt sind. Die gekörnte Brühe und den Kümmel hinzufügen. Die geschälten Tomaten zugeben und alles auf kleiner Flamme 20 Min. köcheln lassen.

▪ Das Hackfleisch in einer Schüssel mit Zwiebelwürfeln, Ei, den Gewürzen und Paniermehl zu einem geschmeidigen Hackfleischteig verkneten. Falls nötig, noch einmal abschmecken. Aus dem Teig aprikosengroße Bällchen formen. Die Bällchen leicht in Mehl wälzen und in die köchelnde Suppe geben. Weitere 10 Min. bei mittlerer Hitze gar kochen, bis die Suppe nicht mehr trüb ist.

▪ **Variante:** Probieren Sie den Eintopf einmal mit anderen Gemüsesorten. Le-cker schmeckt er z. B. auch mit grünen Bohnen, oder fruchtig raffiniert mit Zucchini, Mais und Tomaten.

Gemüseeintopf mit Rindfleisch

Zutaten für 2 Portionen: *200 g Rindfleisch (Schulter), ¾ l Wasser, Würzmittel, Pfeffer, Salz, 200 g Wirsingkohl, 100 g Porree, 100 g Kohlrabi, 50 g Sellerie, 50 g Möhren, 260 g Kartof-feln (4 KE), gehackte Petersilie*

Nährwerte pro Portion

280 kcal, 28 g E, 6 g F, 26 g KH, 3 KE, 60 mg Chol, 9 g Ba

▪ Rindfleisch in Würfel schneiden. Wasser mit Würzmittel, Pfeffer sowie wenig Salz würzen und zum Kochen bringen. Fleisch dazugeben und zugedeckt langsam garen.

▪ Das Gemüse sowie die Kartoffeln putzen, waschen und in Streifen schneiden.

▪ Wenn das Fleisch ¾ gar ist, nacheinander das Gemüse und die Kartoffeln hinzufügen. Etwa 20 – 30 Min. weitergaren, evtl. Flüssigkeit aufgießen, abschmecken.

▪ Vor dem Servieren die Petersilie dazugeben.

Lauchsuppe mit Hackfleisch

Zutaten für 2 Portionen: *2 große Stangen Lauch, 2 Zwiebeln, 1 EL Maiskeimöl, 200 g Rinderhackfleisch, 2 TL gekörnte Fleischbrühe, 50 g Schmelzkäse (max. 30 % F. i. Tr.), Pfeffer, frisch gemahlen, Muskatnuss, frisch gerieben, 100 ml fettarme Milch, 1 EL Weizenmehl,*

Nährwerte pro Portion

420 kcal, 32 g E, 22 g F, 23 g KH, 1 KE, 65 mg Chol, 5 g Ba

▌ Den Lauch der Länge nach halbieren, gründlich abspülen und in Ringe schneiden. Die Zwiebeln abziehen und fein würfeln. Das Öl in einem Topf erhitzen, Hackfleisch und Zwiebelwürfel anbraten.

▌ Die Zwiebel-Hack-Masse schmoren und sobald sich etwas Fleisch am Topfboden absetzt, mit wenig Wasser ablöschen, mit 400 ml Wasser aufgießen und die Lauchringe zugeben.

▌ Die gekörnte Fleischbrühe in die Flüssigkeit einrühren und 15 bis 20 Min. auf mittlerer Flamme garen. Wenn der Lauch weich ist, den Schmelzkäse in der Suppe auflösen. Die Suppe mit Pfeffer und Muskat abschmecken.

▌ Milch mit dem Mehl glatt rühren. Die Suppe aufkochen und die Mehlmilch mit dem Schneebesen einrühren, nochmals aufkochen und heiß servieren.

Tipp

Schlank löffeln: Beginnen Sie mit einer leichten Suppe als Vorspeise. Der hohe Wassergehalt der Suppe füllt den Magen mit wenigen Kalorien. Vorausgesetzt, in der Suppe schwimmen kalorienarme Zutaten wie knackiges Gemüse, mageres Fleisch oder Fisch. Gehaltvolle Zutaten wie Sahne und Speck sollten tabu sein.

Curry-Apfel-Suppe mit Hähnchen

Zutaten für 2 Portionen: *1 großes Hähnchenbrustfilet (200 g), 2 Zwiebeln, 1 mittelgroßer Apfel (150 g), 1 EL Rapsöl, 200 ml fettreduzierte Sahne (z. B. „Cuisine" von Alpro), Pfeffer, frisch gemahlen, etwas flüssiger Süßstoff nach Geschmack, 1 – 2 TL gekörnte Gemüsebrühe, 4 EL Mehl (40 g), Curry*

Nährwerte pro Portion

425 kcal, 29 g E, 21 g F, 30 g KH, 2 KE, 85 mg Chol, 3 g Ba

▌ Die Hähnchenbrust kalt abspülen, trocken tupfen und in kleine Stücke schneiden. Die Zwiebeln abziehen und fein würfeln. Den Apfel schälen, vom Kerngehäuse befreien und in kleine Würfel schneiden. Das Öl erhitzen und das Fleisch mit Zwiebeln, Apfelstücken und etwas Curry scharf anbraten. Wenig Wasser angießen und schmoren. Diesen Vorgang zweimal wiederholen.

▌ Etwa 150 bis 200 ml Wasser und die Sahne hinzufügen. Mit Curry, Pfeffer, Süßstoff und gekörnter Gemüsebrühe würzen. 10 Min. auf kleiner Flamme köcheln lassen. Das Mehl mit wenig Wasser glatt rühren. Die Suppe abschmecken, noch einmal aufkochen lassen und das angerührte Mehl einrühren.

Hähnchen-Gemüse-Eintopf

Zutaten für 2 Portionen: *2 Zwiebeln, 2 Karotten, ½ Sellerieknolle, 350 g Kartoffeln, mehlig kochend, 2 Hähnchenbrustfilet (300 g), 1 EL Rapsöl, 1 – 2 TL gekörnte Gemüsebrühe, Pfeffer, frisch gemahlen, 200 g Bohnen (tiefgekühlt), Kräuter-Jodsalz, etwas Kerbel*

Nährwerte pro Portion

410 kcal, 45 g E, 7 g F, 41 g KH, 2,5 KE, 100 mg Chol, 17 g Ba

▌ Die Zwiebeln abziehen und würfeln. Die Karotten schälen und in mitteldicke Scheiben schneiden. Sellerie putzen, abspülen und in mittelgroße Würfel schneiden. Die Kartoffeln schälen, abspülen und ebenfalls in Würfel schneiden. Die Hähnchenbrustfilets kalt abspülen, trocken tupfen und würfeln.

▌ Das Öl erhitzen und zuerst die Zwiebeln und das Fleisch scharf anbraten. Die Karotten und Selleriestücke zugeben und kurz mit anschwitzen. 250 ml Wasser dazugießen und mit der gekörnten Gemüsebrühe und Pfeffer würzen. Die Kartoffelstücke und die Bohnen zugeben. Auf mittlerer Flamme etwa 20 bis 30 Min. garen.

▌ Den Hähnchen-Gemüse-Topf mit den Gewürzen und je nach Geschmack mit wenig Kräuter-Jodsalz abschmecken. Den Kerbel abspülen, trocken schütteln und von den Stielen zupfen. Vor dem Servieren in die Suppe rühren.

Minestrone mit Nudeln

Zutaten für 2 Portionen: 1 Bund Suppengrün, 2 Zwiebeln, 2 Knoblauchzehen, ½ kleiner Wirsingkohl, 1 EL Olivenöl, Salz, Pfeffer, frisch gemahlen, 1 – 2 TL gekörnte Gemüsebrühe, 100 g Muschelnudeln, ½ kleine Dose weiße dicke Bohnen (125 g), 150 g Erbsen (tiefgekühlt), 1 kleine Dose Tomatenstücke (400 g), ½ Bund frische Petersilie, Tomaten-Jodsalz, 1 EL geriebener Parmesan

Nährwerte pro Portion

475 kcal, 26 g E, 12 g F, 65 g KH, 5,2 KE, 55 mg Chol, 19 g Ba

▌ Suppengrün putzen, abspülen, wenn nötig, schälen und klein schneiden. Die Zwiebeln und Knoblauchzehen abziehen. Die Zwiebeln fein würfeln, den Knoblauch fein hacken oder zerdrücken. Den Wirsing putzen, abspülen und in feine Streifen schneiden. Das Öl in einem Topf erhitzen und zuerst Zwiebeln und Knoblauch darin anbraten.

▌ Das Suppengemüse und den abgetropften Wirsing zugeben, leicht salzen und pfeffern. Mit so viel Wasser aufgießen, dass das Gemüse im Wasser schwimmt. Mit der Gemüsebrühe würzen und etwa 10 Min. kochen lassen. Nun die Nudeln zum Gemüse geben und weitere 5 Min. kochen. Bohnen, Erbsen und Tomaten in die Suppe geben und weitere 5 Min. garen.

▌ Die Petersilie abspülen, trocken schütteln und hacken. Die Suppe nach der Garzeit mit Pfeffer und Tomaten-Jodsalz abschmecken und die Petersilie hinzufügen. Vor dem Servieren mit dem geriebenen Parmesan bestreuen.

Sauerkrautsuppe

Zutaten für 2 Portionen: 200 g Fettarmes Schweinefleisch, 1 Gemüsezwiebel, 250 g Kartoffeln, 1 EL Rapsöl, 150 g Sauerkraut, Kartoffel-Jodsalz, Pfeffer, frisch gemahlen, Muskatnuss, frisch gerieben, ½ Bund frische Petersilie, 2 EL Schmand

Nährwerte pro Portion

310 kcal, 26 g E, 13 g F, 22 g KH, 2 KE, 75 mg Chol, 6 g Ba

▌ Das Fleisch kalt abspülen, trocken tupfen und fein würfeln. Die Gemüsezwiebel abziehen und in Würfel schneiden. Die Kartoffeln schälen, abspülen und auf einer Reibe grob reiben.

▌ Das Öl in einem Topf erhitzen und das Fleisch mit den Zwiebelwürfeln darin anbraten. Mit 500 ml Wasser ablöschen und das Sauerkaut und die geriebenen Kartoffeln zugeben. Die Suppe mit wenig Kartoffel-Jodsalz, Pfeffer und Muskat würzen und etwa 30 Min. auf kleiner Flamme garen.

▌ Die Petersilie abspülen, trocken schütteln, hacken und in die Suppe rühren (dabei etwas Petersilie zurückbehalten). Die Sauerkrautsuppe vor dem Servieren mit jeweils 1 Esslöffel Schmand und etwas gehackter Petersilie garnieren.

Weiße Bohnensuppe

Zutaten für 2 Portionen: *120 g weiße Bohnen, ½ TL Natron (z. B. von der Firma Kaiser Natron, Supermarkt), 1 – 2 TL gekörnte Gemüsebrühe, 1 Zwiebel, 1 Knoblauchzehe, 1 Karotte, 1 Stange Staudensellerie, 1 Stange Lauch, 1 Rosmarinzweig, 1 EL Olivenöl, Kartoffel-Jodsalz, Pfeffer, frisch gemahlen, ½ Packung gehackter Thymian (tiefgekühlt), 1 Scheibe Toastbrot (25 g), 1 EL geriebener Parmesankäse*

Nährwerte pro Portion

350 kcal, 21 g E, 11 g F, 41 g KH, 3,5 KE, 8 mg Chol, 18 g Ba

▌ Die Bohnen in einen Topf geben und so viel Wasser hinzufüllen, dass die Bohnen 10 cm hoch bedeckt sind. Die Hülsenfrüchte 8 bis 10 Stunden quellen lassen (am besten über Nacht). Danach samt Einweichwasser. Natron und Gemüsebrühe 1½ Stunden garen. Wenn die Bohnen das Einweichwasser vollständig aufgesogen haben, ½ l Wasser nachgießen.

▌ Zwiebel und Knoblauchzehe abziehen. Zwiebel fein würfeln, den Knoblauch fein hacken oder zerdrücken. Die Karotte schälen und in dünne Scheiben schneiden. Staudensellerie putzen, abspülen und in feine Ringe schneiden. Lauch längs halbieren, gründlich abspülen und in ganz feine Ringe schneiden. Rosmarinnadeln abspülen, trocken schütteln und vom Zweig zupfen.

▌ Das Olivenöl erhitzen und Zwiebelwürfel und Knoblauch darin scharf anbraten. Das Gemüse zugeben und alles etwa 5 bis 8 Min. dünsten. Nach der Garzeit die Hälfte der Bohnen aus dem Topf nehmen, etwas Kochflüssigkeit dazugeben und mit einem Pürierstab sämig pürieren. Das Bohnenpüree zurück in die Suppe geben und das angeschwitzte Gemüse hinzufügen.

▌ Die Suppe 15 Min. ohne Deckel auf kleiner Stufe köcheln lassen. Mit Kartoffel-Jodsalz und Pfeffer abschmecken und den Rosmarin zugeben. Das Toastbrot anrösten und diagonal durchschneiden. Die beiden Hälften auf zwei Teller legen und den Parmesankäse darüberstreuen. Zum Servieren die Bohnensuppe über das Toastbrot gießen.

▌ **Variante:** Wenn Sie keine weißen Bohnen vorrätig haben, können Sie auch mehlig kochende Kartoffeln oder getrocknete Erbsen für die Suppe verwenden.

Kartoffelcremesuppe mit Gambas

Zutaten für 2 Portionen: *400 g Kartoffeln, 2 Zwiebeln, 1 – 2 TL gekörnte Gemüsebrühe, 100 ml fettreduzierte Sahne (z. B. „Cuisine" von Alpro), Muskatnuss, frisch gemahlen, Pfeffer, frisch gemahlen, 1 EL Rapsöl, 4 große Gambas/Riesengarnelen (200 g), etwas Rosmarin*

Nährwerte pro Portion

385 kcal, 26 g E, 15 g F, 36 g KH, 3 KE, 165 mg Chol, 6 g Ba

▌ Die Kartoffeln schälen, abspülen und vierteln. Die Zwiebeln abziehen und würfeln. Kartoffeln und Zwiebelwürfel in einen Topf geben und mit 400 ml Wasser auffüllen. Die gekörnte Gemüsebrühe in das Wasser einrühren und alles etwa 20 Min. kochen. Anschließend die Suppe mit dem Pürierstab pürieren.

▌ Die Sahne zugeben, mit den Gewürzen abschmecken und weitere 5 Min. köcheln lassen. In der Zwischenzeit das Öl in einer Pfanne erhitzen und die Gambas darin von allen Seiten anbraten. Die Suppe portionieren und die gebratenen Gambas auf die Suppe setzen. Mit ein paar Rosmarinnadeln garniert servieren.

Garneleneintopf

Zutaten für 2 Portionen: *500 g Garnelen (tiefgekühlt), 2 Zwiebeln, 2 Knoblauchzehen, 2 Stangen Staudensellerie, 1 EL Maiskeimöl, Kräuter-Jodsalz, Pfeffer, frisch gemahlen, Curry, 1 TL gekörnte Gemüsebrühe, 1 kleine Dose Tomatenstücke (400 g), etwas Thymian, getrocknet, etwas Tabasco*

Nährwerte pro Portion

325 kcal, 50 g E, 9 g F, 11 g KH, 0 KE, 345 mg Chol, 4 g Ba

▌ Die Garnelen auftauen und gut abtropfen lassen. Die Zwiebeln und den Knoblauch abziehen, die Zwiebeln klein würfeln, den Knoblauch fein hacken. Staudensellerie putzen, abspülen und klein würfeln. Das Öl in einem großen Topf erhitzen, die Garnelen von allen Seiten scharf anbraten und aus der Pfanne nehmen.

▌ Das Gemüse in die Pfanne geben und mit Kräuter-Jodsalz, Pfeffer und Curry würzen. Dann mit 250 ml Wasser aufgießen und die gekörnte Gemüsebrühe in die Flüssigkeit einrühren. Die Dosentomaten hinzufügen und alles bei geschlossenem Deckel etwa 20 Min. bei mittlerer Hitze kochen lassen. Anschließend die Garnelen in die Suppe geben und mit etwas Thymian und einigen Tropfen Tabasco abschmecken.

Wissenswertes über Essig und Öle

In der guten Küche sind Essig, Öl und Kräuter einfach unverzichtbar – ob zum Backen und Braten mit Öl, zum Würzen oder Konservieren mit Essig oder kombiniert in leckeren Salatsoßen. Schon wer beim Kauf von Essig und Öl zu den Standardsorten greift, wird erstaunt feststellen, welche Geschmacksunterschiede es aufgrund der unterschiedlichen Sorten gibt. Zudem gibt es bei Essig, Öl und auch Gewürzen große Qualitäts- und Preisunterschiede. Essig- und Ölsorten zeigen auch gesundheitsfördernde Wirkungen: so kann Olivenöl unter anderem das Arterioskleroserisiko mindern und vitaminreicher Apfelessig senkt unter anderem schädliche Cholesterinwerte und ist ein wirksames Antioxidans.

Essig ist nicht gleich Essig.

Balsamico Essig wird aus eingedicktem Traubenmost hergestellt. Gute Balsamicos reifen mehrere Jahre, traditionell in Holzfässern.

Weinessig wird ausschließlich aus Wein hergestellt. Der milde Weißweinessig gehört in die klassische Kräutermarinade. Kräftiger schmeckt hingegen der Rotweinessig.

Obstessig gibt Salaten eine fruchtige Note, hauptsächlich wird Apfelessig angeboten.

Kräuteressig ist Branntwein- oder Weinessig mit zugesetzten Kräutern wie Estragon, Thymian oder Rosmarin.

Pflanzenöle haben viel zu bieten.

Kaltgepresste Öle werden durch mechanische Pressung hergestellt, hierbei entstehen Temperaturen zwischen 40 und 65 °C. Häufig finden Sie auf der Ölflasche auch Begriffe wie nativ schonend gepresst, erste Pressung oder naturbelassen. Der Geschmack von naturbelassenem Öl ist intensiv, da es alle Aromastoffe der Ölsaat enthält. Ferner bleiben die Flavonoide als gesundheitsfördernde Substanzen erhalten. Damit diese nicht zerstört werden, verwenden Sie kaltgepresste Öle bitte nur für Salate und Rohkost.
Raffiniertes Öl ist gereinigtes Speiseöl, die Verarbeitung hat keinen Einfluss auf den Gehalt an mehrfach ungesättigten Fettsäuren. Diese Öle sind geschmacksneutraler, fast geruchlos und viel hitzestabiler.

Pflanzen-Speiseöle sind im Allgemeinen eine Mischung verschiedener gereinigter Pflanzenöle. Meist ist ihr Gehalt an mehrfach ungesättigten Fettsäuren nicht so hoch wie bei dem Öl einer einzelnen Sorte. Mischöle sind relativ hitzestabil. Bei Diät-Speiseölen muss der Gehalt an mehrfach ungesättigten Fettsäuren mindestens 60 Prozent betragen.

Sojaöl enthält eine günstige Fettsäurenzusammensetzung. Kaltgepresstes Sojaöl gibt es jedoch nicht, da die rohe Sojabohne gesundheitsschädigende Stoffe enthält. Sonnenblumenöl ist ein hochwertiges Öl, weil es rund 65 Prozent an mehrfach ungesättigten Fettsäuren enthält. Sonnenblumenöl hat nicht nur in der kalten Küche einen festen Platz, sondern kann auch zum Braten problemlos genutzt werden.

Maiskeim- und Weizenkeimöle enthalten viel Vitamin E. Sie sind bis 190 °C erhitzbar und werden aufgrund dieser Eigenschaft gerne in der warmen und kalten Küche eingesetzt.

Olivenöl senkt durch den hohen Gehalt an Ölsäure den Cholesterinspiegel, ohne das „gute" HDL-Cholesterin anzutasten. Die einfach ungesättigte Ölsäure ist gut haltbar und bis 170 °C erhitzbar.

Nussöle werden meistens kaltgepresst angeboten. Walnussöl enthält über 70 Prozent mehrfach ungesättigte Fettsäuren, wird jedoch leicht ranzig. Haselnussöl, das zu 80 Prozent aus einfach ungesättigter Ölsäure besteht, ist gegenüber Walnussöl haltbarer.

Leinöl hat einen typisch bitteren Geschmack und enthält extrem viel Linolensäure, eine sehr hochwertige, lebenswichtige Fettsäure. Leinöl ist nur sehr begrenzt haltbar.

Joghurt-Mayonnaise-Soße

Zutaten für 2 Portionen: 2 EL Magerjoghurt, leicht gehäuft, 2 TL Mayonnaise, 50 % Fett, 2 EL Buttermilch, Pfeffer, Salz, Senf, Curry, gehackte Kräuter

Nährwerte pro Portion

45 kcal, 2 g E, 3 g F, 2 g KH, 0 KE, +mg Chol, 0 g Ba

▮ Den Joghurt mit der Mayonnaise und der Buttermilch gut mischen.
▮ Pfeffer, Salz, Senf, Curry und die gehackten Kräuter dazugeben und gut untermischen.

Joghurtsoße, süß

Zutaten für 2 Portionen: 2 EL Magerjoghurt, leicht gehäuft, 4 EL Buttermilch, 2 TL Zitronensaft, Süßstoff nach Geschmack

Nährwerte pro Portion

25 kcal, 2 g E, 0 g F, 2 g KH, 0 KE, 0 mg Chol, 0 g Ba

▮ Den Joghurt mit der Buttermilch gut mischen.
▮ Zitronensaft und Süßstoff nach Geschmack dazugeben, gut untermischen.

Gemischter Salat mit weißen Bohnen

Zutaten für 2 Portionen: 120 g weiße Bohnen, gekocht, 100 g Paprika, rot, 2 EL Essig, 4–5 EL Wasser, 1 geh. EL Zwiebelwürfel, Pfeffer, Salz, Sojasoße, evtl. Süßstoff, 100 g Gurken, 2 TL Öl, gehacktes Bohnenkraut oder gehackte Petersilie

Nährwerte pro Portion

115 kcal, 5 g E, 6 g F, 10 g KH, 0 KE, 0 mg Chol, 6 g Ba

Zitronenmarinade

Zutaten für 2 Portionen: 2 EL Zitronensaft, 4–5 EL Wasser, Süßstoff nach Geschmack, Zitronenmelisse, 2 TL Öl

Nährwerte pro Portion

50 kcal, 0 g E, 5 g F, +g KH, 0 KE, 0 mg Chol, 0 g Ba

▮ Alle Zutaten gut mischen und mit Süßstoff nach Geschmack abschmecken.

▮ Die abgekochten, abgetropften Bohnen und die in feine Streifen geschnittene Paprika in eine Schüssel geben und vermengen.
▮ Aus Essig, Wasser, Zwiebelwürfeln und Gewürzen eine Marinade herstellen. Kurz aufkochen, heiß über die Bohnen und die Paprika geben. Anschließend abkühlen lassen.
▮ Gurken schälen, aushöhlen, in dünne Streifen schneiden und nach dem Abkühlen zum Salat geben. Das Öl, frisches Bohnenkraut, falls vorhanden, oder Petersilie vor dem Anrichten hinzufügen.

Kräuter-Marinade

Zutaten für 2 Portionen: 2 EL Essig, 4–5 EL Wasser, Pfeffer, Salz, Senf, evtl. Süßstoff, 1 geh. EL Zwiebelwürfel, feingehackte Kräuter, 2 TL Öl

Nährwerte pro Portion

50 kcal, 0 g E, 5 g F, +g KH, 0 KE, 0 mg Chol, 0 g Ba

▮ Alle Zutaten gut mischen und mit Süßstoff nach Geschmack abschmecken.

Salat mit roten Linsen

Zutaten für 2 Portionen: *100 g rote Linsen, 2 TL gekörnte Gemüse-brühe, 1 Zwiebel, ¼ Salatgurke, 1 gelbe Paprikaschote, 10 Kirsch-tomaten, 5 mittelgroße Champignons, 1 EL weißer Balsamico, 1 EL Sojasauce, flüssiger Süßstoff nach Geschmack, Pfeffer, frisch gemahlen, Salz, Paprikapulver, Curry, 1 EL Rapsöl*

Nährwerte pro Portion

260 kcal, 17 g E, 6 g F, 34 g KH, 2,5 KE, 0 mg Chol, 12 g Ba

▌ Die Linsen mit 200 ml Wasser in einen Topf geben und zum Kochen bringen. Die Gemüsebrühe im Kochwasser auflösen. 10 bis 15 Min. auf mittlerer Flamme köcheln. Wichtig: Die Lin-sen sollen noch Biss haben. Die Linsen abseihen und in einer Schüssel abkühlen lassen.

▌ Zwiebel abziehen, Gurke schälen, die Zwiebel in feine und die Gurke in mittelgroße Würfel schneiden. Die Paprikaschote putzen, abspülen und in feine Streifen schneiden, die Kirsch-tomaten abspülen und halbieren. Die Champignons mit einem feuchten Tuch abreiben und in mitteldicke Scheiben schneiden oder vierteln.

▌ Aus Essig, Sojasauce, Süßstoff und den Gewürzen eine Marina-de rühren, abschmecken und zum Schluss das Öl unterschla-gen. Die Linsen mit der Marinade mischen und etwa 1 Stunde ziehen lassen. Zum Schluss mit dem geschnittenen Gemüse vermengen und anrichten.

Gurken-Wachsbohnen-Salat

Zutaten für 2 Portionen: *200 g Gurken, geschält, halbiert, in Scheiben geschnitten, 200 g Wachsbohnen (Dose), 2 EL Essig, 4 – 5 EL Wasser, Pfeffer, Salz, Senf, 1 geh. EL Zwiebelwürfel, 2 TL Öl, gehackter Dill*

Nährwerte pro Portion

90 kcal, 2 g E, 5 g F, 7 g KH, 0 KE, 0 mg Chol, 3 g Ba

▌ Die abgetropften Bohnen und die Gurken in eine Schüssel ge-ben und vermengen.

▌ Aus Essig, Wasser, Zwiebelwürfeln, Gewürzen sowie dem Öl eine Marinade herstellen und über die Bohnen und die Gurken geben.

Kidneybohnen-Lauchsalat

Zutaten für 2 Portionen: *120 g Kidneybohnen, gekocht, 200 g Lauch, hell, 2 EL Essig, 4–5 EL Wasser, Pfeffer, Salz, Worcestersoße, evtl. Süßstoff, 2 TL Öl, gehackte Petersilie*

Nährwerte pro Portion

110 kcal, 6 g E, 6 g F, 9 g KH, 0 KE, 0 mg Chol, 5 g Ba

- Die abgekochten, abgetropften Kidneybohnen und den in feine Ringe geschnittenen Lauch in eine Schüssel geben und vermengen.
- Aus Essig, Wasser und Gewürzen eine Marinade herstellen. Kurz aufkochen, heiß über das Bohnen-Lauch-Gemisch geben und abkühlen lassen.
- Das Öl und die Petersilie vor dem Anrichten hinzufügen.

Kräuter für den Salat

Basilikum, ein echtes Salatkraut, das sehr gut zu Tomatensalat passt. Gekocht verliert es jedoch an Aroma, deshalb sollten Sie es bei warmen Gerichten erst nach dem Garen hinzufügen.

Borretsch, sehr fein gehackt, ist geeignet für alle sommerlichen Salate.

Dill gehört obligatorisch an den Gurkensalat und an alle Salate, die mit Gurken zubereitet werden, passt aber auch gut zu Blattsalaten.

Estragon, sein zartes Aroma mit leichter Anisnote bereichert mild zubereitete Salatsoßen.

Kerbel ist der Petersilie ähnlich und darf nicht mitgekocht werden. Er ist zur Verfeinerung von Salaten und rohem Gemüse gut geeignet.

Petersilie gibt es das ganze Jahr frisch, man sollte sie reichlich verwenden. Petersilie lässt sich mit allen anderen Kräutern mischen.

Schnittlauch, sein Geschmack erinnert an Zwiebeln. Gleichmäßig fein geschnitten verleiht er fast allen Salaten einen besonderen Pfiff.

Zitronenmelisse, die zarten, ovalen, nach Zitrone duftenden Blättchen passen gut zu Blattsalaten oder mit Obst zubereiteter Rohkost.

Tiefgekühlte Kräutermischungen sind, besonders im Winter, eine gute Alternative zu frischen Kräutern. Da die Mischungen außer Kräutern, Zwiebeln oder Knoblauch keine Gewürze enthalten, liegt die Geschmacksrichtung der Salate weiterhin in Ihren Händen.

Rote-Bete-Salat

Zutaten für 2 Portionen: *350 g Rote Bete (Dose), 2 EL Essig, 4–5 EL Wasser, 1 geh. EL Zwiebelwürfel, Pfeffer, Salz, evtl. Kümmel, Süßstoff, 2 TL Öl, gehackte Petersilie*

Nährwerte pro Portion

100 kcal, 3 g E, 5 g F, 10 g KH, 0 KE, 0 mg Chol, 3 g Ba

- Die abgetropften Rote Bete in Würfel oder Streifen schneiden.
- Aus Essig, Wasser, Zwiebelwürfeln und Gewürzen eine Marinade herstellen. Kurz aufkochen, heiß über die Rote Bete gießen und abkühlen lassen.
- Das Öl und die Petersilie vor dem Anrichten dazugeben.

Eiliger Spargelsalat

Zutaten für 2 Portionen: *500 g grüner Spargel, Salz, Pfeffer, frisch gemahlen, flüssiger Süßstoff nach Geschmack, 1 TL Halbfettmargarine, 2 EL Weißweinessig, 1 EL Rapsöl, 20 g Parmesankäse am Stück*

Nährwerte pro Portion

140 kcal, 8 g E, 10 g F, 5 g KH, 0 KE, 10 mg Chol, 5 g Ba

- Den Spargel abspülen und den unteren Strunk abschneiden. Jede Spargelstange in drei gleich große Stücke schneiden. Dabei die Enden schräg abschneiden. Die Spargelköpfe ebenfalls abschneiden und beiseite legen. 500 ml Wasser zum Kochen bringen und Salz, Süßstoff und Margarine hinzufügen.
- Die Spargelstücke (ohne die Köpfe) 5 bis 8 Min. bissfest garen und abtropfen lassen. Die Spargelköpfe mit wenig Wasser in der Mikrowelle oder in einem Topf etwa 3 Min. blanchieren, aus dem Wasser nehmen und abtropfen lassen.
- Aus Essig, Pfeffer, Salz und Süßstoff eine Marinade rühren und zum Schluss das Rapsöl unterschlagen. Die Marinade mit den Spargelstücken mischen und etwa 1 Stunde durchziehen lassen. Vor dem Servieren den Parmesankäse über den Salat hobeln.

Tipp

Peppen Sie Suppen und Salate mit Kräutern auf. Mit den duftenden Blättchen können Sie eventuelle Geschmackseinbußen beim Fettsparen ganz leicht ausgleichen. Die grünen Powerpakete bringen nicht nur Würze auf den Teller, sondern auch eine Extraportion gesunder Inhaltsstoffe. Nutzen Sie auch Kräuter aus der Tiefkühltruhe.

Abendbrotsalat

Zutaten für 2 Portionen: *100 g Geflügelfleischwurst, 2 Gewürz-gurken, 2 Zwiebeln, 1 kleiner Apfel (100 g), 2 EL Apfelessig, Salz, Pfeffer, frisch gemahlen, flüssiger Süßstoff nach Geschmack, 1 Bund Schnittlauch, 1 EL Maiskeimöl*

Nährwerte pro Portion

180 kcal, 12 g E, 10 g F, 11 g KH, 0,5 KE, 40 mg Chol, 3 g Ba

▌ Die Fleischwurst in Würfel oder dünne Streifen schneiden. Die Gewürzgurken abtropfen lassen und würfeln. Zwiebeln abziehen und in feine Ringe schneiden. Den Apfel abspülen, vom Kerngehäuse befreien, vierteln und in feine Würfel schneiden.

▌ Aus Apfelessig, Salz, Pfeffer und Süßstoff eine Marinade rühren. Den Schnittlauch abspülen, trocken schütteln, in Röllchen schneiden und in das Dressing geben. Abschmecken und das Öl unterschlagen. Alle Zutaten mit dem Dressing mischen und den Salat gut durchziehen lassen.

Spargel mit Rucola in Balsamico-dressing

Zutaten für 2 Portionen: *500 g weißer Spargel, Salz, flüssiger Süßstoff nach Geschmack, 1 TL Halbfettmargarine, 3 EL Balsamico, 20 g Rucolasalat, 30 g Parmesankäse am Stück, 1 EL Haselnüsse, gemahlen (10 g)*

Nährwerte pro Portion

310 kcal, 21 g E, 20 g F, 12 g KH, 0 BE, 0 KE, 25 mg Chol, 8 g Ba

▌ Den Spargel schälen und den unteren Strunk abschneiden. Etwa 500 ml Wasser mit Salz, flüssigem Süßstoff und der Margarine zum Kochen bringen. Den Spargel 15 bis 20 Min. darin garen, dann abtropfen lassen und auf eine Platte legen.

▌ Den Essig mit etwas Spargelwasser mischen und den Spargel damit übergießen. Rucola abspülen, trocken schütteln, klein zupfen und über den Spargel verteilen. Mit einem Parmesan- oder Gemüsehobel den Käse in hauchdünne Scheiben schneiden und über den Spargel verteilen. Mit gemahlenen Haselnüssen bestreut servieren.

Wikingernudelsalat

Zutaten für 2 Portionen: *120 g Spaghetti Salz, 1 rote Paprika-schote, 1 grüne Paprikaschote, ½ Dose Erbsen (150 g), 2 Scheiben alter Gouda, Pfeffer, frisch gemahlen, Paprikapulver, flüssiger Süßstoff nach Geschmack, Balsamico, 1 Packung Basilikum (tiefgekühlt), 1 EL Olivenöl*

Nährwerte pro Portion

445 kcal, 22 g E, 16 g F, 53 g KH, 5 KE, 75 mg Chol, 12 g Ba

▌ Die Spaghetti einmal in der Mitte brechen und in Salzwasser etwa 10 Min. al dente kochen. Die Paprikaschoten putzen, abspülen und in feine Würfel schneiden. Die Erbsen in ein Sieb geben und abtropfen lassen. Den Käse in Streifen schneiden. Aus den Gewürzen, Essig und Basilikum eine Salatsauce rühren, abschmecken und zuletzt das Öl unterschlagen.

▌ Die gekochten Nudeln mehrfach kalt abschrecken, so dass sie schnell abkühlen. In einer großen Schüssel mit Paprika, Käse und Erbsen mischen. Die Marinade zugeben und den Salat mindestens 8 Stunden ziehen lassen. Vor dem Servieren noch einmal abschmecken.

Kartoffelsalat

Zutaten für 2 Portionen: *300 g Kartoffeln, 1 kleiner Apfel (100 g), 1 Gemüsezwiebel, 2 große Gewürzgurken, Salz, Pfeffer, frisch gemahlen, 1 Packung Petersilie (tiefgekühlt), 2 EL Kräuteressig, flüssiger Süßstoff nach Geschmack, 150 ml fettreduzierte Sahne (z. B. „Cuisine" von Alpro), etwas Petersilie*

Nährwerte pro Portion

230 kcal, 6 g E, 7 g F, 35 g KH, 2,8 KE, 20 mg Chol, 6 g Ba

▌ Die Kartoffeln am Vortag in der Schale kochen und pellen. Am nächsten Tag die Kartoffeln in Scheiben schneiden. Den Apfel schälen, vom Kerngehäuse befreien und in kleine Würfel schneiden. Die Zwiebel abziehen und würfeln. Die Gurken ebenfalls würfeln.

▌ Aus den restlichen Zutaten eine Marinade rühren. Zwiebeln, Gurke und Apfel mit der Marinade vermischen und zuletzt die Kartoffelscheiben dazugeben und gut vermischen.

▌ Mindestens 2 bis 3 Stunden ziehen lassen und vor dem Servieren noch einmal abschmecken. Falls die Salatsauce zu dick ist, etwas Gurkenwasser hinzufügen. Mit Petersilie bestreut servieren.

Bunter Chinakohlsalat

Zutaten für 2 Portionen: *200 g Chinakohl in Streifen, 80 g rote Paprikastreifen, 60 g Lauch in feinen Ringen, 60 g Radieschen in Scheiben, Schnittlauchröllchen, 2 EL Essig, 4 – 5 EL Wasser, Pfeffer, Salz, Senf, evtl. Süßstoff, 1 geh. EL Zwiebelwürfel, 2 TL Öl*

Nährwerte pro Portion

80 kcal, 3 g E, 6 g F, 4 g KH, 0 KE, 0 mg Chol, 5 g Ba

▌ Den Chinakohl mit den Paprikastreifen in eine Schüssel geben und gut mischen. Den Lauch hinzugeben.

▌ Radieschen untermischen. Aus Essig, Wasser sowie den Gewürzen, den Zwiebelwürfeln und dem Öl eine Marinade herstellen. Nach Geschmack mit Süßstoff abschmecken.

▌ Marinade über den Salat geben, gut vermischen. Schnittlauchröllchen darüberstreuen.

Salat Andreas

Zutaten für 2 Portionen: *125 g Rucolasalat, 1 EL Sonnenblumenkerne, 100 g Fetakäse, 10 Kirschtomaten, 15 blaue kernlose Trauben (ca. 140 g), 8 mittelgroße Champignons, 2 EL Balsamico, Kräutersalz, Pfeffer, frisch gemahlen, flüssiger Süßstoff nach Geschmack, 1 EL Walnussöl*

Nährwerte pro Portion

285 kcal, 14 g E, 19 g F, 14 g KH, 1 KE, 20 mg Chol, 4 g Ba

▌ Den Rucolasalat abspülen, verlesen und gut abtropfen lassen. Die Sonnenblumenkerne ohne Fett in einer Pfanne goldbraun rösten und beiseite stellen. Den Fetakäse in kleine Würfel schneiden. Die Kirschtomaten und Trauben abspülen und halbieren. Die Champignons mit einem feuchten Tuch abreiben, putzen und vierteln.

▌ Aus Essig und den Gewürzen eine Marinade rühren, mit dem Süßstoff abschmecken und das Walnussöl unterschlagen. Den Fetakäse vorsichtig mit der Sauce mischen, so dass er nicht zerbröselt. Die Trauben, Tomaten und Champignons zugeben, unterheben und zuletzt den Rucola hinzufügen. Nach dem Anrichten mit den gerösteten Sonnenblumenkernen bestreuen.

Eisbergsalat

Zutaten für 2 Portionen: *150 g Eisbergsalat, 1 cm Streifen schneiden, 2 EL Magerjoghurt, leicht gehäuft, 2 TL Mayonnaise, 50 % Fett, 2 EL Buttermilch, Pfeffer, Curry, Salz, Schnittlauch oder Petersilie*

Nährwerte pro Portion

50 kcal, 3 g E, 3 g F, 3 g KH, 0 KE, + mg Chol, 1 g Ba

▌ Den Eisbergsalat in eine Schüssel geben und gut mischen.
▌ Aus Joghurt, Mayonnaise und der Buttermilch sowie den Gewürzen eine Marinade herstellen.
Marinade über den Salat geben, gut vermischen. Schnittlauchröllchen oder Petersilie darüberstreuen.

Chicoréesalat

Zutaten für 2 Portionen: *200 g Chicorée, 2 EL Magerjoghurt, leicht gehäuft, 4 EL Buttermilch, 2 TL Zitronensaft, Süßstoff*

Nährwerte pro Portion

40 kcal, 4 g E, 0 g F, 5 g KH, 0 KE, 0 mg Chol, 1 g Ba

▌ Den Chicorée halbieren und den Keil entfernen.
▌ Um den leicht bitteren Geschmack zu mildern, gibt man den in feine Streifen geschnittenen Chicorée ca. 30 Min. in ein Milch-Wasser-Gemisch (1:1). Im Sieb gut abtropfen lassen und den Chicorée in die vorbereitete Soße geben.

Endivien-/Grüner Salat

Zutaten für 2 Portionen: *120 g Endivie, in feine Streifen geschnitten, oder 80 g geputzter Grüner Salat, 2 EL Essig, 4–5 EL Wasser, Pfeffer, Salz, Knoblauch, Senf, evtl. Süßstoff, 1 geh. EL Zwiebelwürfel, 2 TL Öl*

Nährwerte pro Portion

60 kcal, 1 g E, 5 g F, + g KH, 0 KE, 0 mg Chol, 1 g Ba

▌ Aus Essig, Wasser sowie den Gewürzen, den Zwiebelwürfeln und dem Öl eine Marinade herstellen. Nach Geschmack mit Süßstoff abschmecken.
▌ Marinade über den Salat geben, gut vermischen.

Feldsalat mit Walnüssen

Zutaten für 2 Portionen: *100 g Feldsalat, 1 Zwiebel, Rotweinessig, Kräutersalz, schwarzer Pfeffer, gemahlen, 2 TL gehackte Petersilie, 1 EL Walnussöl, 4 Walnüsse (ca. 25 g)*

Nährwerte pro Portion

140 kcal, 3 g E, 13 g F, 3 g KH, 0 KE, 0 mg Chol, 2 g Ba

▌ Den Feldsalat waschen, verlesen und trocken schleudern. Die Zwiebel abziehen und fein würfeln. Aus Essig, den Gewürzen und der Petersilie eine Marinade rühren und nach dem Abschmecken das Walnussöl unterschlagen. Die Zwiebeln unterrühren. Die Walnusskerne grob hacken, über den Salat streuen und mit der Marinade beträufelt servieren.

Rindfleischsalat

Zutaten für 2 Portionen: *1 EL Essig, 3–4 EL Wasser, Pfeffer, Zwiebelpulver, Salz, Schnittlauch, Petersilie, 1 TL Öl, 120 g gekochtes Rindfleisch (Schulter), 40 g Paprika, 100 g Gurke, 40 g Radieschenscheiben, 40 g Feldsalat*

Nährwerte pro Portion

120 kcal, 13 g E, 6 g F, 2 g KH, 0 KE, 36 mg Chol, 1 g Ba

▌ Aus Essig, Wasser, Gewürzen, gehackten Kräutern und Öl eine Marinade herstellen.
▌ Rindfleisch und Paprika in feine Streifen schneiden. Die Gurke schälen, halbieren, aushöhlen und in ½ cm dünne Stücke schneiden. Alles in die Marinade geben und gut durchziehen lassen.
▌ Radieschenscheiben und Feldsalat eine viertel Stunde vor dem Servieren unter den Salat heben.

Avocado-Grapefruit-Salat

Zutaten für 2 Portionen: *150 g Avocado, 60 g Kochschinken, 130 g filierte Grapefruitscheiben (1 KE), 100 g Eisbergsalat, 2 EL Rotweinessig, 4 EL Wasser, 2 Msp. Senf, Pfeffer, Salz, 1 TL Öl, Schnittlauchröllchen*

Nährwerte pro Portion
265 kcal, 9 g E, 22 g F, 6 g KH, 0,5 KE, 18 mg Chol, 7 g Ba

▐ Avocado in Scheiben und Kochschinken in Streifen schneiden. Die Grapefruitscheiben nochmals halbieren, den Eisbergsalat in 1 cm breite Streifen schneiden, ⅓ davon dazugeben und alles leicht vermengen.
▐ Aus Rotweinessig, Wasser, Gewürzen und Öl eine Marinade herstellen.
▐ Den Avocado-Grapefruit-Salat auf dem Rest des Eisbergsalates anrichten, die Marinade darübergeben und mit Schnittlauch bestreuen.

Ungarischer Bohnensalat

Zutaten für 2 Portionen: *1 EL Essig, 3–4 EL Wasser, Pfeffer, Senf, Salz, 1 TL Öl, 160 g gekochte, abgetropfte weiße Bohnen, 60 g Kochschinkenstreifen, 60 g rote Paprika, Petersilie und Kapern*

Nährwerte pro Portion

120 kcal, 12 g E, 5 g F, 8 g KH, 0 KE, 18 mg Chol, 5 g Ba

▌ Aus Essig, Wasser, Gewürzen und Öl eine Marinade herstellen. Bohnen und Schinken dazugeben.

▌ Paprika in Streifen schneiden, kurz blanchieren, abgießen und hinzufügen. Zum Schluss fein gehackte Petersilie und Kapern untermengen und gut durchziehen lassen.

Tomatensalat

Zutaten für 2 Portionen: *400 g Tomaten in Scheiben, 2 EL Essig, 4–5 EL Wasser, Pfeffer, Salz, Senf, evtl. Süßstoff, 1 geh. EL Zwiebelwürfel, 2 TL Öl, fein geschnittener Schnittlauch oder Kresse*

Nährwerte pro Portion

85 kcal, 2 g E, 5 g F, 6 g KH, 0 KE, 0 mg Chol, 2 g Ba

▌ Die geschnittenen Tomaten auf einer flachen Schale dekorieren.

▌ Aus Essig, Wasser, den Gewürzen, dem Öl und den Zwiebelwürfeln eine Marinade herstellen und mit einem Löffel über die Tomaten verteilen.

▌ Mit Schnittlauch oder Kresse anrichten.

Bauernsalat

Zutaten für 2 Portionen: *1 EL Essig, 3–4 EL Wasser, Pfeffer, Paprika, Senf, Salz, Zwiebel- und Knoblauchpulver, 1 TL Öl, Dill und Petersilie, 100 g Gurken, 60 g Tomaten, 40 g Paprika, 1 geh. EL Gewürzgurken, 40 g Camembert, 40 g Eisbergsalat, Schnittlauchröllchen*

Nährwerte pro Portion

90 kcal, 6 g E, 6 g F, 3 g KH, 0 KE, 8 mg Chol, 2 g Ba

▌ Aus Essig, Wasser, Gewürzen, Öl und gehackten Kräutern eine Marinade zubereiten.

▌ Die Gurken schälen, halbieren, aushöhlen und in 1 cm dicke Streifen schneiden. Die Tomaten achteln und die Paprika sowie die Gewürzgurken in kleine Würfel schneiden. Alle Zutaten in die Marinade geben und gut durchziehen lassen.

▌ Den fein gewürfelten Camembert sowie den in grobe Streifen geschnittenen Salat vor dem Anrichten unterheben und den Bauernsalat mit Schnittlauch garnieren.

Bunter Nudelsalat

Zutaten für 2 Portionen: *60 g Bunte Nudeln (4 KE), 100 g Champignons, frisch, 100 g Paprika, grün, 100 g Tomatenfleisch, 1 geh. EL Zwiebelwürfel, 4 EL Essig, 6 EL Wasser, 6 EL 10 %ige Kaffeesahne, 2 TL Öl, 1 TL Senf, Pfeffer, Paprika, Salz, gehackte Petersilie*

Nährwerte pro Portion

225 kcal, 7 g E, 10 g F, 26 g KH, 2 KE, 38 mg Chol, 4 g Ba

▌ Bunte Nudeln kochen, abtropfen und abkühlen lassen.

▌ Champignons in Zitronen-Salzwasser waschen und in Scheiben schneiden.

▌ Paprika sowie das Tomatenfleisch in dünne Streifen schneiden. Alle Gemüsezutaten unter die Nudeln mischen.

▌ Essig, Wasser, Kaffeesahne, Öl und Senf gut verrühren und kräftig würzen. Die Marinade unter den Salat heben, ca. 1 Stunde durchziehen lassen und vor dem Servieren mit Petersilie bestreuen.

Asiatischer Glasnudelsalat

Zutaten für 2 Portionen: *80 g Glasnudeln, 1 rote Paprikaschote, 1 gelbe Paprika-schote, 1 Bund Lauchzwiebeln, etwas fri-scher Koriander, Sambal Oelek, Tabasco, 1 – 2 EL Himbeeressig, 1 – 2 EL Sojasauce, Pfeffer, frisch gemahlen, 1 Msp. Ingwer, gemahlen, etwas flüssiger Süßstoff nach Geschmack, Asia-Jodsalz, 1 EL Sesamöl*

Nährwerte pro Portion

210 kcal, 6 g E, 6 g F, 33 g KH, 2,5 KE, 0 mg Chol, 9 g Ba

▌ Die Glasnudeln mit heißem Wasser übergießen und 8 bis 10 Min. ein-weichen. Nudeln abgießen, mit einer Küchenschere kürzen und vollständig auskühlen lassen. Die Paprikaschoten putzen, abspülen und in kleine Würfel schneiden. Die Lauchzwiebeln putzen, abspülen und in feine Scheiben schnei-den. Den frischen Koriander abspülen, trocken schütteln und hacken.

▌ Gemüse und Koriander unter die Glas-nudeln mischen. Aus Sambal Oelek, Ta-basco, Essig, Sojasauce, Pfeffer, Ingwer, Süßstoff und evtl. etwas Asia-Jodsalz eine Marinade rühren. Zum Schluss das Sesamöl unterschlagen. Die Marinade mit dem Salat mischen und ½ bis 1 Stunde ziehen lassen.

Herzhafter Melonensalat

Zutaten für 2 Portionen: *120 g Wassermelone (1 KE), 200 g Gurke, 90 g Erdbeeren (0,5 KE), 40 g Frisée- oder Endiviensalat, 60 g Mozzarellakäse oder Frischkäse, 2 TL eingelegter grüner Pfeffer, 4 EL Orangensaft, frisch gepresst (0,5 KE), 2 EL Zitronensaft, 2 TL Fond vom grünen Pfeffer, 1 TL Öl, Tabasco, Pfeffer, Salz*

Nährwerte pro Portion

160 kcal, 8 g E, 8 g F, 12 g KH, 1 KE, 14 mg Chol, 2 g Ba

▌ Wassermelone entkernen, in Würfel schneiden oder Kugeln ausstechen. Gurke schälen, vierteln und in Stücke schneiden. Erdbeeren je nach Größe vierteln oder halbieren.

▌ Den Salat in grobe Streifen schneiden und den Käse würfeln. Alles vorsichtig vermengen und mit dem Pfeffer bestreuen.

▌ Aus Orangen- und Zitronensaft, Pfefferfond, Öl und den Gewürzen eine Marinade herstellen, über den Salat geben und kurzfristig servieren.

Sommerlicher Käsesalat

Zutaten für 2 Portionen: *80 g Emmentaler, 100 g grüne Paprika, 20 g Zwiebeln, 100 g Gurke, 100 g Tomatenachtel, 1 EL Essig, 3–4 EL Wasser, Pfeffer, Paprika, Senf, Salz, evtl. Süßstoff, 1 TL Öl, Petersilie, Dill*

Nährwerte pro Portion

210 kcal, 13 g E, 15 g F, 4 g KH, 0 KE, 36 mg Chol, 3 g Ba

▌ Käse, Paprika und Zwiebeln in feine Streifen schneiden. Gurke schälen, halbieren, aushöhlen und in dünne Scheiben schneiden. Tomatenachtel dazugeben und alles vorsichtig mischen.

▌ Aus Essig, Wasser, Gewürzen und Öl eine Marinade herstellen, über den Salat geben und gut durchziehen lassen. Auf Salatblättern anrichten und mit den gehackten Kräutern bestreuen.

Gemüse als Beilage und allein

Haben Sie heute schon Gemüse gegessen? Gemüse ist der Inbegriff für gesundes Essen – und das nicht nur für Diabetiker. Frisches Gemüse ist ballaststoffreich, sättigend und – im Vergleich zur Menge – kohlenhydrat- und kalorienarm, jedoch reich an Vitaminen, sekundären Pflanzen- und Mineralstoffen. Schlendern Sie über Ihren Wochenmarkt und lassen Sie sich von der bunten Vielfalt der Gemüsesorten verführen.

So schmeckt die Gemüseküche

Fünf am Tag lautet die Regel für Gemüse und Obst. Frisches Gemüse liefert nicht nur Vitamine und lebenswichtige Nährstoffe, es bietet auch Ballaststoffe – bei schonendem und sachgemäßem Umgang. Gemüse kann gut auch ohne Fleisch genossen werden, zahlreiche Kräuter und Gewürze sorgen für abwechslungsreiche Variationen. Gerade für den kleinen Hunger zwischendurch bieten sich kleinere Gemüsegerichte an.

Das reichhaltige Angebot an Frisch-, Tiefkühl- oder Dosengemüse sowie Salatsorten ermöglicht eine abwechslungsreiche Speiseplangestaltung. Frischgemüse sollte, solange es auf dem Markt erhältlich ist, bevorzugt werden.

Die Mehrzahl der Gemüsesorten enthält weniger als 5 g verwertbare Kohlenhydrate auf 100 g; einige Sorten können allerdings bis zu 8 g aufweisen. Bedingt durch den Ballaststoffgehalt von 2 bis 4 g steigt der Blutzucker jedoch nur langsam an.

In die Kohlenhydratberechnung einbezogen werden nur noch folgende Gemüse:

Kohlenhydrat-berechnung	KE	Ballast-stoffe
Erbsen, grün, gekocht (ca. 3 EL)	95 g	4 g
Maiskörner/Zuckermais (ca. 2 EL)	65 g	1 g

So bereiten Sie Gemüse vor

Frisches Gemüse sollte auch in frischem Zustand verarbeitet werden. Lässt sich eine kurze Lagerung nicht vermeiden, so ist es kühl und trocken aufzubewahren und vor Licht zu schützen.

▌ Das Gemüse erst kurz vor der Zubereitung putzen und unter fließend kaltem Wasser waschen. Nach dem Zerkleinern sollte das Gemüse möglichst gleich weiter verarbeitet werden, ansonsten stets zugedeckt aufbewahren.

▌ Durch eine sachgemäße Lagerung sowie Vorbereitung können unnötige Vitamin- und Mineralstoffverluste verhindert werden.

▌ Zu langes Garen und Warmhalten bedeuten eine zusätzliche Minderung an Nährstoffen und sollten vermieden werden.

▌ Mit frischen Kräutern, unmittelbar vor dem Essen dazugegeben, werden Gemüse und Salate aufgewertet.

Dämpfen

Dämpfen bedeutet Garen in Wasserdampf. Wasser in einem Topf mit passendem Siebeinsatz zum Kochen bringen. Den Einsatz mit dem vorbereiteten Gemüse in den Wasserdampf hängen und zugedeckt garen. Das Gemüse würzen, Butter oder Margarine und Petersilie dazugeben. Obwohl das Dämpfen eine schonende Garmethode im Hinblick auf den Nährstoffverlust ist, gehen doch einige Vitamine und Mineralstoffe ins Wasser über. Darum sollte das Wasser zur Herstellung von Suppen weiterverwendet werden.

Dünsten

Dünsten ist Garen in wenig Flüssigkeit mit oder ohne Verwendung von kleinen Mengen Fett. Es sollte nicht mehr als 1 cm Flüssigkeit im Topf sein. Das vorbereitete Gemüse wird in dem heißen Fett angedünstet, gewürzt und im geschlossenen Topf bei milder Hitze gegart. Kräuter vor dem Anrichten hinzufügen.

Bei wasserreichen Gemüsearten wie Gurken, Pilzen, Tomaten und Spinat braucht meist keine Flüssigkeit dazugegeben werden.

Feste Gemüse wie grüne Bohnen, Kohl, Kohlrabi und Möhren werden unter Zugabe von etwas heißem Wasser gedünstet.

Tiefkühlgemüse wird im gefrorenen Zustand verarbeitet. Die Garzeit ist etwa um die Hälfte kürzer. Gerade im Herbst und Winter eignet sich Tiefkühlgemüse, weil es oft mehr Vitamine enthält.

Auch beim Dünsten treten Vitamine und Mineralstoffe aus dem Gemüse aus. Sie bleiben uns jedoch in der wenigen Flüssigkeit, die wir zum Dünsten verwenden und verzehren, erhalten.

Kochen

Kochen ist Garen in viel Flüssigkeit, jedoch sollte man nur so viel Wasser nehmen, dass das Gemüse gerade bedeckt ist. Das Kochwasser möglichst weiter verwenden, es enthält wertvolle Mineralstoffe und Vitamine, die beim Garen aus dem Gemüse ins Kochwasser übergehen.

Das Gemüse unmittelbar nach dem Vorbereiten ins kochende, gewürzte Wasser geben. Im geschlossenen Topf bei starker Hitze wieder zum Kochen bringen, dann bei verringerter Energiezufuhr weitergaren. Das Kochwasser abgießen und das Gemüse in Butter oder Margarine schwenken. Kräuter erst unmittelbar vor dem Anrichten dazugeben.

So schmeckt die Gemüseküche

Blumenkohlrohkost

Zutaten für 2 Portionen: *250 g Blumen-kohl, geraspelt, 40 g Gewürzgurken, ge-raspelt, 2 EL Magerjoghurt, leicht gehäuft, 2 TL Mayonnaise, 2 EL Buttermilch, Pfeffer, Senf, Salz, evtl. Kräuter*

Nährwerte pro Portion

75 kcal, 5 g E, 3 g F, 6 g KH, 0 KE, + mg Chol, 4 g Ba

▪ Den geraspelten Blumenkohl mit den Gewürzgurken in eine Schüssel geben.
▪ Aus dem Joghurt, der Mayonnaise und der Buttermilch sowie den Gewürzen und Kräutern eine Marinade herstellen.
▪ Marinade über den Salat geben und gut vermischen.

Möhren-Apfel-Rohkost

Zutaten für 2 Portionen: *200 g Möhren, fein geraspelt, 100 g Apfel mit Schale (1 KE), grob gerieben, 2 EL Zitronensaft, 4–5 EL Wasser, Süßstoff, Zitronenmelisse oder Dill, 2 TL Öl*

Nährwerte pro Portion

100 kcal, 1 g E, 5 g F, 10 g KH, 0,5 KE, 0 mg Chol, 4 g Ba

▪ Die Möhren mit dem geriebenen Apfel in eine Schüssel geben und gut mi-schen.
▪ Aus Zitronensaft, Wasser, dem Öl sowie den Kräutern eine Marinade herstel-len. Nach Geschmack mit Süßstoff ab-schmecken.
▪ Marinade über den Salat geben, gut vermischen.

Lauch-Apfel-Rohkost

Zutaten für 2 Portionen: *200 g Lauch, hell, 100 g säuerlicher Apfel (1 KE) mit Schale, 100 g Magerjoghurt, 40 g 10 %ige saure Sahne, 4 TL Zitronensaft, Süßstoff, 2 TL Sonnenblumenkerne*

Nährwerte pro Portion

120 kcal, 6 g E, 5 g F, 12 g KH, 0,5 KE, 7 mg Chol, 3 g Ba

▪ Den Lauch in sehr feine Ringe schnei-den und den Apfel fein würfeln.
▪ Aus Magerjoghurt, saurer Sahne, Zitro-nensaft und Süßstoff eine Soße herstel-len. Den Lauch und den Apfel hinein-geben, vermengen und durchziehen lassen.
▪ Die Sonnenblumenkerne in einer be-schichteten Pfanne ohne Fett anrösten und vor dem Servieren über die Roh-kost geben.

Rettich-Apfel-Rohkost

Zutaten für 2 Portionen: *200 g Rettich, grob, und 100 g Apfel mit Schale (1 KE), feiner gerieben, 2 EL Magerquark, 4 EL Mineralwasser, 2 TL Zitronensaft, Salz, Süßstoff, 2 TL Öl*

Nährwerte pro Portion

100 kcal, 5 g E, 5 g F, 8 g KH, 0,5 KE, 0 mg Chol, 3 g Ba

▪ Den Rettich mit dem geriebenen Apfel in eine Schüssel geben und gut mi-schen.
▪ Aus Magerquark, Wasser, dem Öl sowie dem Zitronensaft und dem Salz eine Marinade herstellen. Nach Geschmack mit Süßstoff abschmecken.
▪ Marinade über den Salat geben, gut vermischen.

Weißkohl-Rohkost

Zutaten für 2 Portionen: *250 g Weißkohl, geraspelt, 2 EL Magerjoghurt, leicht gehäuft, 2 TL Mayonnaise, 50 % Fett, 2 EL Buttermilch, Pfeffer, Salz, Senf, gem. Kümmel*

Nährwerte pro Portion

70 kcal, 4 g E, 3 g F, 7 g KH, 0 KE, + mg Chol, 3 g Ba

▪ Den geraspelten Weißkohl in eine Schüssel geben.
▪ Aus Magerjoghurt, Mayonnaise, Butter-milch und den Gewürzen eine Marina-de herstellen.
▪ Marinade über den Salat geben, gut vermischen.

Zucchini-Rohkost

Zutaten für 2 Portionen: *200 g Zucchini, ungeschält, grob geraspelt, 1 geh. EL Zwiebel-würfel, 3 EL 10 %ige saure Sahne, einige Tropfen Zitronensaft, Pfeffer, Curry, Salz, evtl. Knoblauch, Süßstoff, fein gehackte Zitronenmelisse oder Petersilie*

Nährwerte pro Portion

45 kcal, 2 g E, 2 g F, 3 g KH, 0 KE, 6 mg Chol, 1 g Ba

▍ Die grob geraspelten Zucchini in eine Schüssel geben.
▍ Aus Sahne, Zitronensaft und den Gewürzen sowie den Zwiebelwürfeln eine Marinade herstellen. Nach Geschmack mit Süßstoff abschmecken.
▍ Marinade über den Salat geben, gut vermischen, mit Zitronenmelisse oder Petersilie bestreuen.

Bratkartoffeln

Zutaten für 2 Portionen: *260 g gekochte Kartoffeln, 4 TL Öl, 1 geh. EL Zwiebelwürfel, Salz, Pfeffer*

Nährwerte pro Portion

185 kcal, 3 g E, 10 g F, 20 g KH, 2 KE, 0 mg Chol, 3 g Ba

▍ Die gekochten Kartoffeln in dünne Scheiben schneiden. Öl in einer beschichteten Pfanne erhitzen, Kartoffelscheiben und Zwiebeln anbraten, würzen. Mehrmals wenden.

Béchamelkartoffeln

Zutaten für 2 Portionen: *260 g Pellkartoffeln (4 KE), 20 g durchwachsener Speck, 1 geh. EL Zwiebelwürfel, ¼ l klare Fleischsuppe, 2 ml Andickungspulver, 2 TL 10 %ige Kaffeesahne, Pfeffer, Majoran, Salz*

Nährwerte pro Portion

170 kcal, 4 g E, 8 g F, 20 g KH, 2 KE, 11 mg Chol, 3 g Ba

▍ Die Pellkartoffeln in dünne Scheiben schneiden.
▍ Speck und Zwiebelwürfel zusammen anbraten, mit Brühe ablöschen und kurz durchkochen.
▍ Zum Binden der Soße das Andickungspulver einrühren und nochmals aufkochen. Die Kaffeesahne dazugeben, die Soße nachwürzen, die Kartoffeln hineingeben und durchziehen lassen.

Kartoffel-ABC

Kartoffeln sind besonders reich an Vitamin C, daher heißen sie auch „Zitronen des Nordens". Mit drei mittelgroßen Kartoffeln decken Sie schon die Hälfte Ihres Tagesbedarfs an Vitamin C. Außerdem sind Vitamine der B-Gruppe reichlich enthalten, die wichtig für den gesamten Stoffwechsel sind. Zum Ausgleich des Wasserhaushalts liefert die Kartoffel viel Kalium und kaum Natrium, für den Knochenaufbau Kalzium und Phosphor. Außerdem enthält sie Magnesium, Kupfer, Eisen und Mangan. Hilfe für Ihre Berechnung: 1 dicke Kartoffel (80 g) enthält 1 BE, eine hühnereigroße Kartoffel (65 g) enthält 1 KE.

Die passende Sorte

Weltweit gibt es etwa 200 Kartoffelsorten – davon sind ungefähr 60 Sorten für den Menschen genießbar. Nach der Handelsklassenverordnung unterscheidet man Speisekartoffeln in drei Kochtypen: festkochend, vorwiegend festkochend und mehlig kochend. Festkochende Sorten sind ideal für Kartoffelsalat, Gratin, Kartoffelpuffer, Brat-, Salz- und Pellkartoffeln. Vorwiegend festkochende Sorten lassen sich besonders gut für Salz-, Pell- und Bratkartoffeln verwenden. Sie sind aber auch für Eintöpfe und Suppen gut geeignet. Mit mehlig kochenden Sorten lassen sich dagegen köstliches Püree, Klöße, Suppen und Eintöpfe zubereiten. Sie sorgen dafür, dass Eintöpfe eine schöne, sämige Konsistenz bekommen.

Kartoffeln nicht nur zum Essen

Neben der Küchenzutat machen sich Kartoffeln auch als Hausmittel ausgezeichnet. Wer seine Suppe versalzen hat, braucht nicht alles wegzuschütten. Eine rohe Kartoffel nimmt überschüssiges Salz aus der Suppe auf. Dafür wird sie geschält und in fingerdicke Scheiben geschnitten. Zehn Minuten in der Suppe mitkochen lassen und wieder herausnehmen. So ist die Suppe wieder genießbar. Rohe, angeschnittene Kartoffeln wirken auf die Haut gerieben gegen starken Zwiebelgeruch an den Händen. Darüber hinaus mildern sie Juckreiz und Schwellungen bei lästigen Insektenstichen.

Kartoffeln richtig lagern

Kartoffeln sollten kühl, dunkel und trocken lagern, am besten in einer abgedeckten Kiste im Keller. Wenn Sie keinen Keller haben, kann ein kleiner Vorrat auch in der Küche aufbewahrt werden. Legen Sie dazu einen Apfel zu den Kartoffeln. Gase, die beim Nachreifen des Apfels entstehen, wirken konservierend auf die Knollen. Wenn Sie die Kartoffeln zu hell oder zu lange lagern, treiben sie aus und werden grün. Dann entwickeln sie einen erhöhten Anteil an giftigem Solanin.

Gratinierte Blechkartoffeln

Zutaten für 2 Portionen: *260 g Kartoffeln mit Schale (4 KE), 20 g Kochschinken, 1 geh. EL Zwiebeln, je 10 g Sesam, Leinsamen, 2 TL saure Sahne, Pfeffer, Salz, Schnittlauchröllchen, 2 geh. EL Gouda (45 % Fett i. Tr.)*

Nährwerte pro Portion

215 kcal, 11 g E, 9 g F, 21 g KH, 2 KE, 25 mg Chol, 5 g Ba

▌ Möglichst 4 gleich große Kartoffeln waschen, gut abbürsten und der Länge nach halbieren. Die Kartoffeln mit der Schnittfläche auf ein mit Backpapier ausgelegtes Backblech legen und im vorgeheizten Backofen bei 200 °C ca. 25 Min. garen.

▌ Kochschinken und Zwiebeln in sehr feine Würfel schneiden, Sesam, Leinsamen und Sahne dazugeben, vermengen und würzen. Die gebackenen Kartoffeln umdrehen und die Masse auf der Schnittfläche verteilen. Den fein geriebenen Gouda darüberstreuen. 5 Min. weiterbacken.

Kartoffel-Lauch-Gratin

Zutaten für 2 Portionen: *400 g gekochte Kartoffeln (6 KE), 400 g Lauch, 2 TL Öl, 40 g Kochschinkenwürfel, Pfeffer, Muskat, Salz, 4 EL Wasser/Brühe, 1 TL Margarine, 6 EL 10 %ige Kaffeesahne, 3 geh. EL Emmentaler (45 % Fett i. Tr.)*

Nährwerte pro Portion

410 kcal, 21 g E, 20 g F, 36 g KH, 3 KE, 45 mg Chol, 9 g Ba

▌ Die gekochten Kartoffeln in mittelgroße Würfel schneiden.

▌ Den in feine Ringe geschnittenen, hellen Lauch in heißem Öl in einer beschichteten Pfanne ca. 5 Min. anbraten, Schinkenwürfel hinzufügen. Das Ganze würzen, Flüssigkeit dazugeben und weiter köcheln lassen, bis die Flüssigkeit verdampft ist.

▌ Lauch und Kartoffeln schichtweise in eine ausgefettete Auflaufform geben, Kaffeesahne darübergießen und mit dem fein geriebenen Emmentaler bestreuen. Bei 200 °C ca. 5 Min. gratinieren.

Pellkartoffeln mit Kräuterstippe

Zutaten für 2 Portionen: *260 g gekochte Pellkartoffeln (4 KE), 4 EL Magerquark, 100 g 10 %ige saure Sahne, 2 TL Senf, 2 geh. EL Zwiebelwürfel, Pfeffer, Salz, Dill, Schnittlauchröllchen, 1 Ei*

Nährwerte pro Portion

235 kcal, 15 g E, 9 g Fett, 4 g KH, 2 KE, 124 mg Chol, 3 g Ba

▌ Magerquark, saure Sahne und Senf verrühren.

▌ Zwiebelwürfel, Gewürze, fein gehackten Dill und Schnittlauchröllchen dazugeben, abschmecken.

▌ Das Ei hart kochen, grob hacken und unter die Stippe geben.

Kartoffelpuffer mit Schmant

Zutaten für 2 Portionen: *180 g rohe Kartoffeln (3 KE), 80 g Kartoffelschnee (1 KE), 1 geh. EL Zwiebelwürfel, Muskat, Pfeffer, Schnittlauchröllchen, Salz, 4 TL Öl, 4 TL 20 %iger Schmant*

Nährwerte pro Portion

205 kcal, 3 g E, 12 g F, 20 g KH, 2 KE, 6 mg Chol, 3 g Ba

▌ Die fein geriebenen, abgetropften Kartoffeln mit dem gekochten Kartoffelschnee, den feinen Zwiebelwürfeln und Gewürzen vermengen.

▌ Die Kartoffelpuffer (4 Stück) in heißem Öl in einer kleinen beschichteten Pfanne ausbacken.

▌ Den Schmant beim Anrichten auf die Puffer geben.

Kartoffel-Käseauflauf

Zutaten für 2 Portionen: *350 g Kartoffeln, Salz, 2 Zwiebeln, 4 Scheiben Lachsschinken, 2 Tomaten, 200 g körniger Frischkäse, ½ Packung Petersilie (tiefgekühlt), 1 EL gekörnte Gemüsebrühe, 2 Eier, 2 EL Schmand*

Nährwerte pro Portion

390 kcal, 32 g E, 13 g F, 36 g KH, 2,5 KE, 265 mg Chol, 6 g Ba

- Die Kartoffeln schälen, abspülen und in mitteldicke Scheiben schneiden. Die Kartoffeln 10 Min. in Salzwasser kochen. Die Zwiebeln abziehen und in Ringe schneiden. Die Zwiebelringe ins Kochwasser geben und weitere 5 bis 8 Min. zusammen mit den Kartoffeln garen.
- Den Backofen auf 180 °C (Gas Stufe 2 bis 3, Umluft 160 °C) vorheizen. Den Schinken in Streifen schneiden. Die Tomaten abspülen, entkernen und in Scheiben schneiden. Die gekochten Kartoffeln und Zwiebelringe in eine Auflaufform geben.
- Die Tomatenscheiben und den Schinken darüber verteilen. Den körnigen Frischkäse mit der Petersilie, der Gemüsebrühe, den Eiern und dem Schmand mischen und über die Gemüse-Kartoffel-Masse gießen. Auf der mittleren Schiene etwa 35 bis 45 Min. backen.
- Als Beilage eignet sich ein knackig-frischer Salat.

Tipp

Kartoffeln sind keine Dickmacher, es sei denn, Sie machen diese dazu. Fettarm ist nicht nur die übliche Salzkartoffel, es gibt auch viele kreative Alternativen: Bereiten Sie die Kartoffeln z.B. einmal auf dem Backblech mit etwas Kümmel oder Rosmarin zu.

Kartoffel-Käse-Plätzchen

Zutaten für 2 Portionen: *300 g Kartoffeln, mehlig kochend, Salz, 25 g fettarmer Camembert, 2 Eigelb, Rosmarin, getrocknet, Kartoffel-Jodsalz, 2 EL Paniermehl (30 g), 2 EL Maiskeimöl*

Nährwerte pro Portion

340 kcal, 11 g E, 18 g F, 33 g KH, 3,3 KE, 255 mg Chol, 4 g Ba

- Die Kartoffeln schälen, abspülen, klein schneiden und in Salzwasser etwa 20 Min. gar kochen. Die gekochten Kartoffeln stampfen. Den Camembert mit einer Gabel zerdrücken. Die Stampfkartoffeln in eine Schüssel geben, mit dem Camembert, Eigelb und Rosmarin zu einem glatten Teig kneten. Den Kartoffelteig mit dem Gewürzsalz abschmecken und 2 Stunden kalt stellen.
- Den kalten Teig zu einer Rolle formen und in fingerdicke Stücke schneiden. Die Plätzchen in Paniermehl wenden. Das Öl in einer Pfanne erhitzen und die Plätzchen von allen Seiten (3 Min. je Seite) goldbraun braten.
- Die Kartoffeltaler passen sehr gut als warmes Topping zu einem großen Salatteller.

Herzoginkartoffeln

Zutaten für 2 Portionen: *400 g Kartoffeln, mehlig kochend, 2 Eigelb, Kartoffel-Jodsalz, 1 EL Butter, Spritzbeutel*

Nährwerte pro Portion

250 kcal, 7 g E, 11 g F, 30 g KH, 3 KE, 265 mg Chol, 5 g Ba

- Die Kartoffeln schälen, abspülen, klein schneiden und gar kochen. Die Kartoffeln stampfen und in einer Schüssel mit Eigelb, Kartoffel-Jodsalz und der Butter zu einem geschmeidigen Kartoffelteig verarbeiten.
- Den Backofen auf 180 °C (Gas Stufe 2 bis 3, Umluft 160 °C) vorheizen. Ein Backblech mit Backpapier auslegen oder eine Silikonbackunterlage ausbreiten. Den Spritzbeutel (große Sterntülle) mit der Kartoffelmasse füllen und kleine Rosetten auf das Blech setzen. Auf der obersten Schiene im Backofen in etwa 5 bis 8 Min. goldgelb backen.

Tipp

Herzoginkartoffeln – auch Pommes Duchesse genannt – passen sehr gut zu Gerichten mit Sauce, wie z. B. Gulasch, Braten oder Medaillons mit Champignonsauce. Sie saugen sich schön voll und sind dabei fettärmer als Kroketten.

Kartoffelknödel

Zutaten für 2 Portionen: *500 g Kartoffeln, Salz, 2 Eier, 2 EL Kartoffelstärke (20 g), Kartoffel-Jodsalz, Muskatnuss, frisch gerieben, 1 EL Butter*

Nährwerte pro Portion

335 kcal, 13 g E, 11 g F, 46 g KH, 4,5 KE, 250 mg Chol, 6 g Ba

- Die Kartoffeln schälen, abspülen und klein schneiden. In Salzwasser etwa 20 bis 25 Min. gar kochen. Abgießen und im Topf ausdämpfen lassen. Anschließend durch die Kartoffelpresse drücken. Die Eier untermischen und die Kartoffelstärke zugeben. So lange kneten, bis ein geschmeidiger Teig entstanden ist. Mit Kartoffel-Jodsalz und Muskat abschmecken und zum Abschluss die Butter unter den Teig kneten.
- In einem großen Topf Salzwasser zum Kochen bringen. Aus dem Kartoffelteig Knödel formen. Sobald das Wasser kocht, die Hitze herunterschalten und die Knödel in den Topf geben. 15 bis 20 Min. ziehen lassen. Wenn die Knödel an der Wasseroberfläche schwimmen, sind sie gar. Dann mit einer Schaumkelle aus dem Wasser nehmen und als Beilage reichen.

Tipp

Knödel sind eine klassische Kohlenhydratbeilage zu Rotkohl und Braten. Aber auch zur Resteverwertung sind sie bestens geeignet. Ganz einfach in Scheiben schneiden, braten und dazu frisches Apfelmus – lecker!

Rosmarinkartoffeln

Zutaten für 2 Portionen: *350 g junge, kleine Kartoffeln, 2 EL Olivenöl etwas grobes Meersalz, 3 Zweige Rosmarin*

Nährwerte pro Portion

210 kcal, 4 g E, 10 g F, 26 g KH, 2,5 KE, 0 mg Chol, 4 g Ba

▌ Die Kartoffeln unter fließendem Wasser gründlich abbürsten und 15 bis 20 Min. gar kochen. Anschließend gut abtropfen lassen. Das Olivenöl in einer beschichteten Pfanne erhitzen und die Kartoffeln hineingeben.

▌ Etwas grobes Meersalz hinzufügen. Das Rosmarin abspülen, trocken schütteln, die Nadeln von den Zweigen zupfen und mit den Kartoffeln anbraten. Wenn die Kartoffeln goldgelb sind, können sie serviert werden.

Rosmarinkartoffeln sind eine willkommene Abwechslung zu Bratkartoffeln oder Pommes frites. Besonders aromatisch schmecken sie aus jungen, kleinen Kartoffeln, die Drillinge genannt werden. Sehr gut passen sie zu mediterranen Gerichten, wie Ratatouille, Zucchini-Hackpfanne oder Steak mit Salat.

Kartoffeltarte mit Tomaten

Zutaten für 2 Portionen: *350 g Kartoffeln, 2 Tomaten, 1 Knoblauchzehe, 3 Eier, 4 EL Milch, Kartoffel-Jodsalz, Salz, Pfeffer, frisch gemahlen, 1 EL geriebener Parmesankäse, 1 Zweig Salbei, 1 EL Maiskeimöl*

Nährwerte pro Portion

340 kcal, 19 g E, 17 g F, 27 g KH, 2,5 KE, 35 mg Chol, 5 g Ba

▌ Die Kartoffeln in der Schale kochen, pellen und abkühlen lassen. Die Tomaten abspülen, putzen und in Scheiben schneiden. Die ausgekühlten Kartoffeln ebenfalls in Scheiben schneiden. Den Knoblauch abziehen und fein hacken oder zerdrücken.

▌ Die Eier und die Milch in einem tiefen Teller verquirlen und mit dem Kartoffel-Jodsalz, Pfeffer und Parmesankäse abschmecken. Salbei abspülen, trocken schütteln und die Blätter abzupfen. Das Öl in einer Pfanne erhitzen und den Knoblauch darin anbraten.

▌ Die Hitze zurückschalten und die Tomatenscheiben auf dem Pfannenboden gleichmäßig verteilen. Die Kartoffelscheiben darüberschichten und mit den restlichen Tomatenscheiben bedecken. Jede Schicht mit Salz und Pfeffer würzen. Die Eiermilch über die Kartoffeln und Tomaten gießen und die gezupften Salbeiblätter darauf verteilen.

▌ Die Hitze noch weiter reduzieren und alles mit geschlossenem Deckel etwa 20 Min. stocken lassen. Die Tarte vorsichtig mit einem Pfannenwender lösen, auf einen Teller gleiten lassen, auf einen zweiten Teller stürzen und nun mit der hellen Seite zurück in die Pfanne geben. Noch einmal etwa 8 bis 10 Min. stocken lassen.

Tipp

Kochen Sie am Vortag eine größere Portion Kartoffeln, und verwenden Sie diese für die Tarte. Es lohnt sich: Die Kombination von Kartoffeln und Ei liefert sehr viel hochwertiges Eiweiß für den Körper.

Kartoffel-Walnuss-Bratlinge

Zutaten für 2 Portionen: *260 g Kartoffel-schnee (4 KE), 30 g Haferflocken (2 KE), 1 Ei, 2 TL 20 %iger Schmant, 2 geh. TL fein geriebene Walnüsse, 2 TL Schnittlauchröll-chen, Muskat, Salz, 4 TL Öl*

Nährwerte pro Portion
320 kcal, 9 g E, 18 g F, 30 g KH, 3 KE, 110 mg Chol, 4 g Ba

▌ Die gekochten Kartoffeln abgießen, durchpressen und erkalten lassen.
▌ Alle Zutaten gut miteinander vermengen und 30 Min. stehen lassen.
▌ Danach 6 gleich große, flache Bratlinge formen und in heißem Öl in einer beschichteten Pfanne hellbraun braten.

Kartoffelsalat

Zutaten für 2 Portionen: *260 g Pellkar-toffeln (4 KE), 2 EL Magerjoghurt, leicht gehäuft, 2 TL Mayonnaise, 2 EL Gurken-wasser, 2 TL Zwiebelwürfel, 2 geh. EL Gewürzgurken, Pfeffer, Salz, Petersilie*

Nährwerte pro Portion
130 kcal, 4 g E, 3 g F, 22 g KH, 2 KE, + mg Chol, 2 g Ba

▌ Pellkartoffeln in dünne Scheiben schneiden.
▌ Joghurt, Mayonnaise und Gurkenwasser miteinander verrühren. Zwiebeln und Gurken dazugeben und abschmecken.
▌ Die Kartoffeln hinzufügen und durchziehen lassen.

Rösti mit frischen Champignons

Zutaten für 2 Portionen: *200 g Champignons, frisch, 100 g Lauchzwiebeln, 3 TL Öl, Pfeffer, Salz, evtl. Knoblauch, 260 g rohe Kartoffeln (4 KE), gehackte Petersilie, 3 TL Öl*

Nährwerte pro Portion
265 kcal, 6 g E, 16 g F, 24 g KH, 2 KE, 0 mg Chol, 6 g Ba

▌ Champignons in dünne Scheiben, Lauchzwiebeln in feine Ringe schneiden und in einer beschichteten Pfanne ca. 5 Min. andünsten und würzen.
▌ Kartoffeln grob raspeln, leicht salzen, Petersilie dazugeben und mit dem Gemüse vermengen.
▌ Die Masse halbieren, eine beschichtete Pfanne mit Öl auspinseln und erhitzen. Die Rösti bei geschlossener Pfanne ca. 10 Min. auf mittlerer Temperatur braten.
▌ Die Rösti mit Hilfe eines Tellers wenden. Zuvor die Pfanne nochmals mit Öl auspinseln und erhitzen. Die zweite Seite der Rösti ca. 5 Min. bräunen. Mit der zweiten Hälfte der Masse ebenso verfahren.

Kartoffelsalat, warm

Zutaten für 2 Portionen: *2 TL Essig, 4 EL warmes Wasser, Salz, Pfeffer, Süßstoff, evtl. Knob-lauchpulver, 260 g Pellkartoffeln (4 KE), 1 geh. EL Zwiebelwürfel, 20 g durchwachsenen Speck, gewürfelt, 8 Feldsalatsträußchen*

Nährwerte pro Portion
160 kcal, 4 g E, 7 g F, 20 g KH, 2 KE, 9 mg Chol, 3 g Ba

▌ Aus Essig, Wasser und Gewürzen eine süß-saure Marinade herstellen.
▌ Die Pellkartoffeln noch warm in dünne Scheiben schneiden und zur Marinade geben.
▌ Zwiebeln und Speck zusammen anbraten und untermengen. Den Salat unter Wärmezufuhr (Wasserbad) durchziehen lassen.
▌ Vor dem Servieren den Feldsalat vorsichtig unterheben.

Kohl – leichter Genuss

Kohl ist kein altmodisches Gemüse, wie mancher vielleicht denkt – selbst in der Sterne-
küche feiert er immer wieder Erfolge. Und der Kohl ist auch in anderen Bereichen ganz
groß: sein Vitamin-C-Gehalt kann sich ebenso sehen lassen, denn 100 g roher Weißkohl
enthalten genauso viel Vitamin C wie 100 ml frisch gepresster Orangensaft. Da ist es
kein Wunder, dass in früheren Zeiten, vor der Ankunft der Zitrusfrüchte hierzulande, der
Vitamin-C-Bedarf der Bevölkerung hauptsächlich über Kohl und Kartoffeln gedeckt wurde. Außerdem sind noch jede Menge Ballaststoffe enthalten, und das Gemüse ist auch
noch lange haltbar – der perfekte Küchenbegleiter!

Chinakohl für Menschen mit empfindlichem Magen

Obwohl Chinakohl zur Familie der
Kohlgemüse gehört, ist er sehr mild und
besonders gut verträglich. Er verursacht
keine Magen-Darm-Beschwerden, wie es
bei Weiß- oder Rotkohl häufig der Fall sein
kann. Wenn Sie einen empfindlichen Magen haben, lassen Sie doch beispielsweise
einfach Zwiebeln oder andere belastende
Zutaten weg.

Wirsing: von zart bis deftig

Ein vielseitiger Vertreter der Kohlfamilie
ist der Wirsing, auch Welsch-, Savoyer-
oder Börschkohl genannt. Frühlings- und
Herbstwirsing ist besonders zart und ideal
als kurzgebratenes Gemüse oder als Salat
geeignet. Der Wirsing in den Wintermona-
ten ist robuster von seiner Struktur und
sehr lecker als deftiges Gemüse oder im
Eintopf. Aber auch als Bestandteil von
Kohlrouladen – vegetarisch oder mit Hackfleisch – wird er gern verwendet. Wirsing

ist besonders reich an Vitamin C, Kalium,
Magnesium, sekundären Pflanzenstoffen
und Ballaststoffen.

Keine Blähungen beim Genuss von Kohlgemüse

Viele Menschen plagen sich nach dem
Genuss von Kohlgemüse wie Weiß- oder
Rotkohl mit Blähungen. Dagegen gibt es
ein einfaches Hausmittel: Geben Sie 1
bis 2 Teelöffel Kümmelkörner ins Gemüse. Wenn Sie keinen Kümmel mögen,
füllen Sie ein Leinensäckchen oder einen
Kaffeefilter mit Kümmelkörnern und legen
ihn zum Kochen ins Gemüse. Nach dem
Kochvorgang entfernen Sie das Säckchen,
und die ätherischen Öle des Kümmels bleiben im Gemüse enthalten. Eine Alternative
zum Kümmel bietet auch Fencheltee und
hier als besonders gute Mischung Kümmel-
Anis-Fenchel-Tee. Regelmäßig über den Tag
verteilt getrunken, wirkt das Wunder.

Blumenkohl

Zutaten für 2 Portionen: *400 g Blumenkohlröschen, Wasser, Würzmittel, Muskat, Salz, 2 gestr. TL Butter/Margarine, Petersilie*

Nährwerte pro Portion

80 kcal, 5 g E, 5 g F, 5 g KH, 0 KE, 12 mg Chol, 6 g Ba

- Blumenkohlröschen in Salzwasser bissfest kochen. Mit zerlassener Butter übergießen, mit gehackter Petersilie bestreuen.

Brokkoli

Zutaten für 2 Portionen: *400 g Brokkoli, Wasser, Würzmittel, Muskat, Salz, 2 gestr. TL Butter/Margarine*

Nährwerte pro Portion

90 kcal, 7 g E, 5 g F, 5 g KH, 0 KE, 12 mg Chol, 6 g Ba

- Bei Brokkoli verzehrt man nicht nur die zarten Röschen, sondern auch die Stiele.
- Schneiden Sie die Stiele kreuzweise 2 cm ein, um den Garprozess der Stiele zu beschleunigen. Im Salzwasser bissfest kochen. Mit zerlassener Butter beträufeln.

Erbsen

Zutaten für 2 Portionen: *190 g Erbsen, gekocht, abgetropft, Würzmittel, Salz, 2 gestr. TL Butter/Margarine, Petersilie*

Nährwerte pro Portion

105 kcal, 5 g E, 5 g F, 10 g KH, 1 KE, 12 mg Chol, 3 g Ba

- Die gekochten und abgetropften Erbsen mit Würzmittel und etwas Salz vermischen. Die Butter darübergeben und mit der Petersilie bestreuen.

Blumenkohl in Käsesoße, überbacken

Zutaten für 2 Portionen: *400 g Blumenkohlröschen, Würzmittel, Muskat, Salz, 2 gestr. TL Margarine, 3 TL Weizenmehl Type 405 (1 KE), 150 ml Blumenkohlwasser, 4 TL 20 %iger Schmant, 2 geh. EL geriebener Edamer, Petersilie*

Nährwerte pro Portion

200 kcal, 16 g E, 11 g F, 10 g KH, 0,5 KE, 7 mg Chol, 6 g Ba

- Blumenkohlröschen in leicht gewürztem Wasser bissfest kochen. Abtropfen lassen und in eine Auflaufform geben.
- Aus Margarine, Mehl und Blumenkohlwasser eine leichte weiße Soße herstellen.
- Den Schmant sowie die Hälfte Käse dazugeben, verrühren, evtl. nachwürzen.
- Die Soße über den Blumenkohl geben und den restlichen Käse darüberstreuen.
- Im vorgeheizten Backofen oder Grill bei 200 °C ca. 5 Min. überbacken. Vor dem Servieren mit gehackter Petersilie bestreuen.

Gemüse enthält viele Vitamine, Mineralstoffe, sekundäre Pflanzenstoffe und wertvolle Ballaststoffe. Um die wichtigen Inhaltsstoffe zu erhalten, ist es notwendig, dass Sie das Gemüse schonend zubereiten. Luft, Licht, Hitze und Wasser setzen Gemüse sehr zu. Verarbeiten Sie es daher nach dem Waschen und Zerkleinern zügig weiter. Garen Sie es in einem gut schließenden Kochtopf mit wenig Wasser und bei geringer Hitze. Gegarte Gerichte nicht lange warm halten, sondern alsbald genießen!

Champignons, frisch

Zutaten für 2 Portionen: 600 g Champignons, frisch, 2 geh. EL Zwiebelwürfel, 2 TL Öl, Pfeffer, Salz, Wasser/Brühe, Petersilie

Nährwerte pro Portion

100 kcal, 8 g E, 6 g F, 3 g KH, 0 KE, 0 mg Chol, 6 g Ba

▪ Die Champignons putzen, evtl. in Scheiben schneiden.
▪ Pilze und Zwiebeln in heißem Öl leicht anbraten, würzen, evtl. etwas Flüssigkeit auffüllen und gar dünsten.
▪ Vor dem Servieren die gehackte Petersilie dazugeben.

Gratinierter Rosenkohl

Zutaten für 2 Portionen: 400 g Rosenkohl, Würzmittel, Muskat, Salz, 1 gestr. TL Margarine, 3 geh. EL geraspelter Emmentaler (45 % Fett i. Tr.), 3 EL 10 %ige saure Sahne, 2 EL trockener Weißwein, 2 Eier, Pfeffer, Muskat, Salz, 1 EL Mandelblätter

Nährwerte pro Portion

320 kcal, 23 g E, 20 g F, 8 g KH, 0 KE, 243 mg Chol, 10 g Ba

▪ Den geputzten Rosenkohl in leicht gewürztem Wasser bissfest kochen.
▪ Feuerfeste Form einfetten und den gut abgetropften Rosenkohl hineingeben.
▪ Käse, saure Sahne, Weißwein, Eier verrühren und würzen. Die Masse über den Rosenkohl geben, mit Mandelblättern bestreuen und im vorgeheizten Backofen oder Grill bei 200 °C ca. 5 Min. gratinieren.

Tipp
Hierzu würden sehr gut Béchamelkartoffeln als Beilage passen. Fleisch muss nicht sein, denn es sind Eier enthalten.

Grüne Bohnen

Zutaten für 2 Portionen: 400 g Bohnen, frisch, Wasser, Würzmittel, Bohnenkraut, Salz, 2 gestr. TL Butter/Margarine, Petersilie

Nährwerte pro Portion

105 kcal, 5 g E, 5 g F, 10 g KH, 0 KE, 12 mg Chol, 4 g Ba

▪ Die Bohnen zusammen mit dem Bohnenkraut im Salzwasser weichkochen. Gut abtropfen lassen.
▪ Anschließend mit Würzmittel und dem gehackten Bohnenkraut vermischen.
▪ Tauschen Sie die Butter gegen 15 g durchwachsenen Speck und geben ihn angeröstet über die Bohnen.

Gratinierte Tomaten

Zutaten für 2 Portionen: 500 g Tomaten, 1 TL Margarine, 80 g Gouda (45 % Fett i. Tr.)

Nährwerte pro Portion

210 kcal, 13 g E, 15 g F, 6 g KH, 0 KE, 46 mg Chol, 2 g Ba

▪ Tomaten waschen, den Blütenansatz herausschneiden und die Haut auf der gegenüberliegenden Seite kreuzweise einschneiden.
▪ Die Tomaten in eine ausgefettete Auflaufform geben und im vorgeheizten Backofen bei ca. 200 °C ca. 10 Min. vorgaren.
▪ Den Gouda in Scheiben über die Tomaten legen und 5 Min. gratinieren.

Grünkohl

Zutaten für 2 Portionen: 600 g Grünkohl, frisch, 2 TL Öl, 1 geh. EL Zwiebelwürfel, Gemüsewasser/Brühe, Pfeffer, Salz, Senf, Süßstoff

Nährwerte pro Portion

125 kcal, 9 g E, 7 g F, 6 g KH, 0 KE, 0 mg Chol, 9 g Ba

▪ Den Grünkohl mit kochendem Wasser übergießen, 5 Min. ziehen und danach gut abtropfen lassen, fein hacken.
▪ Das Öl erhitzen, den Grünkohl und die Zwiebelwürfel darin andünsten. Etwas Flüssigkeit dazugeben, würzen und im geschlossenen Topf garen.
▪ Mit Senf und evtl. Süßstoff abschmecken.

Tipp
Sollten Sie Kasselerbrühe zur Verfügung haben, so verwenden Sie diese zum Aufgießen des Grünkohls.

Jägerkohl

Zutaten für 2 Portionen: 300 g Weißkohl, 2 TL Öl, Würzmittel, Pfeffer, Salz, Wasser/Brühe, 40 g Champignons (Dose, III. Wahl), 100 g Tomaten

Nährwerte pro Portion

95 kcal, 3 g E, 5 g F, 8 g KH, 0 KE, 0 mg Chol, 5 g Ba

▪ Weißkohl fein schneiden, in heißem Öl andünsten, würzen, Flüssigkeit aufgießen und den Kohl garen.
▪ Nach 30 Min. die Champignons dazugeben und erhitzen. Danach die abgezogenen, in Viertel geschnittenen Tomaten ca. 5 Min. mitdünsten.

Brokkoli in Käse-Walnuss-Soße

Zutaten für 2 Portionen: *400 g Brokkoli, Würzmittel, Muskat, Salz, 2 gestr. TL Margarine, 3 TL Weizenmehl Type 405 (1 KE), 150 ml Brokkoliwasser, 2 EL 10 %ige Kaffeesahne, 40 g Kräuterstreichkäse (20 % Fett i. Tr.), 1 geh. TL gemahlene Walnüsse, 1 EL Mandelblätter*

Nährwerte pro Portion

195 kcal, 12 g E, 10 g F, 12 g KH, 0,5 KE, 8 mg Chol, 7 g Ba

▌ Brokkolistiele einschneiden und das Gemüse in leicht gewürztem Wasser vorsichtig garen.

▌ Aus Margarine, Mehl und Brokkoliwasser eine Soße herstellen.

▌ Kaffeesahne, Kräuterstreichkäse und Nüsse dazugeben, verrühren, evtl. nachwürzen.

▌ Die Käse-Walnuss-Soße über den gut abgetropften Brokkoli geben und mit Mandelblättern bestreuen.

Tipp

Mit einem zusätzlichen Salat und Reis als Beilage wird aus diesem Gericht ein leckeres, fleischloses Mittagsgericht.

Kohlrabigemüse

Zutaten für 2 Portionen: *400 g Kohlrabi in Streifen oder Scheiben geschnitten, Wasser, Würzmittel, Muskat, Salz, 2 gestr. TL Butter/ Margarine*

Nährwerte pro Portion

85 kcal, 4 g E, 4 g F, 7 g KH, 0 KE, 12 mg Chol, 3 g Ba

▌ Klein geschnittener Kohlrabi in das gewürzte kochende Wasser geben und bei geringer Wärmezufuhr garen. Das Gemüse abgießen und in Butter/Margarine schwenken.

Gurken-Tomaten-Gemüse

Zutaten für 2 Portionen: *200 g Gurken, 2 TL Butter/Margarine Würzmittel, Pfeffer, Salz, 2 – 3 EL Wasser, 200 g Tomaten, Dill*

Nährwerte pro Portion

70 kcal, 2 g E, 5 g F, 4 g KH, 0 KE, 12 mg Chol, 2 g Ba

▌ Gurken schälen, halbieren, aushöhlen und in 1 cm dicke Streifen schneiden.

▌ Die Gurken in der Butter/Margarine andünsten, würzen, evtl. Wasser aufgießen und ca. 10 Min. bei milder Hitze garen.

▌ Die abgezogenen Tomaten in Viertel schneiden, dazugeben und kurz mitdünsten. Vor dem Anrichten den gehackten Dill hinzufügen.

Das Abziehen von Tomaten

Zuerst den Blütenansatz herausschneiden und die Haut der Tomaten gegenüber kreuzweise einritzen. Die vorbereiteten Tomaten mit kochendem Wasser übergießen, 10 Sekunden lang – bzw. bis sich die Haut leicht zu kräuseln beginnt – darin liegen lassen. Die Tomaten herausnehmen, abziehen und weiterverarbeiten wie im Rezept beschrieben.

Paprika-Gurken-Gemüse

Zutaten für 2 Portionen: *100 g Paprikastreifen, 2 TL Öl, Wasser/Brühe, 200 g Gurken, Würzmittel, Pfeffer, Salz, Dill*

Nährwerte pro Portion

65 kcal, 1 g E, 5 g F, 3 g KH, 0 KE, 0 mg Chol, 2 g Ba

- Paprikastreifen in heißem Öl andünsten, etwas Flüssigkeit dazugeben und halb gar werden lassen.
- Gurken schälen, halbieren, aushöhlen und in 2 cm dicke Stücke schneiden. Gurken zum Paprika geben, würzen und weiterdünsten. Zum Schluss gehackten Dill hinzufügen.

Lauch, überbacken

Zutaten für 2 Portionen: *400 g Lauch, Wasser, Würzmittel, Muskat, Salz, 60 g Kochschinken, 60 g Gouda, 2 gestr. TL Margarine, 3 gestr. TL Weizenmehl (1 KE), Lauchbrühe*

Nährwerte pro Portion

240 kcal, 19 g E, 12 g F, 12 g KH, 0,5 KE, 33 mg Chol, 6 g Ba

- Lauch putzen, waschen, zu 2 Portionen wickeln und ca. 20–25 Min. vorgaren. Danach gut abtropfen lassen und den Bindfaden entfernen.
- Kochschinken und Gouda über den Lauch legen, auf ein leicht gefettetes Backblech geben und im vorgeheizten Backofen bei 200–225 °C oder im Grill überbacken bis der Käse geschmolzen ist.
- Aus Margarine, Mehl und Lauchbrühe eine leichte weiße Soße herstellen, abschmecken und zum Lauch servieren.

Möhren, frisch

Zutaten für 2 Portionen: *400 g Möhren in Scheiben geschnitten, Wasser, Würzmittel, Salz, 2 gestr. TL Butter/Margarine, Petersilie*

Nährwerte pro Portion

90 kcal, 2 g E, 5 g F, 10 g KH, 0 KE, 12 mg Chol, 7 g Ba

- Klein geschnittene Möhren in das gewürzte kochende Wasser geben und bei geringer Wärmezufuhr garen. Das Gemüse abgießen und in Butter/Margarine schwenken.

Pfifferlinge, frisch

Zutaten für 2 Portionen: *600 g Pfifferlinge, geputzt, 2 geh. EL Zwiebelwürfel, 2 TL Öl, Pfeffer, Salz, Wasser/Brühe, Petersilie*

Nährwerte pro Portion

85 kcal, 5 g E, 6 g F, 2 g KH, 0 KE, 0 mg Chol, 14 g Ba

- Pfifferlinge, Zwiebelwürfel in heißem Öl anbraten und würzen. Etwas Flüssigkeit dazugeben und gar dünsten.
- Mit gehackter Petersilie bestreuen.

Porreegemüse

Zutaten für 2 Portionen: *400 g Porree, hell, in 2–3 cm dicke Streifen geschnitten, 2 gestr. TL Butter/Margarine, Würzmittel, Pfeffer, Muskat, Salz*

Nährwerte pro Portion

85 kcal, 4 g E, 5 g F, 6 g KH, 0 KE, 12 mg Chol, 4 g Ba

- Klein geschnittenen Porree in das gewürzte kochende Wasser geben und bei geringer Wärmezufuhr garen. Das Gemüse abgießen und in Butter/Margarine schwenken.

Kohlrouladen, vegetarisch

Zutaten für 2 Portionen: *4–6 vorbereitete Kohlblätter, 200 g Champignons (Dose), 1 geh. EL Zwiebelwürfel, 2 gestr. EL Magerquark, 30 g Vollkornreis (roh) (2 KE), Pfeffer, Paprika, Würzmittel, Salz, 2 gestr. EL 20 %iger Schmant*

Nährwerte pro Portion

185 kcal, 8 g E, 8 g F, 19 g KH, 1 KE, 7 mg Chol, 6 g Ba

- Einen kleinen Kopf Weißkohl putzen, d. h. von den äußeren Blättern befreien und den Strunk soweit es geht ausschneiden.
- Den Kohl waschen, in kochendes, mit gemahlenem Kümmel und Salz abgeschmecktes Wasser geben und langsam weiterkochen lassen.
- Wenn die äußeren Blätter halb gar sind und sich leicht vom Kohlkopf lösen, die Kohlblätter herausnehmen. Diesen Vorgang so lange fortführen, bis die Blätter noch groß genug sind, um sie zum Rollen von Kohlrouladen zu verwenden. Etwas Kohlwasser aufheben.
- Die ausgekühlten Blätter von den dicken Rippen befreien. Der restliche Kohlkopf wird zu Gemüse weiterverarbeitet.
- Aus grob gehackten, gut abgetropften Champignons, Zwiebelwürfeln, Magerquark, Vollkornreis und Gewürzen eine Füllung herstellen, die Kohlblätter zusammenlegen und Rouladen wickeln. Mit Zwirn zusammenhalten.
- Öl in einem Topf erhitzen, die Kohlrouladen von allen Seiten darin bräunen, mit heißem Kohlwasser auffüllen, so dass das Bratgut zu einem Drittel bedeckt ist.
- Kocht das Ganze wieder, zugedeckt bei kleiner Flamme garen. Die Rouladen gelegentlich wenden und evtl. Flüssigkeit dazugeben.
- Den Bratensatz lösen, durchsieben, evtl. verdünnen, nachschmecken und nach Bedarf mit Andickungspulver binden.
- Die Soße mit Schmant verfeinern und evtl. mit Andickungspulver binden.

Zitronensaft oder Essig für Gemüse und Obst

Die Schnittstellen von Äpfeln und Birnen werden kurz nach dem Anschneiden schnell braun. Das hängt damit zusammen, dass enthaltene Phenol-Verbindungen (gehören zur Gruppe der sekundären Pflanzenstoffe) durch Sauerstoff aus der Luft oxidieren. Sie können diesen Vorgang aber wirksam verzögern: Beträufeln Sie für süße Zubereitungen die Apfel- oder Birnenschnittstellen mit Zitronensaft und in der pikanten Version mit Essig. So bleiben die Schnittstellen weiß. Wenn Sie Champignons zu einer weißen Farbe verhelfen wollen, können Sie dazu auch sehr gut ein paar Spritzer Zitronensaft einsetzen.

Rosenkohl

Zutaten für 2 Portionen: *400 g Rosenkohl, geputzt, Wasser, Muskat, Salz, 2 gestr. TL Butter/Margarine Petersilie*

Nährwerte pro Portion

110 kcal, 9 g E, 5 g F, 6 g KH, 0 KE, 12 mg Chol, 9 g Ba

- Den geputzten Rosenkohl in das gewürzte kochende Wasser geben und bei geringer Wärmezufuhr garen. Das Gemüse abgießen und in Butter/Margarine schwenken.

Paprikaschote, vegetarisch

Zutaten für 2 Portionen: *250 g Paprikaschote (2 Stück), 150 g Champignons (Dose, III. Wahl), 1 geh. EL Zwiebelwürfel, 100 g Paprikawürfel, 30 g Vollkornreis (roh) (2 KE), 2 gestr. EL Magerquark, Pfeffer, Paprika, Majoran, Salz, Wasser/ Brühe, 2 Messerspitzen Tomatenmark, 2 TL 20 %iger Schmant, Andickungspulver*

Nährwerte pro Portion

125 kcal, 8 g E, 2 g F, 18 g KH, 1 KE, + mg Chol, 8 g Ba

- Paprika waschen, den Deckel abschneiden und innen putzen.
- Aus Champignons, Zwiebelwürfeln, Paprikawürfeln, Vollkornreis, Magerquark und Gewürzen eine Füllung herstellen.
- Die Paprikaschoten damit füllen, in einem dem Umfang der Paprika angepassten Topf stellen, etwas heißes Wasser aufgießen und zugedeckt dünsten. Evtl. weitere Flüssigkeit dazugeben.
- Die Soße mit Tomatenmark, Schmant und Andickungspulver binden; anschließend abschmecken.

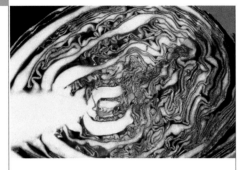

Rotkohl

Zutaten für 2 Portionen: *½ kleiner Kopf Rotkohl, 1 mittelgroßer Apfel (ca. 150 g), Salz, Pfeffer, frisch gemahlen, Rotweinessig, 2 Zwiebeln, 1 EL Maiskeimöl, 1 EL gekörnte Gemüsebrühe, 1 Lorbeerblatt, etwas flüssiger Süßstoff nach Geschmack*

Nährwerte pro Portion

125 kcal, 4 g E, 6 g F, 18 g KH, 0,8 KE, 0 mg Chol, 7 g Ba

- Den Rotkohl putzen, dazu die äußeren Blätter und den Strunk vom Kohlkopf entfernen. Den Kohl mit einem scharfen Messer oder auf einem Krauthobel in feine Streifen schneiden. Den Apfel schälen, vom Kerngehäuse befreien und fein würfeln.
- Den geschnittenen Kohl in einer Schüssel mit Salz bestreuen und den Rotweinessig zugießen. Gut mischen und etwa 2 Stunden zugedeckt stehen lassen. Die Zwiebeln abziehen und fein würfeln. Das Öl in einem großen Topf erhitzen und die Apfelstücke und Zwiebelwürfel darin glasig dünsten.
- Den Rotkohl zugeben und mit 200 ml Wasser aufgießen. Die gekörnte Gemüsebrühe, das Lorbeerblatt und den Süßstoff zugeben. Den Kohl eine halbe Stunde mit geschlossenem Deckel schmoren. Das Lorbeerblatt herausnehmen und vor dem Servieren noch einmal abschmecken.

Gemüse aus dem Wok

Zutaten für 2 Portionen: *250 g grüner Spargel, 1 Karotte, 1 Bund Lauchzwiebeln, 1 gelbe Paprikaschote, 1 kleines Stück Ingwer, 1 EL Maiskeimöl, 100 g Zuckerschoten (tiefgekühlt), etwas Chili, gemahlen, 2 EL Teriyaki- oder Sojasauce, Asia-Jodsalz, flüssiger Süßstoff nach Geschmack*

Nährwerte pro Portion

140 kcal, 6 g E, 6 g F, 15 g KH, 0,5 KE, 0 mg Chol, 10 g Ba

- Den Spargel abspülen und das untere Drittel abschneiden. Den Rest in 2 bis 3 cm große Stücke schneiden. Die Karotte schälen, abspülen und ebenfalls in 2 bis 3 cm große Stücke schneiden. Die Lauchzwiebeln putzen, abspülen und in feine Ringe schneiden.
- Die Paprikaschote putzen, abspülen, längs halbieren und in feine Streifen schneiden. Den Ingwer schälen und fein hacken. Das Öl in einem Wok stark erhitzen und das geschnittene Gemüse und den gehackten Ingwer darin kross anbraten. Dabei immer wieder das Gemüse im Wok schwenken und die Zuckerschoten zugeben. Wenig Wasser angießen und mit etwas Chili und Teriyaki- oder Sojasauce ablöschen.
- Anschließend mit geschlossenem Deckel etwa 6 bis 8 Min. bissfest garen. Während der Garzeit das Gemüse ein- bis zweimal durchrühren. Mit wenig Asia-Jodsalz, etwas Süßstoff und je nach Geschmack noch etwas Teriyaki- oder Sojasauce abschmecken.

Beilage: duftiger Basmatireis, und wenn Sie das Wokgemüse als Beilage servieren, passt es hervorragend zu mariniertem Teriyakihähnchen (siehe Rezept S. 135).

Kochen im Wok

Kochen im Wok ist eine der schonendsten und fettärmsten Garmethoden. Bei der hohen Gartemperatur und der großen Kontaktfläche werden während des Garens wenig Vitamine zerstört. Durch das Rühren und die spezielle Pfannenform bleibt der Fettverbrauch sehr niedrig. Bereits in kürzester Zeit haben Sie etwas Leckeres im Wok zubereitet. Dank der sehr schonenden Zubereitung kommt der Eigengeschmack der verschiedenen Lebensmittel sehr gut zur Geltung. So können Sie die Salzmenge im Pfannengericht ohne geschmackliche Einbußen reduzieren.

Chinakohl mit Apfel

Zutaten für 2 Portionen: *1 kleiner Kopf Chinakohl, 2 Zwiebeln, 1 mittelgroßer Apfel (150 g), 1 EL Apfelessig, 1 EL Rapsöl, 50 ml trockener Weißwein, 1 – 2 TL gekörnte Gemüsebrühe, Pfeffer, frisch gemahlen, Kräuter-Jodsalz*

Nährwerte pro Portion

150 kcal, 4 g E, 6 g F, 3 g Alk, 14 g KH, 1 KE, 0 mg Chol, 7 g Ba

▌ Den Chinakohl längs halbieren, vierteln und den Strunk herausschneiden. Die Viertel in Streifen schneiden. Gründlich abspülen und gut abtropfen lassen. Die Zwiebeln abziehen und würfeln. Den Apfel schälen, vom Kerngehäuse befreien und in Stücke schneiden.

▌ Die Apfelwürfel mit dem Apfelessig in einer Schale mischen, damit sie nicht braun werden. Das Öl erhitzen und den Chinakohl darin anschwitzen. Die Zwiebelwürfel zugeben und 5 Min. mit andünsten. Mit 100 ml Wasser und dem Weißwein aufgießen und mit der gekörnten Gemüsebrühe würzen. Weitere 5 Min. garen.

▌ Die Apfelstücke aus dem Essig nehmen und zum Gemüse in den Topf geben. Alles bei geschlossenem Deckel 5 bis 8 Min. auf kleiner Flamme gar ziehen lassen. Zum Schluss mit etwas Pfeffer und evtl. etwas Kräuter-Jodsalz abschmecken.

Ratatouille

Zutaten für 2 Portionen: *1 Zwiebel, 2 Knoblauchzehen, 1 gelbe Paprikaschote, 1 kleine Zucchini, 1 kleine Aubergine, Zitronensaft, 2 EL Olivenöl, 1 kleine Dose Tomatenstücke (400 g), Pfeffer, frisch gemahlen, Knoblauch-Jodsalz, 1 Msp. Rosmarinnadeln, getrocknet, 1 Msp. Kräuter der Provence, getrocknet, Salz*

Nährwerte pro Portion

160 kcal, 5 g E, 10 g F, 12 g KH, 0 KE, 0 mg Chol, 9 g Ba

▌ Zwiebel und Knoblauchzehen abziehen. Die Zwiebel fein würfeln und den Knoblauch fein hacken oder zerdrücken. Die Paprikaschote, Zucchini und Aubergine putzen und abspülen. Die Paprika in große Quadrate schneiden, die Zucchini in mitteldicke Scheiben, die Aubergine in Streifen und dann in Würfel.

▌ Die Auberginenwürfel in eine Schale geben und mit Zitronensaft und wenig Salz mischen und ziehen lassen. Das Olivenöl in einer Pfanne erhitzen. Zuerst Zwiebeln und Knoblauch darin anbraten. Jetzt das restliche Gemüse in die Pfanne geben und mit den Tomaten und etwas Wasser (das Gemüse sollte damit knapp bedeckt sein) füllen.

▌ Alles etwa 15 Min. bei mittlerer Hitze und geschlossenem Deckel garen. Würzen und weitere 10 bis 15 Min. garen, bis die Masse sämig, aber nicht matschig ist.

▌ **Passt gut zu:** kurzgebratenem Fleisch und frischem Fladenbrot.

Wirsingkohl

Zutaten für 2 Portionen: *400 g Wirsingkohl, fein geschnitten, 2 gestr. TL Butter/Margarine, Wasser/Brühe, Würzmittel, Pfeffer, Muskat, Salz*

Nährwerte pro Portion

90 kcal, 6 g E, 5 g F, 5 g KH, 0 KE, 12 mg Chol, 5 g Ba

▌ Die äußeren Blätter des Wirsings entfernen und wegwerfen. Die inneren Blätter lösen und die dicke Mittelrippe herausschneiden. Die Blätter gut waschen.

▌ Salzwasser in einem großen Topf zum Kochen bringen, die Wirsingblätter darin ca. 2 Minuten blanchieren. Anschließend mit kaltem Wasser abschrecken.

▌ Die Wirsingblätter in Streifen schneiden.

▌ Die Butter oder Margarine in einem großen Topf erhitzen und den geschnittenen Wirsing darin andünsten.

▌ Etwas Wasser oder Brühe dazugeben und die Gewürze hinzufügen. Auf kleiner Flamme etwa 30 Minuten köcheln lassen.

Tipp

Bereiten Sie mineralstoffreiches Gemüse einmal im Wok zu! Dieser besteht aus einer großen, weit gewölbten Pfanne aus Stahl, Edelstahl, Aluguss oder Gusseisen und erreicht rasch hohe Temperaturen. Deshalb eignet er sich besonders für schnelles und energiesparendes Erhitzen von Gemüse in wenig Öl. Bei auf dieser Art gegarten Lebensmitteln bleiben Aroma, Nährstoffe und Farbe erhalten. Das Gemüse bleibt außerdem wunderbar knackig.

Sauerkraut

Zutaten für 2 Portionen: *400 g Sauerkraut aus der Dose, 2 TL Öl, Wasser/Brühe, Würzmittel, Salz, Zwiebel, Wacholder, Lorbeerblatt, Nelke, evtl. Süßstoff*

Nährwerte pro Portion

80 kcal, 3 g E, 6 g F, 2 g KH, 0 KE, 0 mg Chol, 4 g Ba

▌ Die Zwiebeln schälen und hacken.
▌ Das Öl in einem Topf erhitzen, die Zwiebeln darin einige Minuten andünsten, bis sie glasig sind.
▌ Das Sauerkraut aus der Dose ggfs. etwas klein schneiden und zu den Zwiebeln geben. Alle weiteren Gewürze sowie etwas Wasser oder Brühe hinzufügen, gut verrühren und bei geringer Hitze etwa 1 Stunde köcheln lassen.

Stangenspargel, frisch

Zutaten für 2 Portionen: *400 g Spargel, geschält, Wasser, Würzmittel, Salz, 2 gestr. TL Butter/Margarine*

Nährwerte pro Portion

7 kcal, 4 g E, 4 g F, 4 g KH, 0 KE, 12 mg Chol, 3 g Ba

▌ Den Spargel garen, mit Butterflöckchen servieren.

Stangenspargel nach Art des Hauses

Zutaten für 2 Portionen: *400 g Stangenspargel, frisch, 200 g Champignons, frisch, 2 TL Öl, 60 g Tomaten, Salz, Pfeffer, 4 geh. EL Emmentaler (45 % Fett i. Tr.), gehackte Petersilie*

Nährwerte pro Portion

65 kcal, 15 g E, 15 g F, 5 g KH, 0 KE, 28 mg Chol, 5 g Ba

▌ Den Spargel schälen, waschen und garen.
▌ Die Champignons waschen, in Scheiben schneiden und in heißem Öl andünsten. Kurz vor dem Beenden des Garprozesses die in Würfel geschnittenen Tomaten hinzufügen und abschmecken.
▌ Den gut abgetropften Spargel in eine leicht ausgefettete Auflaufform legen und die Champignon-Tomatenmasse darüber verteilen. Den Käse reiben, über das Gemüse geben und im vorgeheizten Backofen oder Grill bei 200 °C kurz überbacken. Vor dem Servieren mit Petersilie bestreuen.

Bunte Gemüsespieße

Zutaten für 2 Portionen: *1 Zwiebel, 1 gelbe Paprikaschote, 1 kleine Zucchini, 6 kleine Champignonköpfe, 6 Kirschtomaten, 2 EL Olivenöl, Gemüse-Jodsalz, Pfeffer, frisch gemahlen, 1 Prise Paprikapulver, 4 – 6 Holzspieße*

Nährwerte pro Portion

125 kcal, 4 g E, 10 g F, 5 g KH, 0 KE, 0 mg Chol, 5 g Ba

- Die Zwiebel abziehen und vierteln. Paprikaschote und Zucchini putzen und abspülen. Die Zucchini halbieren, noch einmal längs halbieren und in mitteldicke Würfel schneiden. Die Paprikaschote in gleich dicke Streifen schneiden und halbieren. Die Champignonköpfe mit einem feuchten Tuch abreiben und die Kirschtomaten abspülen.
- Die Zwiebelviertel, Paprika- und Zucchinistücke in der Mikrowelle bei 700 bis 800 Watt 1 bis 2 Min vorgaren (bzw. im Backofen ca. 5 Min. bei 180 °C, Gas Stufe 2 bis 3). Das Öl mit den Gewürzen anrühren und das Gemüse im Wechsel auf die Spieße stecken.
- Die Spieße von allen Seiten mit dem Gewürzöl einpinseln. Entweder auf dem vorgeheizten Grill grillen oder das restliche Öl in einer Pfanne erhitzen und die Spieße darin von allen Seiten etwa 8 bis 10 Min. bei mittlerer Hitze garen.

Grillchampignons

Zutaten für 2 Portionen: *500 g Champignons, mittelgroß, Zitronensaft, Knoblauch-Jodsalz, Pfeffer, frisch gemahlen, 1 Packung italienische Kräuter (tiefgekühlt), 2 EL Olivenöl*

Nährwerte pro Portion

125 kcal, 7 g E, 10 g F, 2 g KH, 0 KE, 0 mg Chol, 5 g Ba

- Den Backofen auf der Grillstufe (Gas Stufe 3 bis 4, Umluftgrill) vorheizen. Die Champignons mit einem feuchten Tuch abreiben und den Stiel entfernen. Champignonköpfe in eine Schüssel legen und mit wenig Zitronensaft beträufeln. Anschließend mit Knoblauch-Jodsalz, Pfeffer und den tiefgekühlten, italienischen Kräutern mischen.
- Das Öl zugeben und die Champignons in der Marinade etwa 1 Stunde ziehen lassen. Anschließend abgetropft im Ofen auf der obersten Schiene etwa 5 bis 8 Min. grillen.

Auberginen mit Pfefferminzbutter

Zutaten für 2 Portionen: *2 kleine Auberginen, Zitronensaft, Kräuter-Jodsalz, 1 Zwiebel, 2 EL Butter, 1 Beutel Pfefferminztee Paprika Pfeffer, frisch gemahlen*

Nährwerte pro Portion

130 kcal, 4 g E, 9 g F, 8 g KH, 0 KE, 25 mg Chol, 8 g Ba

- Die Auberginen putzen, abspülen und in dicke Scheiben schneiden. Auf einen großen Teller legen, mit Zitronensaft beträufeln und mit wenig Kräuter-Jodsalz bestreuen. Etwa 20 Min. ziehen lassen.
- Die Zwiebel abziehen und ganz fein würfeln. Die Butter in eine kleine Schale geben. Den Pfefferminzbeutel aufschneiden und die Hälfte des Inhalts zur Butter geben. Dann die Zwiebelwürfel und Gewürze unter die Pfefferminzbutter kneten.
- Die Auberginenscheiben 5 Min. in der Mikrowelle vorgaren, anschließend mit der Pfefferminzbutter bestreichen und auf dem Holzkohlen- oder Elektrogrill von beiden Seiten grillen.

Natalies Zwiebelgemüse

Zutaten für 2 Portionen: *3 dicke Gemüsezwiebeln, 1 kleiner Apfel (100 g), 1 EL **Weißweinessig**, 1 EL **Butter**, 100 ml **Weißwein**, trocken, Salz, Pfeffer, frisch gemahlen*

Nährwerte pro Portion

180 kcal, 4 g E, 5 g F, 5 g Alk, 21 g KH, 0,5 KE, 10 mg Chol, 6 g Ba

▪ Die Zwiebeln abziehen und vierteln. Den Apfel schälen, vierteln, vom Kerngehäuse befreien und mit dem Essig in einer Schale mischen. Die Apfelviertel in kleine Stücke schneiden. Die Butter in einem Topf erhitzen und die Zwiebelstücke darin anbraten.

▪ Etwas Wasser und 100 ml trockenen Weißwein angießen und die Zwiebeln etwa 10 Min. mit halb geöffnetem Deckel garen. Nach dieser Zeit die Apfelstücke zugeben. Weitere 5 Min. köcheln lassen und mit Salz und Pfeffer abschmecken.

▪ **Passt gut zu:** Fischgerichten und Salzkartoffeln.

Wirsinggemüse mit Thymian und Aprikosen

Zutaten für 2 Portionen: *1 kleiner Wirsingkopf, 2 Zwiebeln, 1 EL **Maiskeimöl**, Salz, Pfeffer, frisch gemahlen, 2 Thymianzweige, 4 **Trockenaprikosen** (ca. 50 g)*

Nährwerte pro Portion

145 kcal, 7 g E, 6 g F, 20 g KH, 1 KE, 0 mg Chol, 9 g Ba

▪ Den Wirsing putzen, in grobe Stücke schneiden und abspülen. Die Zwiebeln abziehen und in mittelgroße Würfel schneiden. Das Öl erhitzen und die Zwiebeln mit dem geschnittenen Wirsing darin anschwitzen. Etwas Wasser zugießen, mit Salz und Pfeffer würzen und die Thymianzweige dazugeben.

▪ Den Wirsing mit geschlossenem Deckel etwa 15 Min. bei mittlerer Hitze garen. In der Zwischenzeit die Aprikosen würfeln und zum Gemüse geben. Weitere 10 bis 15 Min. garen. Noch einmal mit den Gewürzen abschmecken und servieren.

Zwiebeln: scharf und gesund

Die Küchenzwiebel ist eines der ältesten Gemüse, die es auf der Welt gibt. Zwiebeln gehören zur Gruppe der Sprossen- und Lauchgemüse. Besonders mild und etwas süßlich im Geschmack sind Gemüsezwiebeln und rote Zwiebeln bzw. Schalotten. Frischer und etwas schärfer schmecken Lauchzwiebeln und die klassischen, kleinen Küchenzwiebeln. Zwiebeln haben das ganze Jahr Saison und sind in zahlreichen Rezepten ein wichtiger Bestandteil. Übrigens: Der Stoff, der Sie beim Zwiebelschälen zum Weinen bringt, ist ein sekundärer Pflanzenstoff, der dem Herz-Kreislauf-System und unseren Blutfetten gut tut. Eine mittelgroße Zwiebel liefert etwa 15 Kalorien, 0,7 g Eiweiß, kein Fett und etwa 3 g Kohlenhydrate, die auch in größerer Menge nicht als KE berechnet werden müssen. In Rezepten, in denen Zwiebeln ein großer Bestandteil sind, ist der Kohlenhydratgehalt entsprechend höher, jedoch sind die Zwiebelkohlenhydrate nicht blutzuckerwirksam.

Radicchio Française

Zutaten für 2 Portionen: 2 kleine Radicchioköpfe, 1 kleine ungespritzte Orange (150 g), 2 Schalotten, frischer Koriander, Salz,
Pfeffer, frisch gemahlen, 1 TL Rapsöl

Nährwerte pro Portion
95 kcal, 2 g E, 5 g F, 10 g KH, 0,5 KE, 0 mg Chol, 3 g Ba

■ Den Backofen auf 180 °C (Gas Stufe 2 bis 3, Umluft 160 °C)
vorheizen. Den Radicchio putzen und die Köpfe vierteln. Die
Orange heiß abspülen und halbieren. Die eine Hälfte in hauchdünne Scheiben schneiden und die andere Hälfte auspressen.
Die Schalotten abziehen und in dünne Ringe schneiden.
■ Den Koriander abspülen, trocken schütteln und die Blättchen
von den Stielen zupfen. Den Radicchio in eine Auflaufform setzen und die Orangen- und Schalottenscheiben auf den Boden
der Form legen. Etwas Wasser mit Salz und Pfeffer verrühren
und die Radicchioköpfe damit aufgießen, so dass sie zur Hälfte
bedeckt sind.
■ Das Ganze etwa 15 bis 20 Min. im Ofen auf mittlerer Schiene
garen. Anschließend aus dem Ofen nehmen und gut abtropfen
lassen. Den Radicchio mit den Schalotten- und Orangenschei-
ben garnieren. Das Öl und den Orangensaft mischen und über
das Gemüse träufeln. Mit den Korianderblättchen bestreut
servieren.
■ **Passt gut zu:** Spaghetti mit Meeresfrüchten in Knoblauchöl.

Gefüllte Weizenkohlrabi

Zutaten für 2 Portionen: 2 Kohlrabi, 2 Zwiebeln, 1 Knoblauchzehe,
100 g Ebly-Weizenkörner (aus dem Supermarkt), Salz, 1 EL Rapsöl,
Pfeffer, frisch gemahlen, Paprikapulver, 1 EL geriebener Parmesankäse, 1 Kästchen Kresse

Nährwerte pro Portion
235 kcal, 8 g E, 4 g F, 41 g KH, 3,3 KE, 1 mg Chol, 5 g Ba

■ Die Kohlrabi schälen, hölzerne Teile entfernen und mit einem
Kugelausstecher oder einem Küchenmesser vorsichtig aushöhlen. Die Zwiebeln und den Knoblauch abziehen und fein
würfeln. Den Weizen in 200 ml Salzwasser etwa 10 bis 15 Min.
garen.
■ In einem zweiten Topf Salzwasser zum Kochen bringen und
die ausgehöhlten Kohlrabi samt den Kohlrabistücken etwa 5
bis 8 Min. darin köcheln. Anschließend abtropfen lassen und
die Kohlrabi warm stellen. Das Kohlrabiinnere hacken.
■ Das Öl in einer Pfanne erhitzen, Zwiebeln und Knoblauch darin anbraten. Den gekochten Weizen in die Pfanne geben. Mit
Salz, Pfeffer und Paprikapulver abschmecken. Falls die Masse
zu dick wird, etwas Wasser dazugeben. Die gehackten Kohlra-
bistücke hinzufügen und den Parmesankäse untermischen und
noch einmal abschmecken.
■ Zum Schluss das Weizengemisch in die beiden Kohlrabi füllen.
Den restlichen Weizen auf dem Teller neben dem Kohlrabi anrichten. Die Hälfte der Kresse mit einer Schere abschneiden,
grob hacken und vor dem Servieren über die Kohlrabi streuen.

Ebly

Ebly ist eine Weizenart, die Sie in der Küche ähnlich wie Reis verarbeiten können. Durch ein spezielles Verfahren bleibt Ebly nach
dem Kochen bissfest, aber nicht hart. Das macht ihn in Biss und
Geschmack sehr angenehm. Gekocht wird Ebly wie Reis: 2 Teile
Wasser und 1 Teil Ebly, gewürzt mit Salz oder gekörnter Gemüsebrühe. Der Zartweizen ist universell einsetzbar, z. B. als Kohlenhydratbeilage, vegetarische Komponente und sogar als Grundlage
für Süßspeisen. Für die Kohlenhydratberechnung gilt: entspricht
ca. 20 g Ebly, roh, und für 1 KE berechnen Sie etwa 15 g. Ebly ist
ballaststoff- und phosphorreich.

Grünkern-Gemüse-Pfanne mit Minzjoghurt

Zutaten für 2 Portionen: 100 g Grünkern, ganz, 1 EL gekörnte Gemüsebrühe, 2 Zwiebeln, 1 Knoblauchzehe, 1 gelbe Paprikaschote, 1 EL Rapsöl, Kräuter-Jodsalz, Pfeffer, frisch gemahlen, Paprikapulver, 50 g Tiefkühlerbsen, 250 ml Joghurt, Zitronensaft, 1 Beutel Pfefferminztee, 10 Kirschtomaten, ½ Bund Petersilie

Nährwerte pro Portion

345 kcal, 13 g E, 12 g F, 46 g KH, 4,2 KE, 20 mg Chol, 10 g Ba

▮ Den Grünkern 10 bis 12 Stunden in Wasser einweichen (am besten über Nacht). Anschließend in 250 ml Wasser und der gekörnten Gemüsebrühe etwa 1 Stunde köcheln lassen. Die Zwiebeln und den Knoblauch abziehen. Zwiebeln fein würfeln, den Knoblauch fein hacken oder zerdrücken.

▮ Die Paprikaschote putzen, abspülen und in kurze Streifen schneiden. Das Rapsöl in einer Pfanne erhitzen, zuerst Zwiebeln und Knoblauch anbraten, dann die Paprikaschote zugeben. Mit den Gewürzen abschmecken und die Tiefkühlerbsen hinzufügen.

▮ Joghurt glatt rühren, mit etwas Kräuter-Jodsalz, Pfeffer und Zitronensaft und dem Inhalt von einem ¼ bis ½ Teebeutel Pfefferminztee (je nach Geschmack) würzen. Die Kirschtomaten abspülen und in die Gemüsepfanne geben. Noch einmal etwa 5 Min. auf mittlerer Flamme garen und, falls nötig, abschmecken.

▮ Die Petersilie abspülen, trocken schütteln und hacken. Den Grünkern zusammen mit dem Gemüse anrichten und den Minzjoghurt um die Grünkern-Gemüse-Pfanne verteilen. Mit der Petersilie bestreut servieren.

Grüner Dinkel mit besonderem Geschmack

Grünkern ist unreif „grün" geernteter Dinkel und gehört zur Weizen-Familie. Direkt nach dem Dreschen kommt Grünkern auf Darren und wird bei 120 bis 130 °C so lange gedörrt, bis er sehr trocken ist. Durch dieses Verfahren bekommt Grünkern seinen einzigartigen Geschmack. Grünkern ist ballaststoffreich (= 20 g roh und 1 KE = 15 g roh) liefert Kalzium, Phosphor, Eisen, Niacin, Magnesium und Vitamin B6. Das Getreide eignet sich für die komplette Bandbreite pikanter Gerichte, wie Klößchen, Bratlinge oder Brotgetreide. Erhältlich ist Grünkern in Bioläden, Reformhäusern, Supermärkten und auch in zahlreichen Drogeriemärkten.

Pikantes Sojaragout

Zutaten für 2 Portionen: 1 – 2 TL gekörnte Gemüsebrühe, 50 g Sojaschnetzel, grob, 100 ml fettreduzierte Sahne (z. B. „Rama Cremefine"), 1 kleines Glas Champignons in Scheiben, Salz, Pfeffer, frisch gemahlen, Muskatnuss, frisch gerieben

Nährwerte pro Portion
160 kcal, 20 g E, 10 g F, 7 g KH, 0,5 KE, 20 mg Chol, 6 g Ba

- 150-200 ml Wasser in einem Topf zum Kochen bringen und die gekörnte Gemüsebrühe darin auflösen. Die Sojaschnetzel in das Wasser geben und auf mittlerer Flamme etwa 25 Min. quellen lassen.
- Die Sahne und die Champignons mit 50 ml Champignonwasser in das gequollene Sojafleisch geben. Mit den Gewürzen abschmecken und zum Schluss einen Tropfen Zuckercouleur in das Ragout geben.

Sojabratlinge

Zutaten für 2 Portionen: 1 Karotte, 1 Zwiebel, 1 Knoblauchzehe, 250 g Tofu, 1 Ei, 2 EL Haferflocken (20 g), etwas Sojasauce, Kräuter-Jodsalz, Pfeffer, frisch gemahlen, Curry, ½ Packung gemischte Kräuter (tiefgekühlt), 1 EL Sonnenblumenöl

Nährwerte pro Portion
335 kcal, 26 g E, 20 g F, 13 g KH, 0,5 KE, 120 mg Chol, 5 g Ba

- Die Karotte schälen und auf einer Reibe zur Hälfte grob und zur anderen Hälfte fein reiben. Zwiebel und Knoblauchzehe abziehen. Die Zwiebel fein würfeln, den Knoblauch fein hacken oder zerdrücken. Den Tofu gut auspressen und mit einem Passierstab pürieren.
- Das Ei und die Haferflocken mit dem Tofu mischen und die Zwiebelwürfel, den Knoblauch und die geriebene Karotte unter die Masse kneten. Mit der Sojasauce und den Gewürzen abschmecken und die Kräuter zugeben. Aus dem Teig gleich große Küchlein formen und im heißen Öl von beiden Seiten braten.

Tofutopf

Zutaten für 2 Portionen: 250 g Tofu Sojasauce, 4 Zwiebeln, 2 Karotten, 300 g Kartoffeln, 1 EL gekörnte Gemüsebrühe, 200 g grüne Bohnen (tiefgekühlt), 100 g Erbsen (tiefgekühlt), Pfeffer, frisch gemahlen, etwas Rosmarin, getrocknet, etwas Thymian, getrocknet, 2 EL Schmand

Nährwerte pro Portion
440 kcal, 32 g E, 14 g F, 46 g KH, 3 KE, 10 mg Chol, 18 g Ba

- Den Tofu in mittelgroße Würfel schneiden und mindestens 3 Stunden in der Sojasauce marinieren. Die Zwiebeln abziehen und vierteln. Die Karotten schälen und in dünne Scheiben schneiden. Die Kartoffeln schälen, abspülen und in mittelgroße Würfel schneiden.
- Das geputzte Gemüse und die Kartoffeln zusammen in einen Topf geben und mit Wasser auffüllen, so dass alles gut mit Wasser bedeckt ist. Die gekörnte Gemüsebrühe hinzufügen. Die Tiefkühlbohnen zugeben und 15 Min. kochen lassen. Anschließend die Erbsen zugeben und weitere 8 Min. kochen.
- Den marinierten Tofuwürfel hinzufügen und kurz weiter köcheln. Mit etwas Pfeffer und den getrockneten Kräutern abschmecken und vor dem Servieren mit einem Esslöffel glatt gerührtem Schmand garnieren.

Was ist Tofu?

Das Rezept für Tofu existiert seit mehr als 2000 Jahren. Er wird in China und Japan als hochwertiger Eiweißlieferant sehr geschätzt. Tofu – auch Sojaquark genannt – wird aus Sojabohnen gewonnen. Dazu werden die gequollenen Bohnen zerquetscht, um mit Wasser gekocht und anschließend gefiltert zu werden. Dabei entsteht Sojamilch, die mit dem Zusatz von Bittersalzen (Kalzium- oder Magnesiumsulfat) gerinnt. Die geronnenen Sojaflocken werden dann in die typisch rechteckige Tofuform gepresst und je nach Sorte mit Gewürzen verfeinert. Tofu ist sehr kalorienarm und liefert keine BE/KE. Da Tofu jedoch sehr geschmacksneutral ist, muss er kräftig gewürzt oder mariniert werden. Tofu gibt es auch geräuchert und schon fertig gewürzt.

Reis- und Nudelgerichte

Fleisch – weniger ist mehr – lautet eines der Rezept-kapitel. Fleischlose Gerichte bringen Abwechslung in den Speiseplan. Insbesondere Reis, Getreide in Form von Nudeln sowie Hülsenfrüchte sind aufgrund ihrer Zusammensetzung sehr wertvoll für unsere Ernährung. Sie enthalten hauptsächlich pflanzliches Eiweiß, viele Ballaststoffe und fast alle für den Menschen wichtigen Vitamine und Mineralstoffe, also alles, was eine gesun-de Ernährung bieten soll.

Leckere Reis- und Nudelgerichte

Reis- und Nudelgerichte sind heute vollwertiger schmackhafter und unverzichtbarer Bestandteil des Speiseplans. Sie sollten, wenn möglich, aus Vollkornprodukten bestehen, um den ohnehin günstigen Ballaststoffgehalt der in den Rezepten verwendeten Gemüse noch zu vergrößern.

Reis

Über die richtige Art der Zubereitung von Reis gibt es keinen Konsens. Je nachdem wie das Endergebnis ausfallen soll und welche Konsistenz bevorzugt wird, unterscheiden sich nicht nur die Zubereitungsarten, auch die Reissorte muss die richtige sein. Eines aber ist allen Methoden gemein: Der Reis wird nicht wirklich gekocht. Dämpfen, Dünsten und Quellen sind schonender für den Reis und erhalten seine Inhaltsstoffe.

Zubereitungsarten

Bei der Wasserreismethode wird der Reis in reichlich Wasser gekocht, mehr als er beim Garen aufnehmen kann. Der Reis wird während des Garprozesses am Siedepunkt gehalten, überschüssiges Wasser wird nach dem Garen abgegossen. Leider werden so auch Nährstoffe, die während des Kochens in das Kochwasser gelangt sind, mit weggegossen. Bei der Quellreismethode kocht man den Reis mit gerade so viel Flüssigkeit auf, wie der Reis aufnehmen kann. Das Ausquellen erfolgt nach dem Aufkochen bei geringer Wärmezufuhr. Beim Dämpfen nimmt der Reis das zum Aufquellen erforderliche Wasser über den Wasserdampf auf. Das Dämpfen kann direkt im Topf erfolgen oder unter Zuhilfenahme eines Dämpfeinsatzes. Es ist eine besonders schonende Garmethode, durch die das Aroma des Reises besonders zur Geltung kommt. Sie wird daher vor allem bei Duftreis (z.B. Jasmin- oder Basmatireis) angewendet.

Reisgerichte

Reis wird häufig als Beilage zu anderen Gerichten serviert, wobei er dann weder im Aussehen noch im Geschmack verändert wird. Es gibt aber auch viele Gerichte, bei denen der zunächst neutral gegarte Reis im Mittelpunkt steht und mit anderen Zutaten gemischt und meist noch gebraten wird, wie zum Beispiel beim Indischen Nasi Goreng. Darüber hinaus gibt es in der internationalen Küche zahlreiche Reisspezialitäten, bei denen spezielle Reissorten verwendet werden, um eine besondere Konsistenz oder ein besonderes Aroma zu erreichen. Dazu zählen Paella, Pilaw, Risotto, Sushi- und Klebereis.

Nudeln

Nudeln sind im Handel in allen möglichen Formen und Varianten erhältlich. Sie werden in Mitteleuropa hauptsächlich aus Hart- oder Weichweizen hergestellt, wobei für die Weichweizensorten zum Aushärten häufig Eier zugesetzt werden. Nudeln werden ähnlich wie Reis einerseits als Beilage gereicht, können aber auch im Mittelpunkt einer leckeren Mahlzeit stehen. Wie auch immer: Verwenden sollten Sie in jedem Fall Vollkornware, die deutlich mehr Ballaststoffe enthält.

Für die hier vorgestellten Gerichte können Sie einfach fertige Nudeln verwenden. Aber vielleicht möchten Sie versuchen, Nudelteig selbst herzustellen. Das geht einfacher, als Sie denken. Und oft gibt es in Bäckereien die Möglichkeit, Nudelteig zu bestellen. Den können Sie dann durch die Nudelmaschine drehen und frisch zubereiten.

Paella

Zutaten für 2 Portionen: *4 Zwiebeln, 4 Knoblauchzehen, 4 Tomaten, 4 EL Olivenöl, 200 g Parboiledreis, 1 EL gekörnte Gemüsebrühe, 1 TL Curry, 400 g Rotbarschfilet (tiefgekühlt), 2 EL Zitronensaft Kräuter-Jodsalz, 200 g Krabben, 200 g Miesmuscheln (aus dem Glas), 200 g Erbsen (tiefgekühlt), 3 EL Zitronensaft, Salz, Pfeffer, frisch gemahlen*

Nährwerte pro Portion
565 kcal, 40 g E, 21 g F, 54 g KH, 4 KE, 160 mg Chol, 5 g Ba

- Zwiebeln und Knoblauch abziehen. Knoblauch zerdrücken und Zwiebeln würfeln. Die Tomaten kurz mit kochendem Wasser überbrühen, auskühlen lassen und achteln. Das Öl in einem großen Topf oder einer großen beschichteten Pfanne erhitzen.
- Die Zwiebelwürfel und den Knoblauch darin anbraten und den Reis dazugeben. Unter ständigem Rühren glasig anbraten und anschließend mit 600 ml Wasser aufgießen. Brühe und Curry untermischen und alles etwa 15 Min. ausquellen lassen.
- Das Fischfilet säuern und salzen und in mittelgroße Würfel schneiden. Krabben und Miesmuscheln abtropfen lassen. Fisch, Krabben, Tomaten und Erbsen vorsichtig unter den Reis heben. 200 ml Wasser mit dem Zitronensaft mischen und die Fischpfanne damit aufgießen. Weitere 15 Min. auf kleiner Stufe köcheln lassen. Vor dem Servieren mit Salz und Pfeffer abschmecken.

Curry-Zwiebel-Reis nach Art des Hauses

Zutaten für 2 Portionen: *Salz, 1 EL Curry, 80 g Parboiledreis, 6 Zwiebeln, 1 EL Butter*

Nährwerte pro Portion
225 kcal, 5 g E, 5 g F, 40 g KH, 2,5 KE, 10 mg Chol, 4 g Ba

- 160 ml Wasser in einem Topf aufkochen, etwas Salz zugeben und Curry in die Flüssigkeit rühren. Den Reis in das kochende Wasser geben und auf kleiner Flamme etwa 10 Min. ausquellen lassen.
- Die Zwiebeln abziehen, halbieren und in Scheiben schneiden. Die Zwiebelscheiben nach 10 Min. zum Reis geben und mit geschlossenem Deckel weitere 10 Min. garen. Zuletzt die Butter untermischen. Zum Servieren den Reis in eine Tasse füllen, fest andrücken und auf einen Teller stürzen.
- **Passt gut zu:** pikantem Sojaragout oder zu Hähnchengeschnetzeltem mit Mais und Champignons.

Karottenreis

Zutaten für 2 Portionen: *1 EL gekörnte Gemüsebrühe, 120 g Vollkornreis, 2 Karotten, frischer Kerbel*

Nährwerte pro Portion
250 kcal, 6 g E, 2 g F, 52 g KH, 4 KE, 0 mg Chol, 7 g Ba

- 250 ml Wasser zusammen mit der Gemüsebrühe in einem Topf aufkochen. Den Reis in das kochende Wasser geben und auf kleiner Flamme etwa 15 Min. ausquellen lassen. Die Karotten schälen und grob reiben.
- Nach der Hälfte der Garzeit die Karotten zum Reis geben und mit geschlossenem Deckel weitere 15 Min. garen. Den Kerbel abspülen, trocken schütteln und von den Stielen zupfen. Den Reis vor dem Servieren mit dem Kerbel bestreuen.
- **Passt gut zu:** deftigen Fleischgerichten wie Schweinebraten oder zu Putengeschnetzeltem.

Chinesische Reispfanne

Zutaten für 2 Portionen: *Asia-Jodsalz,* *80 g* *Parboiledreis,* *2 Zwiebeln,* *4 Backpflaumen (50 g),* *1 EL* *Sonnenblumenkernöl,* *1 EL* *Mandelstifte,* *1 EL* *Sojasauce, Curry, Pfeffer, frisch gemahlen, flüssiger Süßstoff nach Geschmack*

Nährwerte pro Portion

305 kcal, 6 g E, 10 g F, 48 g KH, 3,8 KE, 0 mg Chol, 6 g Ba

▮ 160 ml Wasser aufkochen und mit etwas Asia-Jodsalz würzen. Den Reis in das kochende Wasser geben und auf kleiner Flamme etwa 20 Min. ausquellen lassen. Die Zwiebeln abziehen und würfeln. Die Backpflaumen entsteinen und in schmale Streifen schneiden.

▮ Das Öl in einer Pfanne erhitzen und die Zwiebeln und Pflaumenstücke darin anbraten. Im Anschluss daran die Mandelstifte zugeben. Den fertig gekochten Reis hinzufügen und mit den Pflaumen, Zwiebeln und Mandeln mischen. Mit etwas Asia-Jodsalz, Sojasauce, Curry, Pfeffer und Süßstoff abschmecken.

Tipp

Raffiniertes Würzen von Reisgerichten kann Sie beim Abnehmen unterstützen. Weniger Salz, dafür pikantes Würzen mit Chili, Curry und frischen Kräutern unterstützt den Körper beim Fettabbau. Auch die orientalische Gewürzküche hat in dieser Hinsicht viel zu bieten: Kreuzkümmel, Fenchelsamen, Kardamom und Zimt wirken nicht nur verdauungsfördernd, sondern sorgen auch für unvergessliche Geschmackserlebnisse.

Risotto Milanese

Zutaten für 2 Portionen: *2 Schalotten, 2 Knoblauchzehen, 1 – 2 TL gekörnte Fleischbrühe, 2 EL Butter, 100 g Risottoreis (z. B. Arborio), 2 EL geriebener Parmesankäse*

Nährwerte pro Portion

335 kcal, 9 g E, 14 g F, 43 g KH, 3,3 KE, 35 mg Chol, 2 g Ba

▮ Die Schalotten abziehen und sehr fein würfeln. Den Knoblauch abziehen, fein hacken oder zerdrücken. 200 ml Wasser mit der Brühe mischen. Die Hälfte der Butter in einem Topf schmelzen. Schalotten und Knoblauch anrösten und den Risottoreis zugeben.

▮ Wenn die Schalotten beginnen braun zu werden, mit der Gemüsebrühe ablöschen. Die Temperatur herunterschalten und den Reis 15 bis 20 Min. ausquellen lassen. Wenn der Reis am Holzlöffel kleben bleibt, ist er gar. Vor dem Servieren mit der restlichen Butter und dem geriebenen Parmesankäse mischen.

Tipp

Reis ist ein ideales fettarmes Lebensmittel. Die fit machenden Körnchen lassen sich abwechslungsreich zubereiten und stecken voller Vitamine, Mineralstoffe und hochwertiger Kohlenhydrate. Wenn es weißer Reis sein soll, so greifen Sie zum „Parboiled Reis". Hier werden durch ein Druckverfahren vor dem Schälen die Inhaltsstoffe der Schale in das Reiskorn gedrückt. Dadurch bleibt er körnig, schmeckt wie geschälter weißer Reis, ist aber viel gesünder.

Lasagne vegetale

Zutaten für 2 Portionen: *2 Karotten, 1 Stange Lauch, 1 gelbe Paprikaschote, 1 kleines Glas Champignons in Scheiben, 1 Knoblauchzehe, 1 TL Olivenöl, Salz, Pfeffer, frisch gemahlen, 1 kleine Dose Tomatenstücke (400 g), 1 TL Margarine, 2 EL Guar oder Carubin als Bindemittel (20 g), 300 ml fettarme Milch, Muskatnuss, frisch gemahlen, 4 weiße Lasagneblätter (80 g), 4 grüne Lasagneblätter (80 g), 2 EL fettreduzierter Reibkäse*

Nährwerte pro Portion

550 kcal, 29 g E, 10 g F, 86 g KH, 6 KE, 10 mg Chol, 17 g Ba

▌ Den Backofen auf 180 °C (Gas Stufe 2 bis 3, Umluft 160 °C) vorheizen. Die Karotten schälen und fein würfeln. Den Lauch längs halbieren, gründlich abspülen und in feine Ringe schneiden. Die Paprikaschote putzen, abspülen und in feine, kurze Streifen schneiden.

▌ Die Champignonscheiben abtropfen lassen. Die Knoblauchzehe abziehen und fein hacken oder zerdrücken. Das Öl in einer Pfanne erhitzen und den Knoblauch kurz anbraten. Dann Karotten, Lauch und Paprika zugeben. Mit Salz und Pfeffer abschmecken und 15 Min. garen. Die Tomaten zugeben und die Gemüsemasse noch einmal abschmecken.

▌ In einem Topf die Margarine schmelzen, das Mehl hinzufügen und daraus eine goldgelbe Mehlschwitze anrühren. Schluckweise die Milch in den Topf gießen und bei schwacher Hitze 5 Min. köcheln lassen, bis die Béchamelsauce angedickt ist. Mit wenig Salz und Muskat abschmecken.

▌ Den Boden dieser Auflaufform erst mit der Béchamelsauce dünn bedecken, dann jeweils ein weißes und grünes Lasagneblatt nebeneinander auf die Sauce legen. Ein bisschen von der Gemüsesauce darauf verteilen. Weiter in dieser Reihenfolge fortfahren, bis die Auflaufform entsprechend gefüllt ist. Mit einer Schicht Béchamelsauce abschließen und diese mit dem geriebenen Käse bestreuen. Die Lasagne auf der mittleren Schiene 40 bis 50 Min. goldbraun backen.

Spaghetti Bolognese

Zutaten für 2 Portionen: *2 Knoblauchzehen, 2 Zwiebeln, 200 g Rinderhackfleisch, 1 kleine Dose Tomaten (400 g), 3 EL Tomatenmark, 200 g Spaghetti, flüssiger Süßstoff nach Geschmack, Salz, Pfeffer, frisch gemahlen, Paprikapulver, Oregano, getrocknet, Basilikum, getrocknet*

Nährwerte pro Portion

615 kcal, 36 g E, 17 g F, 79 g KH, 6,5 KE, 150 mg Chol, 8 g Ba

▌ Die Knoblauchzehen und Zwiebeln abziehen. Den Knoblauch fein hacken oder zerdrücken, die Zwiebeln in feine Würfel schneiden. Eine Pfanne ohne Fett erhitzen und das Hackfleisch darin scharf anbraten. Die Zwiebelwürfel und den Knoblauch zugeben. Kurz mitschmoren und mit den Tomaten aufgießen.

▌ Die Tomaten mit einer Gabel oder einem Kartoffelstampfer zerdrücken und eine halbe Tasse Wasser zugießen. Die Sauce einmal aufkochen und dann das Tomatenmark einrühren. Die Sauce 20 Min. auf kleiner Flamme köcheln lassen.

▌ In der Zwischenzeit die Nudeln in reichlich Salzwasser al dente kochen. Die Sauce mit Süßstoff, Salz, Pfeffer, Paprikapulver und mit den getrockneten Kräutern abschmecken. Die Spaghetti in tiefe Pastateller geben und die Bolognesesauce darübergießen.

Hackauflauf mit Penne

Zutaten für 2 Portionen: *150 g Penne (kurze, schmale Röhrennudeln), Salz, 2 Zwiebeln, 1 mittelgroße Zucchini, 1 gelbe Paprikaschote, 250 g Rinderhackfleisch, 1 – 2 TL gekörnte Fleischbrühe, 2 EL Tomatenmark, Pfeffer, frisch gemahlen, Paprikapulver, Knoblauchgranulat, etwas flüssiger Süßstoff nach Geschmack, 1 EL Olivenöl, 2 EL geriebener Parmesankäse*

Nährwerte pro Portion

675 kcal, 41 g E, 29 g F, 62 g KH, 5 KE, 150 mg Chol, 9 g Ba

▌ Die Nudeln in Salzwasser al dente kochen und abtropfen lassen. Den Backofen auf 200 °C (Gas Stufe 3, Umluft 180 °C) vorheizen. Die Zwiebeln abziehen und fein würfeln. Die Zucchini und die Paprikaschote putzen und abspülen. Die Zucchini in Scheiben und die Paprikaschote in feine Streifen schneiden.

▌ Eine Pfanne ohne Fett erhitzen und das Hackfleisch darin kurz anbraten. Anschließend die Zwiebelwürfel zugeben. 100 ml Wasser hinzugießen, so dass das Fleisch gut 5 cm bedeckt ist. Die gekörnte Fleischbrühe in der Flüssigkeit auflösen und das Tomatenmark mit einem Schneebesen einrühren.

▌ 10 Min. auf mittlerer Flamme köcheln lassen. Mit Pfeffer, Paprikapulver, Knoblauchgranulat und evtl. einem Spritzer Süßstoff abschmecken. Anschließend die Fleischmasse aus der Pfanne nehmen und beiseite stellen. Das Olivenöl in die Pfanne geben und die Zucchini und Paprikastreifen darin andünsten. Mit Gewürzen abschmecken.

▌ Die Nudeln mit der Hack- und Gemüsemasse im Wechsel in die Auflaufform schichten. Als letzte Schicht den geriebenen Parmesankäse darüberstreuen und für etwa 20 Min. auf der zweiten Schiene von oben überbacken.

Spaghetti mit getrockneten Tomaten und Mandeln

Zutaten für 2 Portionen: *200 g Spaghetti, Salz, 6 getrocknete Tomaten (ohne Öl), 1 EL Mandelblätter, 2 EL Olivenöl, 2 Knoblauchzehen, Tomaten-Jodsalz, schwarzer Pfeffer, frisch gemahlen, 20 g Parmesankäse am Stück, frisches Basilikum*

Nährwerte pro Portion

520 kcal, 17 g E, 19 g F, 70 g KH, 6,5 KE, 100 mg Chol, 3 g Ba

▌ Die Spaghetti in Salzwasser al dente kochen. Die getrockneten Tomaten in feine Streifen schneiden und etwa 10 Min. in kaltes Wasser legen. Die Mandeln in einer Pfanne ohne Öl goldgelb rösten und beiseite stellen. Das Olivenöl in der Pfanne erhitzen.

▌ Den Knoblauch abziehen, hacken oder direkt in das Olivenöl zerdrücken. Die getrockneten Tomaten abtropfen und in die Pfanne geben. Mit wenig Tomaten-Jodsalz und Pfeffer abschmecken. Zum Schluss die Mandelblättchen untermischen.

▌ Die fertig gekochten Spaghetti abtropfen und auf zwei Pastateller verteilen. Die Tomaten-Mandel-Sauce darüberträufeln. Den Parmesankäse hobeln, über Spaghetti und Sauce verteilen und mit frischen Basilikumblättchen garniert servieren.

Fischlasagne

Zutaten für 2 Portionen: 800 g Kabeljaufilet (tiefgekühlt),
1½ Packungen gemischte Kräuter (tiefgekühlt), 2 EL Zitronen-
saft, Kräuter-Jodsalz, schwarzer Pfeffer, frisch gemahlen,
6 Zwiebeln, 6 Knoblauchzehen, 2 EL Olivenöl (20 g), 1 große Dose
Tomaten (800 g), Tomaten-Jodsalz, etwas flüssiger Süßstoff nach
Geschmack, 750 ml fettarme Milch, 1 Prise Muskatnuss, frisch
gerieben, 3 EL Weizenmehl (30 g), 15 Lasagneblätter (300 g),
400 g Krabben, verzehrfertig, 100 g Parmesankäse

Nährwerte pro Portion

570 kcal, 53 g E, 16 g F, 54 g KH, 4,5 KE, 170 mg Chol, 5 g Ba

▮ Den Backofen auf 180 °C (Gas Stufe 2 bis 3, Umluft 160 °C) vorheizen. Den Kabeljau antauen, in mittelgroße Würfel schneiden und zusammen mit den Kräutern in eine Schüssel geben.
Mit Zitronensaft beträufeln und mit ein wenig Kräuter-Jodsalz
und etwas Pfeffer würzen.

▮ Die Zwiebeln abziehen und in Ringe schneiden. Die Knoblauchzehen abziehen, fein hacken oder zerdrücken. Das Olivenöl in einer Pfanne erhitzen und darin Knoblauch und Zwiebeln
glasig dünsten. Die Dosentomaten zugeben und alles etwa
5 Min. köcheln lassen. Anschließend die Tomaten mit einer Gabel zerdrücken und die Sauce mit Tomaten-Jodsalz, Pfeffer und
etwas Süßstoff abschmecken.

▮ Die Milch zum Kochen bringen und mit Muskat und Kräuter-
Jodsalz abschmecken. Das Mehl mit etwas Wasser glatt rühren,
in die kochende Milch geben und noch einmal aufkochen lassen. Vom Herd nehmen.

▮ Etwas helle Sauce in eine Auflaufform gießen, bis der Boden
bedeckt ist. Eine Schicht Lasagneblätter, eine Schicht Tomatensauce und darauf Krabben und Kabeljauwürfel verteilen.
In dieser Reihenfolge fortfahren, dabei jede Schicht mit Pfeffer
und etwas Salz würzen. Die oberste Lage mit der restlichen
hellen Sauce übergießen und zuletzt den Parmesankäse über
den Auflauf streuen. Auf der mittleren Schiene im Backofen
etwa 45 Min. backen.

▮ **Variante:** Sie können anstelle von Fisch auch Rinderhackfleisch, Hähnchen- oder Putenbrust verwenden. Eine Fisch-
alternative zum Kabeljau ist auch in Scheiben geschnittener
Räucherlachs, der im Wechsel mit heller Sauce, gehacktem
und gewürztem Tiefkühlspinat und den Nudeln in der Form
geschichtet wird.

Champignon-Vollkornnudel-Auflauf

Zutaten für 2 Portionen: *120 g Vollkornnudeln (8 KE), 300 g Frische Champignons, 2 TL Öl, 2 geh. EL Zwiebelwürfel, 200 g Zucchini, Pfeffer, Knoblauch, Salz, 5 EL Wasser, evtl., 1 TL Margarine, 4 EL 10 %ige Kaffeesahne, 3 geh. EL geriebener Gouda (45 % Fett i. Tr.)*

Nährwerte pro Portion

420 kcal, 19 g E, 18 g F, 47 g KH, 4 KE, 86 mg Chol, 10 g Ba

▪ Vollkornnudeln garen. Die in Scheiben geschnittenen Champignons und die Zwiebelwürfel in heißem Öl andünsten. Zucchinistreifen dazugeben, würzen und evtl. Wasser hinzufügen.
▪ Auflaufform ausfetten, Nudeln und Gemüse schichtweise hineingeben, Kaffeesahne darübergießen und den Auflauf mit dem Käse bestreuen.
▪ Im vorgeheizten Backofen oder Grill bei 200 °C ca. 5 Min. überbacken.

Spinatnudeln mit Gorgonzolasoße

Zutaten für 2 Portionen: *120 g Spinatnudeln (8 KE), 80 g Gorgonzola (60 % Fett i. Tr.), 2 EL 10 %ige Kaffeesahne, 1 geh. EL Zwiebelwürfel, 2 TL Öl, Pfeffer, Salz*

Nährwerte pro Portion

415 kcal, 16 g E, 20 g F, 43 g KH, 4 KE, 80 mg Chol, 2 g Ba

▪ Spinatnudeln garen. Gorgonzola grob zerdrücken, Kaffeesahne dazugeben und zu einer Soße verrühren, erhitzen.
▪ Zwiebeln in Öl andünsten, in die erwärmte Soße geben, nochmals aufkochen und nachwürzen.

Vollkornnudel-Zucchini-Gratin

Zutaten für 2 Portionen: *120 g Vollkornspiralen (8 KE), 500 g Zucchini, 2 geh. EL Zwiebelwürfel, 2 TL Öl, Pfeffer, Würzmittel, Knoblauch, Majoran, Salz, 4–5 EL Wasser, evtl., 3 geh. EL feingeriebener Emmentaler (45 % Fett i. Tr.), Petersilie*

Nährwerte pro Portion

385 kcal, 17 g E, 14 g F, 48 g KH, 4 KE, 75 mg Chol, 8 g Ba

▪ Vollkornspiralen garen.
▪ Zucchini je nach Größe in halbe Scheiben oder bleistiftdicke Stifte schneiden.
▪ Zwiebelwürfel in heißem Öl glasig dünsten, Zucchini dazugeben und würzen. Evtl. Wasser hinzufügen und bei milder Hitze garen, zum Schluss gehackte Petersilie dazugeben.
▪ Vollkornspiralen und Zucchini schichtweise in eine Auflaufform geben, mit dem Käse bestreuen und im vorgeheizten Backofen oder Grill bei 200 °C ca. 5 Min. gratinieren.

Sie lieben Pasta? Kein Wunder, denn Nudelgerichte sind wahre Tausendsassas. Pasta macht nicht nur fit, sie ist auch vielseitig einsetzbar und lässt sich schnell und problemlos zubereiten. Nudeln enthalten dabei wenig Kalorien und kaum Fett. Fette verstecken sich in üppigen Saucen und deftigen Fleischbeilagen. Reichen Sie lieber bunte Gemüsesaucen zu Ihrer Pasta. Je mehr Gemüse Sie verwenden, desto figurfreundlicher.

Bunte Nudeln mit italienischem Sugo

Zutaten für 2 Portionen: *120 g bunte Nudeln (8 KE), 800 g ausgereifte Tomaten, 4 geh. EL Zwiebelwürfel, 2 TL Öl, Thymian, Rosmarin, evtl., Wasser, Pfeffer, Würzmittel, Salz, 3 geh. EL Parmesankäse, Schnittlauchröllchen*

Nährwerte pro Portion

390 kcal, 17 g E, 11 g F, 54 g KH, 4 KE, 66 mg Chol, 6 g Ba

▪ Bunte Nudeln kochen. Den Blütenansatz der Tomaten herausschneiden, Tomaten überbrühen und enthäuten. Saft und Kerne durch den Blütenansatz herausdrücken, passieren, restliches Tomatenfleisch grob zerkleinern.
▪ Zwiebelwürfel in heißem Öl goldgelb anbraten. Tomatenfleisch und frisch gehackte Kräuter dazugeben und andünsten. Den passierten Tomatensaft hinzufügen und ca. 30 Min. auf kleiner Flamme köcheln lassen, gelegentlich umrühren und evtl. noch mit Wasser auffüllen.
▪ Das Sugo würzen und beim Anrichten mit Parmesan und Schnittlauchröllchen bestreuen.

Vollkornspaghetti mit Ratatouille

Zutaten für 2 Portionen: *120 g Vollkornspaghetti (8 KE), 150 g Paprika, 60 g Zwiebeln, 2 TL Öl, Pfeffer, Paprika edelsüß, Oregano, Knoblauch, Kräuter der Provence, Salz, 4–5 EL Wasser, 100 g Zucchini, 100 g Tomatenviertel, 2 geh. EL Parmesankäse, Petersilie*

Nährwerte pro Portion
335 kcal, 14 g E, 10 g F, 48 g KH, 4 KE, 63 mg Chol, 10 g Ba

▌ Paprika und Zwiebeln in Streifen schneiden. Beides in heißem Öl andünsten und würzen. Mit Wasser auffüllen, im geschlossenen Topf ca. 5 Min. garen, halbe Zucchinischeiben dazugeben und weitergaren. Während der letzten 5 Min. des Garprozesses die Tomatenviertel mitdünsten.

▌ Das Ratatouille über die Spaghetti geben, mit Parmesan und gehackter Petersilie bestreuen.

Tipp

Steigen Sie um – Eiernudeln raus und Vollkornnudeln rein. Teigwaren aus Vollkornmehl gibt es in allen bekannten Varianten. Diese sind leicht nussig im Geschmack und mineralstoffreicher als die herkömmlichen Nudeln. Zudem halten Vollkornnudeln aufgrund des höheren Ballaststoffgehaltes länger vor, wodurch der nächste Heißhunger gegessen sein dürfte.

Fleisch und Geflügel

Der Duft eines saftigen Bratens ist für Sie der Inbegriff von Esskultur. Keinesfalls müssen Sie als Diabetiker auf diesen Genuss verzichten. Schließlich sind Fisch, Fleisch und Eier Hauptlieferanten von tierischem Eiweiß. Hieraus kann der Körper mit wenig Aufwand eigenes Eiweiß aufbauen. Ferner liefern die tierischen Lebensmittel auch Jod, Eisen, Zink und Vitamin D.

Aber Vorsicht vor zu viel des Guten. Bei einer für Diabetes typischen Nierenschädigung kann ein Überangebot an Eiweiß die Nierenfunktion weiter einschränken. Pro Kilogramm Körpergewicht werden als tägliche Zufuhr nur 0,8 Gramm Eiweiß empfohlen. Selbst kleine Fleischportionen enthalten bereits 15 bis 25 Gramm Eiweiß. Zudem können die versteckten Fette im Fleisch zum Anstieg des Cholesterinspiegels im Blut sowie zu Übergewicht führen. Betrachten Sie – wie früher üblich – Fleisch eher als kleine, schmackhafte Beilage.

Fleisch – weniger ist mehr

Gutes Fleisch muss nicht absolut mager sein, eine leichte Marmorierung dient dem besseren Garen, der Zartheit und dem Geschmack. Eine zu blasse Farbe ist nicht empfehlenswert. Frisches Fleisch darf weder zu trocken noch zu feucht und glänzend sein. In den Rezeptvorschlägen wird der zum Teil relativ hohe Fettgehalt durch die Zubereitungsart weitgehend ausgeglichen.

Fettarme Fleischsorten zeichnen sich durch einen niedrigeren Fettanteil und dementsprechend einen geringen Energiegehalt aus. Entscheiden Sie selbst, wie oft, wie viel Sie Fleisch in Ihren Wochenspeiseplan einbauen. Weniger ist mehr! Neben der fettarmen Zubereitung bei Fleischgerichten ist die Kombination mit viel Gemüse oder Salaten wichtig.

Saftiges Fleisch, sämige Soßen …

Das sichtbare Fett sollte, außer bei Kochfleisch im Stück, vor dem Zubereiten abgeschnitten werden.

Bevor das Fleisch verarbeitet wird, ist es kurz unter fließend kaltem Wasser abzuspülen und mit Küchenkrepp zu trocknen. Der Geschmack des Bratenansatzes lässt sich durch Zugabe von Suppengrün, Zwiebeln, ganzem Pfeffer, Lorbeerblatt, Tomaten und Petersilie variieren. Diese Zutaten werden nach Beenden des Bratprozesses entfernt, indem Sie den Bratenansatz durch ein Sieb geben. Zum Entfetten der Soße eignet sich sehr gut Fließpapier (Filtertüten). Wenn Sie das Papier leicht über die Oberfläche ziehen, bleibt das Fett haften.

Die Soße können Sie mit einem kohlenhydratanrechnungsfreien Andickungspulver, 10%iger saurer Sahne oder Magerjoghurt, je nach Rezeptvorschlag, etwas binden bzw. als Bratenjus zum Fleisch reichen.

Haben Sie, wie z.B. bei Kurzgebratenem, nur wenig Bratenfond zur Verfügung und möchten trotzdem eine Soße reichen, können Sie auf handelsübliche Bratensoßen zurückgreifen. Bitte beachten Sie dabei unbedingt die Kohlenhydratangabe auf der Verpackung.

Mehl, zum Andicken von Bratensoßen, ist in den Rezepten nicht vorgesehen. Entscheiden Sie selbst, ob Sie die Soßen ohne Anrechnung oder berechnet zubereiten möchten. Vielleicht können Sie auch auf das Andicken verzichten.

Langzeitbratenstücke sollten nach Beenden des Garprozesses noch 10 Minuten ruhen, damit sich der Fleischsaft verteilt und beim Schneiden nicht herausläuft. Beim Portionieren immer quer zur Fleischfaser schneiden.

Die nachfolgenden Rezepte sind jeweils für 2 Portionen angegeben.

Die gegarte Fleischmenge entspricht ca. 60 – 70 g pro Portion. Bei einigen Gerichten, wie z.B. Braten, Roulade und gekochtem Rindfleisch, ist es aus küchentechnischen Gründen zweckmäßig, mehrere Portionen auf einmal herzustellen. Sie können diese Speisen dann problemlos portionsweise mit Soße einfrieren.

Braten im Brattopf – so gelingt's

Das gewürzte Fleisch im offenen Topf auf dem Herd im heißen Fett von allen Seiten anbraten. Die im Rezept angegebenen Zutaten dazugeben und danach im vorgeheizten Backofen weiterbraten.

Da Sie für die Zubereitung in der Diabetesdiät nicht viel Kochfett zur Verfügung haben, muss immer gerade so viel heißes Wasser/Brühe zugegeben werden, dass das Fleisch nicht anbrennt. Damit der Braten saftig bleibt, begießt man ihn in Abständen mit etwas heißem Wasser oder dem bereits entstandenen Bratenfond.

Den Bratensatz mit einem Pinsel von der Topfwand und dem Boden lösen, evtl. verdünnen, durchsieben, abfetten und als Soße verwenden.

Schweinebraten

Zutaten für 2 Portionen: *200 g Schweine-braten (Schulter), Pfeffer, Kümmelpulver, Salz, 60 g Porree/Wasser/Brühe*

Nährwerte pro Portion

230 kcal, 18 g E, 17 g F, + g KH, 0 KE, 70 mg Chol, 0 g Ba

▌ Fleisch würzen, den Brattopf ohne Fett erhitzen und das Fleisch von allen Seiten anbraten.

▌ Porree in Stücke schneiden, dazugeben, etwas Flüssigkeit auffüllen und im vorgeheizten Backofen (200 – 225 °C) weiterbraten, wie unter „Braten im Brattopf" (S. 120) beschrieben.

▌ Wasser/Brühe zum weiteren Aufgießen verwenden. Die Soße „natur" belassen.

Tipp

Schnitzel müssen vor der Zubereitung geklopft werden, damit das Fleisch schön zart wird. Allerdings muss man aufpassen, dass man beim Klopfen der Schnitzel nicht die Fleischstrukturen zerstört. Schnitzel zum Klopfen am besten in einen Gefrierbeutel legen oder mit Frischhaltefolie abdecken und mit dem Boden eines Stieltopfes flach klopfen. Ohne die Frischhaltefolie spritzt der gesamte Fleischsaft in der Küche herum.

Schweinegeschnetzeltes mit Champignons

Zutaten für 2 Portionen: *200 g Schnitzelfleisch, 20 g Zwiebeln, 1 TL Öl, Pfeffer, Salz, 200 g Champignons (Dose, II. Wahl), Brühe/Pilzwasser, 2 TL 10 %ige saure Sahne, gehackte Petersilie*

Nährwerte pro Portion

155 kcal, 25 g E, 6 g F, + g KH, 0 KE, 72 mg Chol, 2 g Ba

▌ Schnitzelfleisch in dünne Streifen, Zwiebeln in Würfel schneiden.

▌ Die Pfanne mit Öl auspinseln, erhitzen, Fleisch und Zwiebeln darin bräunen. Mit Pfeffer und Salz würzen.

▌ Champignons gut abtropfen lassen, zum Fleisch geben und kurz mitbraten.

▌ Heiße Brühe / Pilzwasser dazugeben, bis alles bedeckt ist, bei kleiner Flamme garen.

▌ Mit saurer Sahne verfeinern und vor dem Servieren die Petersilie dazugeben.

Braten in der Pfanne

Zum Braten in einer beschichteten Pfanne brauchen Sie sehr wenig Fett. Es reicht aus, wenn die Pfanne mit Öl ausgepinselt wird. Das Bratgut in die nicht zu heiße Pfanne geben und von beiden Seiten anbraten, mehrmals wenden. Evtl. etwas Wasser/Brühe zum Bratgut geben. Erst nach dem Garen salzen.

Das Braten in der beschichteten Pfanne ist eine Kalorien sparende Zubereitungsart, sie erfordert jedoch Ihre volle Aufmerksamkeit während des gesamten Bratprozesses.

Schweineleber mit Zwiebeln

Zutaten für 2 Portionen: *200 g Schweine-leber, Pfeffer, 1 TL Öl, 100 g Gemüsezwie-beln, Wasser/Brühe, Salz*

Nährwerte pro Portion

170 kcal, 21 g E, 8 g F, 3 g KH, 0 KE, 354 mg Chol, 1 g Ba

▌ Leber beim Einkauf dünn schneiden lassen, mit Pfeffer würzen. Die Pfanne mit Öl auspinseln, erhitzen und von beiden Seiten anbraten.
▌ Gemüsezwiebeln in feine Ringe schneiden, zur Leber geben und mitbräunen, evtl. Wasser/Brühe aufgießen.
▌ Die Leber nach dem Garen mit Salz würzen.

Schweinenacken

Zutaten für 2 Portionen: *200 g Schweine-nacken (ohne Knochen), schwarzer Pfeffer, Salz,, Zwiebelpulver, 1 TL Senf, 60 g Porree*

Nährwerte pro Portion

205 kcal, 19 g E, 14 g F, +g KH, 0 KE, 70 mg Chol, 0 g Ba

▌ Fleisch mit schwarzem Pfeffer, Salz, Zwiebelpulver und Senf einreiben.
▌ Porree putzen, waschen, in grobe Stücke schneiden und in die Fettpfanne geben.
▌ Die weitere Verarbeitung erfolgt, wie unter „Braten auf dem Rost" beschrieben.

Kasseler in der Bratfolie

Zutaten für 2 Portionen: *200 g Kasseler, mager (ohne Knochen), 100 g Tomaten, 60 g Gemüsezwiebeln*

Nährwerte pro Portion

170 kcal, 22 g E, 8 g F, +g KH, 0 KE, 50 mg Chol, 0 g Ba

▌ Tomaten und Gemüsezwiebeln grob zerkleinern. Alle Zutaten in die Bratfolie geben und weiterverarbeiten, wie unter „Braten in der Bratfolie" (s. unten) beschrieben.
▌ Die Soße je nach Bedarf mit Andickungspulver binden.

Braten in der Bratfolie

Braten in der Bratfolie ist eine relativ neue Garmethode. Sie ist praktisch, der Backofen bleibt sauber, und vor allen Dingen brauchen Sie bei der Zubereitung kein Fett zu verwenden. Es ist eine Energie sparende Zubereitungsart.

Sie können jeden Braten, den Sie sonst im Brattopf oder auf dem Rost braten würden, auch in der Bratfolie zubereiten. Die Garzeit bleibt dieselbe.

Zum Braten in der Bratfolie ist Folgendes zu beachten:

▌ Heizen Sie den leeren Backofen auf ca. 220 °C vor.
▌ Die Bratfolie etwa 25 cm länger abschneiden, als das Bratgut ist.
▌ Ein Folienende fest zu einem Zopf drehen, mit Papierdraht oder Bindfaden einmal abbinden. Den Zopf umschlagen und nochmals abbinden.
▌ Das Bratgut sowie die Beilagen in die Folie geben. Das offene Ende in gleicher Weise verschließen.
▌ Die Oberseite der Bratfolie mit einer Stecknadel ein- bis zweimal einstechen.
▌ Die gefüllte Bratfolie in die Mitte des kalten Bratgitters legen und in den vorgeheizten Ofen schieben. Die Folie darf die Backofenwand nicht berühren.
▌ Nach Beenden der Garzeit das Ganze auf einen Teller legen, die Bratfolie oben aufschneiden, das Fleisch herausnehmen. Den Bratansatz durch ein Sieb geben, entfetten und zur Soße weiterverarbeiten.

Schweinshaxe

Zutaten: 1 Schweinshaxe, Pfeffer, Salz, 1 Gemüsezwiebel, 2 Pfefferkörner, 1 Messerspitze Kümmel, Öl zum Bestreichen des Rostes

Nährwerte pro Portion

220 kcal, 19 g E, 15 g F, + g KH, 0 KE, 70 mg Chol, 0 g Ba

▮ Haxe waschen, abtrocknen, mit Pfeffer und Salz einreiben. Gemüsezwiebel grob zerkleinern, mit Pfefferkörnern und Kümmel in die Fettpfanne geben.
▮ Die weitere Verarbeitung erfolgt, wie unter „Braten auf dem Rost" (s. unten) beschrieben.
▮ Nach Beendigung der Bratzeit die Haxe mit mild gewürztem, kaltem Salzwasser bepinseln, damit die Schwarte knusprig wird. Nochmals kurz in den Ofen schieben.

Braten auf dem Rost

Diese Garmethode eignet sich für große, etwas fettere Fleischstücke oder Geflügel, bei dem man eine krosse Haut bevorzugt. Magere Stücke würden zu trocken werden. Das gewürzte Fleisch auf den leicht eingeölten Rost über der ausgespülten Fettpfanne legen. Im vorgeheizten Backofen bei starker Hitze (200–250 °C) etwa 15–30 Minuten anbraten. Die Bratzutaten in die Fettpfanne geben. Wenn der Bratansatz braun ist, heißes Wasser hinzufügen. Bei milderer Hitze (175–200 °C) garen. In Abständen mit dem gebildeten Bratensaft beschöpfen und gegebenenfalls Wasser zugeben.
Der in die Fettpfanne getropfte Bratensaft ist je nach Fleischsorte ziemlich fett. Es empfiehlt sich, den Bratensaft kurz vor Beenden des Garprozesses in einen Topf umzufüllen und schnell abkühlen zu lassen. Das an der Oberfläche erstarrte Fett großzügig abschöpfen und den restlichen Bratensaft zur Herstellung der Soße verwenden.

Schweinelendchen

Zutaten für 2 Portionen: 200 g Schweinefilet, Pfeffer, Salz, 2 TL Öl, 40 g Gemüsezwiebeln, Wasser/Brühe, 2 TL 10 %ige saure Sahne

Nährwerte pro Portion

165 kcal, 22 g E, 8 g F, 1 g KH, 0 KE, 72 mg Chol, 0 g Ba

▮ Das Fleisch häuten, mit Pfeffer und Salz würzen und im heißen Öl, zusammen mit den grob zerkleinerten Zwiebeln, von allen Seiten anbraten.
▮ Mit heißem Wasser/Brühe auffüllen und gar schmoren. Die Soße durchsieben und mit Sahne verfeinern.

Budapester Paprikagulasch

Zutaten für 2 Portionen: 4 Zwiebeln, 2 grüne Paprikaschoten, 2 rote Paprikaschoten, 300 g mageres Schweinefleisch (z. B. aus der Schulter), 1 EL Sonnenblumenkernöl, 1 TL Paprikapulver, edelsüß, 1 TL gekörnte Fleischbrühe, Salz, Pfeffer, frisch gemahlen, 2 EL Tomatenmark, 1 TL Paprikapulver, scharf

Nährwerte pro Portion

370 kcal, 39 g E, 15 g F, 20 g KH, 0 KE, 105 mg Chol, 13 g Ba

▌ Die Zwiebeln abziehen und achteln. Die Paprikaschoten putzen, abspülen und in mittelgroße Würfel schneiden. Das Fleisch kalt abspülen, trocken tupfen und in ebenfalls in mittelgroße Würfel schneiden. Das Öl in einem Topf erhitzen und die Fleischwürfel von allen Seiten scharf anbraten. Mit etwas Paprikapulver bestäuben.

▌ Sobald sich etwas Faser am Topfboden absetzt, ein wenig Wasser angießen und diesen Schmorvorgang zweimal wiederholen. Zwiebeln und Paprika zugeben und das Fleisch noch einmal kurz anschmoren. So viel Wasser auffüllen, dass Fleisch und Gemüse bedeckt sind.

▌ Die gekörnte Brühe in der Kochflüssigkeit auflösen und das Fleisch auf kleiner Stufe etwa 1 Stunde garen. Wenn das Fleisch gar ist (es fühlt sich zart an und gibt dem Druck der Gabel nach), noch einmal aufkochen und mit Salz, Pfeffer, Tomatenmark und den beiden Sorten Paprikapulver abschmecken.

▌ **Beilage:** Kartoffelpüree oder Nudeln und Blattsalat – eine leckere und vitaminreiche Mahlzeit.

Eiweißarme Küche

In der eiweißreduzierten oder eiweißarmen Küche fallen Fleischportionen häufig etwas kleiner aus, da Fleisch sehr eiweißreich ist. Aber zum Glück haben wir Augen, die jedes Mal, wenn wir am Tisch sitzen, mitessen. Fleischspieße, Gulasch oder Ragout geben Ihnen das Gefühl, eine normal große Fleischportion auf dem Teller zu haben. Durch die Kombination mit eiweißarmem Gemüse vergrößern Sie Ihre Portion, ohne das Gefühl zu haben, verzichten zu müssen. Da freut sich Ihr Gaumen – und Ihre Nieren.

Kalbsgeschnetzeltes

Zutaten für 2 Portionen: *2 Zwiebeln, 1 Knoblauchzehe, 300 g Kalbfleisch (Brust oder Schulter), 1 EL Maiskeimöl, Salz, Pfeffer, frisch gemahlen, Paprikapulver, ½ TL Majoran, getrocknet, ½ TL Thymian, getrocknet, 100 ml trockener Weißwein, 1 – 2 TL gekörnte Fleischbrühe, 100 g Joghurt, 1 EL Weizenmehl (10 g), ½ Bund Schnittlauch*

Nährwerte pro Portion
325 kcal, 33 g E, 12 g F, 5 g Alk, 12 g KH, 1 KE, 110 mg Chol, 2 g Ba

- Die Zwiebeln und die Knoblauchzehe abziehen, die Zwiebel in feine Würfel schneiden, die Knoblauchzehe fein hacken oder zerdrücken. Das Fleisch kalt abspülen, trocken tupfen und in 3 cm große Würfel schneiden. Das Öl erhitzen und die Fleischwürfel von allen Seiten scharf anbraten.
- Die Zwiebelwürfel und den gehackten Knoblauch zufügen und unter Rühren kurz anbraten. Mit Salz, Pfeffer und Paprikapulver und den Kräutern würzen. Anschließend mit Weißwein und 100 ml Wasser aufgießen und die gekörnte Fleischbrühe im Fond auflösen. Mit geschlossenem Deckel auf mittlerer Flamme etwa eine halbe Stunde schmoren, bis das Fleisch weich ist. Dabei ab und zu umrühren.
- Den Joghurt mit dem Mehl glatt rühren. Das Fleisch kurz aufkochen lassen, abschmecken, dann den Joghurt einrühren. Achtung: Danach nicht mehr aufkochen, damit der Joghurt nicht ausflockt und gerinnt. Falls nötig, noch einmal mit den Gewürzen abschmecken.
- Den Schnittlauch abspülen und in feine Röllchen schneiden. Die Hälfte davon direkt zum Fleisch geben, die restlichen Schnittlauchröllchen vor dem Servieren über das Kalbsgeschnetzelte streuen.

Tipp

Auf der Suche nach einer fettarmen und dennoch schmackhaften Sauce? Sagen Sie Mehlschwitze, Ei und Sahne Ade. Mit püriertem Gemüse, Kartoffelpüreeflocken oder Tomatenmark binden Sie Saucen auf die leichte Art. Eine kalorienärmere Alternative zur Zubereitung mit Crème fraîche oder Schmand bietet saure Sahne. Viele Saucen lassen sich auch prima mit Kondensmilch (4 % Fett) statt mit süßer Sahne verfeinern.

Kalbsschnitzel, natur

Zutaten für 2 Portionen: *2 Kalbsschnitzel, je 100 g, Cayennepfeffer, Curry, 1 TL Öl, evtl. Wasser/Brühe, Salz*

Nährwerte pro Portion
140 kcal, 21 g E, 6 g F, 0 g KH, 0 KE, 70 mg Chol, 0 g Ba

- Kalbsschnitzel etwas breit klopfen und mit Cayennepfeffer und Curry würzen.
- Die Pfanne mit dem Öl auspinseln, erhitzen und die Schnitzel von beiden Seiten bräunen. Evtl. Wasser/Brühe dazugeben.
- Das Fleisch erst nach dem Garen mit Salz würzen.

Roastbeef

Zutaten für 2 Portionen: *200 g Roastbeef, schwarzer Pfeffer, Paprika, Salz, 2 TL Öl, 40 g Suppengrün, Wasser/Brühe, 2 TL 10 %ige saure Sahne*

Nährwerte pro Portion
185 kcal, 23 g E, 10 g F, + g KH, 0 KE, 72 mg Chol, 0 g Ba

- Roastbeef von Sehnen und Haut befreien, mit zerstoßenem schwarzem Pfeffer, Paprika und Salz einreiben und in dem heißen Öl von beiden Seiten scharf anbraten.
- Suppengrün dazugeben und im vorgeheizten Backofen (250 – 275 °C) weiterbraten wie unter „Braten im Brattopf" (S. 120) beschrieben. Wasser/Brühe zum Auffüllen verwenden. Die Soße mit saurer Sahne verfeinern.

Filetsteak mit Quark-Kräuter-Butter

Zutaten für 2 Portionen: 2 Rinderfilet à 100 g, schwarzer Pfeffer, Paprika, 1 TL Öl Salz, 20 g Quark-Kräuter-Butter

Nährwerte pro Portion
175 kcal, 22 g E, 9 g F, 0 g KH, 0 KE, 77 mg Chol, 0 g Ba

◗ Rinderfilet von Haut und Sehnen befreien, das Steak etwas breit klopfen und mit zerstoßenem schwarzem Pfeffer und Paprika würzen.
◗ Die beschichtete Pfanne mit Öl auspinseln, erhitzen und die Steaks von beiden Seiten anbraten. Bei verminderter Energiezufuhr garen.
◗ Das Steak vor dem Servieren mit Salz würzen und mit der Quark-Kräuter-Butter anrichten.
◗ Hierzu passen sehr gut kleine, frische, mit Schale gekochte und vor dem Anrichten gepellte Kartoffeln.

Tipp

Ob Schnitzel oder Steak: In einer beschichteten Pfanne gelingt fast alles. Praktisch ohne Fett, denn durch die raffinierte Beschichtung brennt nichts an. Auch in Grillpfannen brauchen Sie kein oder nur sehr geringe Mengen Öl. Im Bratschlauch oder im Römertopf können Sie sich die Fettzugabe ganz sparen.

Szegediner Gulasch

Zutaten für 2 Portionen: 250 g Schweinefleisch (Gulasch), 250 g Rindfleisch (Gulasch), 250 g Sauerkraut, 1,5 EL Paprikapulver, edelsüß, ½ EL Paprikapulver, rosenscharf, 1,5 EL Ajvar, 250 g Zwiebel(n), ½ Glas Wein, rot, trocken, 375 ml Wasser, Salz und Pfeffer, evtl. Schmand oder Crème fraîche, Öl, Saucenbinder oder Mehl

Nährwerte pro Portion
370 kcal, 39 g E, 15 g F, 20 g KH, 0 KE, 105 mg Chol, 13 g Ba

◗ Gulasch in mundgerechte Stücke schneiden, evtl. Sehnen entfernen. Alles in eine Schüssel geben. Mit Salz und Pfeffer würzen und 2 EL edelsüßen Paprika und 0,5 EL Rosenpaprika dazugeben. Dann ca. 4 EL Öl darübergeben und alles gut vermengen. Das Fleisch in dieser Marinade mindestens 2 Stunden ziehen lassen.
◗ Öl in einer großen Pfanne erhitzen und das Fleisch (mit der Marinade) portionsweise darin anbraten. Die in halbe Ringe geschnittenen Zwiebeln zu dem Fleisch geben. Danach das restliche Paprikapulver und Ajvar dazugeben und kurz mitbraten. Nun mit dem Rotwein ablöschen. Nach kurzer Zeit das Wasser dazugeben und das Ganze mindestens 1 Stunde schön vor sich hin köcheln lassen. Dann das Sauerkraut zugeben und noch mal eine halbe Stunde köcheln lassen.
◗ Wenn das Gulasch schön durchgegart und zart ist und sich der Geschmack des Sauerkrauts mit dem des Gulaschs verbunden hat, die Soße binden (entweder mit fertigem Soßenbinder oder mit Mehl in ein wenig kaltem Wasser glatt gerührt).
◗ Wer mag, kann vor dem Servieren noch einen Klacks Schmand daraufgeben. Dazu schmecken Salzkartoffeln oder Knödel.

Rinderrouladen

Zutaten für 2 Portionen: 200 g Rouladenfleisch, 2 Msp. Senf, Pfeffer, Salz, 2 Tomatenviertel, 2 Stücke Gewürzgurke, 40 g Zwiebelringe, Petersilie, 2 TL Öl, Wasser/Brühe, 2 TL 10 %ige saure Sahne

Nährwerte pro Portion
185 kcal, 21 g E, 10 g F, 3 g KH, 0 KE, 72 mg Chol, 0 g Ba

◗ Die Rouladen dünn mit Senf bestreichen und mit Pfeffer und Salz würzen. Tomate, Gurke, Zwiebeln und Petersilie in die Roulade einrollen. Mit Zwirn, Rouladenklammern oder Spieß zusammenhalten.
◗ Öl erhitzen und die Rouladen von allen Seiten anbraten, heiße Flüssigkeit dazugeben, bis die Rouladen zu einem Drittel bedeckt sind, und gar schmoren. Zwischendurch wenden und evtl. Flüssigkeit dazugeben. Die Soße abschmecken und mit saurer Sahne verfeinern.

Rumpsteak mit Zwiebeln

Zutaten für 2 Portionen: *2 Rumpsteak, je 100 g Zitronenpfeffer, 1 TL Öl, 100 g Gemüsezwiebeln, 2 – 3 EL Wasser/Brühe, Salz*

Nährwerte pro Portion

170 kcal, 23 g E, 7 g F, 2 g KH, 0 KE, 70 mg Chol, 1 g Ba

▪ Die Randsehne einige Male einschneiden, das Fleisch etwas breit klopfen und mit Zitronenpfeffer würzen.
▪ Die Pfanne mit Öl auspinseln, erhitzen und die Steaks scharf bräunen. Die in Ringe geschnittenen Gemüsezwiebeln dazugeben, anbraten, bei geringer Energiezufuhr und unter Zugabe von Wasser/Brühe weitergaren.
▪ Die Steaks nach dem Garen mit Salz würzen. Die Zwiebeln beim Servieren über die Steaks geben.

Rinderschmorbraten

Zutaten für 2 Portionen: *200 g Rindfleisch (Keule), Senf, Pfeffer, Salz, 2 TL Öl, 40 g Suppengrün, Wasser/Brühe*

Nährwerte pro Portion

170 kcal, 21 g E, 9 g F, + g KH, 0 KE, 70 mg Chol, 0 g Ba

▪ Das Fleisch mit Senf bestreichen und mit Pfeffer und Salz würzen.
▪ Fleisch und klein geschnittenes Suppengrün in heißem Öl von allen Seiten anbraten, heiße Flüssigkeit dazugeben, bis das Fleisch zu einem Drittel bedeckt ist.
▪ Nachdem die Flüssigkeit wieder kocht, das Fleisch bei geringer Hitze zugedeckt gar schmoren lassen. Den Bratensaft absieben und abschmecken.

Sauerbraten

Zutaten für 2 Portionen: *Für die Beize: ¼ l Wasser, 100 ml Weinessig, Salz, 2 Wacholderbeeren, 1 Lorbeerblatt, 1 kleine Zwiebel, 2 Gewürznelken, 4 Pfefferkörner, 40 g Suppengrün, 200 g Rindfleisch (Keule), 2 TL Öl, Andickungspulver*

Nährwerte pro Portion

170 kcal, 21 g E, 9 g F, + g KH, 0 KE, 70 mg Chol, 0 g Ba

▪ Wasser, Essig, Gewürze und Suppengrün aufkochen und erkalten lassen. Die Beize über das Fleisch gießen und zugedeckt 2 Tage ziehen lassen.
▪ Das Fleisch abtrocknen und in heißem Öl kräftig anbraten. Wasser/Beize aufgießen, bis das Fleisch zu einem Drittel bedeckt ist. Im zugedeckten Topf bei milder Hitze schmoren.
▪ Den Bratensaft durch ein Sieb gießen und je nach Bedarf mit Andickungspulver binden. Dazu passen Kartoffelklöße.

Gekochtes Rindfleisch mit Meerrettichsoße

Zutaten für 2 Portionen: *200 g Rindfleisch, mager (Schulter), ca. ½ l Wasser, Würzmittel, Salz, 40 g Suppengrün, 2 gestr. TL Margarine, 3 TL Weizenmehl Type 405 (1 KE), Meerrettich*

Nährwerte pro Portion

200 kcal, 21 g E, 9 g F, 6 g KH, 0,5 KE, 60 mg Chol, + g Ba

▪ Rindfleisch in das kochende, gewürzte Wasser geben und garen.
▪ Aus Margarine, Mehl und Rindfleischbrühe eine Soße herstellen und mit Meerrettich abschmecken.

So kochen Sie Fleisch

Kochfleisch gibt man in kochendes Wasser, das mit Suppengrün, Salz, einem handelsüblichen Würzmittel und Gewürzen angesetzt ist.
Das Fleisch bei starker Hitze zum Kochen bringen, es sollte immer gerade mit Flüssigkeit bedeckt sein und dann bei mittlerer Hitze garen, so wird es zart und die Brühe klar.
Fettränder bei Kochfleisch im Stück schneidet man erst nach dem Kochen ab. So bleibt das Fleisch saftiger.
Bei Gerichten, die nach der Zubereitungsart „Kochen" hergestellt und üblicherweise mit einer gebundenen, hellen Soße angerichtet sind, werden 15 g Weizenmehl für 2 Soßenportionen = ½ KE pro Person angerechnet.
Sie können die Soße aber auch mit Andickungspulver binden.

Schmorsteak Esterházy

Zutaten für 2 Portionen: *200 g Schmorsteak (Rinderkeule), Pfeffer, Paprika, 2 TL Öl, Salz, Wasser/Brühe, 240 g Porree, 80 g Sellerie, 80 g Möhren, Wasser/Brühe, 2 gestr. TL Butter/Margarine, Petersilie*

Nährwerte pro Portion

250 kcal, 24 g E, 14 g F, 7 g KH, 0 KE, 70 mg Chol, 6 g Ba

▌ Steaks mit Pfeffer und Paprika würzen, im heißen Öl von beiden Seiten anbraten. Danach salzen und heiße Flüssigkeit hinzufügen, bis die Steaks zu einem Drittel bedeckt sind. Zugedeckt schmoren lassen.

▌ Porree in feine Ringe, Möhren und Sellerie in dünne Streifen schneiden und in wenig Wasser ca. 20–30 Min. dünsten. Zum Schluss die Butter dazugeben und abschmecken.

▌ Das Gemüse beim Servieren über das Schmorsteak füllen und mit gehackter Petersilie bestreuen.

Tipp

Fett ist ein wichtiger Geschmacksgeber. Damit der Geschmack bei einem Braten erhalten bleibt, entfernen Sie sichtbares Fett erst nach der Zubereitung. Auf dem Bratenfond schwimmendes Fett lassen Sie am besten erkalten und schöpfen es vor der Saucenbereitung ab. Kurzgebratenes Fleisch oder Geflügel lassen sich leicht mit Küchenkrepp entfetten.

Hackfleisch Grundrezept

Zutaten für 2 Portionen: *150 g Rinderhack, 1 EL Magerquark, ½ Ei (ca. 25–30 g), 1 geh. EL Zwiebelwürfel, Pfeffer, Salz, Hackfleischgewürz*

Nährwerte pro Portion

200 kcal, 21 g E, 12 g F, 1 g KH, 0 KE, 104 mg Chol, 0 g Ba

▌ Hackfleisch, Magerquark, Zwiebelwürfel und die Gewürze in eine Schüssel geben.

▌ Das Ei extra in ein Gefäß geben, zerschlagen, die Hälfte davon zum Hackfleisch geben. Alle Zutaten miteinander vermengen, nachschmecken.

▌ Die weitere Verarbeitung ergibt sich aus den Rezeptvorschlägen.

▌ Verdoppeln Sie das Rezept und frieren 2 Portionen ein.

Zubereitung von Hackfleisch

Zur Herstellung von Hackfleischgerichten in der Diabetesdiät empfiehlt es sich, reines Rinderhack zu verwenden. Es wird aus Fleischstücken der Gruppe II und III der Eiweiß-Fett-Tabelle hergestellt und enthält weniger Fett als Thüringer-Mett oder gemischtes Hack. Wesentlich energieärmer wäre die Zubereitung mit Tatar. Es ist jedoch eine Kostenfrage und somit entscheiden Sie bitte selbst. Als Lockerungsmittel eignet sich Magerquark und feine Haferflocken statt Brötchen oder Paniermehl.

Hackbällchen, gekocht

Zutaten für 2 Portionen: *150 g Rinderhack, 1 EL Magerquark, ½ Ei (ca. 25–30 g), 1 geh. EL Zwiebelwürfel, Pfeffer, Salz bzw. Hackfleischgewürz, ½ l Wasser, 2 gestr. TL Margarine, 3 TL Weizenmehl, Hackbrühe, Kapern*

Nährwerte pro Portion

260 kcal, 22 g E, 16 g F, 6 g KH, 0,5 KE, 104 mg Chol, + g Ba

▌ Hackfleischteig herstellen und vier Bällchen formen.

▌ Wasser zum Kochen bringen, leicht würzen, die Hackbällchen hineingeben und bei kleiner Flamme gar ziehen lassen.

▌ Aus Margarine, Mehl und Hackbrühe eine Soße herstellen und mit gehackten Kapern abschmecken.

Frikadellen

Zutaten für 2 Portionen: *150 g Rinderhack, 1 EL Magerquark, ½ Ei (ca. 25 – 30 g), 1 geh. EL Zwiebelwürfel, Pfeffer, Salz bzw. Hackfleischgewürz, 1 TL Öl*

Nährwerte pro Portion

220 kcal, 21 g E, 15 g F, 1 g KH, 0 KE, 104 mg Chol, 0 g Ba

▮ Hackfleischteig herstellen und vier flache Frikadellen formen.
▮ Frikadellen in einer mit Öl ausgepinselten, beschichteten Pfanne braten.

Tipp

Lust auf Frikadellen? Sparen Sie Fett schon beim Einkauf von Gehacktem. Greifen Sie zu Hackfleisch „halb und halb" oder zu nahezu fettfreiem „Tatar". Diese Art Hackfleisch besteht ausschließlich aus feinstem Muskelfleisch. Zusätzliches Bratfett können Sie sich sparen, wenn Sie Frikadelle und Co. in der beschichteten Pfanne braten. Hier genügt das dünne Auspinseln mit Öl. Oder Sie legen die kleinen Fleischklopse auf ein mit Backpapier ausgelegtes Blech und bereiten diese bei Umluft im Backofen zu. Dann ist gar kein zusätzliches Fett nötig.

Hackbraten

Zutaten für 2 Portionen: *150 g Rinderhack, 1 EL Magerquark, ½ Ei (ca. 25 – 30 g), 1 geh. EL Zwiebelwürfel, Pfeffer, Salz bzw. Hackfleischgewürz, 2 TL Öl, 40 g Suppengrün, Wasser/Brühe*

Nährwerte pro Portion

250 kcal, 21 g E, 17 g F, 2 g KH, 0 KE, 104 mg Chol, + g Ba

▮ Hackfleischteig herstellen und daraus einen Laib formen.
▮ Öl in die Fettpfanne des Backofens geben, kurz erhitzen und den Hackbraten in die Fettpfanne legen. Suppengrün sowie etwas heiße Flüssigkeit dazugeben und im vorgeheizten Backofen (200 °C) garen.
▮ Darauf achten, dass immer genügend Flüssigkeit in der Fettpfanne ist; den Braten begießen.
▮ Bratenansatz mit Wasser und Pinsel lösen, durchsieben, evtl. verdünnen und als Soße verwenden.

Gefüllte Paprika

Zutaten für 2 Portionen: *2 Paprikaschoten (250 g, geputzt), 150 g Rinderhack, 1 EL Magerquark, ½ Ei (ca. 25 – 30 g), 1 geh. EL Zwiebelwürfel, Pfeffer, Majoran, Salz, Wasser/Brühe, 2 Messerspitzen Tomatenmark, 2 TL Magerjoghurt, Andickungspulver*

Nährwerte pro Portion

225 kcal, 23 g E, 12 g F, 5 g KH, 0 KE, 104 mg Chol, 5 g Ba

▮ Den Deckel der Paprikaschote 1 cm breit abschneiden, sauber aushöhlen und waschen.
▮ Hackfleischteig herstellen, die Paprikaschoten damit füllen, in einen Topf stellen, etwas heiße Flüssigkeit aufgießen und zugedeckt dünsten. Evtl. weitere Flüssigkeit dazugeben.
▮ Die gegarten Schoten herausnehmen, abtropfen lassen und warm stellen.
▮ Die Soße mit Tomatenmark und Joghurt verrühren, abschmecken und mit Andickungspulver binden.

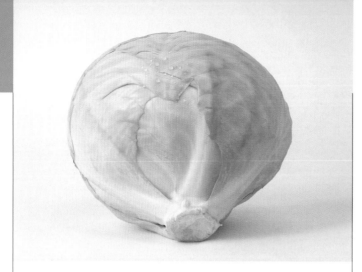

Kohlrouladen

Zutaten für 2 Portionen: *300 g ca. 4 – 6 vorbereitete Kohlblätter, 150 g **Rinderhack**, 1 EL **Magerquark**, ½ **Ei** (ca. 25 – 30 g), 1 geh. EL Zwiebelwürfel, Pfeffer, Salz bzw. Hackfleischgewürz, Kümmel, gemahlen, 2 TL Öl, Kohlwasser, Andickungspulver*

Nährwerte pro Portion

280 kcal, 23 g E, 17 g F, 7 g KH, 0 KE, 104 mg Chol, 4 g Ba

▌ Einen kleinen Kopf Weißkohl putzen, d. h. von den äußeren Blättern befreien und den Strunk soweit es geht ausschneiden.

▌ Den Kohl waschen, in kochendes, mit gemahlenem Kümmel und Salz abgeschmecktes Wasser geben und langsam weiterkochen lassen.

▌ Wenn die äußeren Blätter halb gar sind und sich leicht vom Kohlkopf lösen, die Kohlblätter herausnehmen. Diesen Vorgang so lange fortführen, bis die Blätter noch groß genug sind, um sie zum Rollen von Kohlrouladen zu verwenden. Etwas Kohlwasser aufheben.

▌ Die ausgekühlten Blätter von den dicken Rippen befreien. Der restliche Kohlkopf wird zu Gemüse weiterverarbeitet.

▌ Aus den genannten Zutaten einen Hackfleischteig herstellen, die Kohlblätter zusammenlegen, mit gemahlenem Kümmel bestreuen, den Fleischteig daraufgeben und Rouladen wickeln. Mit Zwirn zusammenhalten.

▌ Öl in einem Topf erhitzen, die Kohlrouladen von allen Seiten darin bräunen, mit heißem Kohlwasser auffüllen, so dass das Bratgut zu einem Drittel bedeckt ist.

▌ Kocht das Ganze wieder, zugedeckt bei kleiner Flamme garen. Die Rouladen gelegentlich wenden und evtl. Flüssigkeit dazugeben.

▌ Den Bratensatz lösen, durchsieben, evtl. verdünnen, nachschmecken und nach Bedarf mit Andickungspulver binden.

Weißkohltopf mit Hackbällchen

Zutaten für 2 Portionen: *1 kleiner **Weißkohlkopf**, 300 g **Kartoffeln**, vorwiegend fest kochend, 1 Zwiebel, 1 – 2 TL gekörnte Gemüsebrühe, 1 TL Kümmel, ganz, 1 kleine Dose Tomaten (400 g), 250 g **Rinderhackfleisch**, 1 Ei, Kräuter-Jodsalz, Pfeffer, frisch gemahlen, 2 EL Paniermehl (30 g), 2 EL Weizenmehl (20 g)*

Nährwerte pro Portion

565 kcal, 38 g E, 22 g F, 54 g KH, 4 KE, 190 mg Chol, 12 g Ba

▌ Den Weißkohl putzen, abspülen und in mittelgroße Stücke schneiden. Die Kartoffeln schälen, abspülen und würfeln. Die Zwiebel abziehen und fein würfeln. Weißkohl und Kartoffelwürfel in einen Topf geben und so viel Wasser hinzufügen, dass sie leicht bedeckt sind. Die gekörnte Brühe und den Kümmel hinzufügen. Die geschälten Tomaten zugeben und alles auf kleiner Flamme 20 Min. köcheln lassen.

▌ Das Hackfleisch in einer Schüssel mit Zwiebelwürfeln, Ei, den Gewürzen und Paniermehl zu einem geschmeidigen Hackfleischteig verkneten. Falls nötig, noch einmal abschmecken. Aus dem Teig aprikosengroße Bällchen formen. Die Bällchen leicht in Mehl wälzen und in die köchelnde Suppe geben. Weitere 10 Min. bei mittlerer Hitze gar kochen, bis die Suppe nicht mehr trüb ist.

▌ **Variante:** Probieren Sie den Eintopf einmal mit anderen Gemüsesorten. Lecker schmeckt er z. B. auch mit grünen Bohnen, oder fruchtig raffiniert mit Zucchini, Mais und Tomaten.

Rehgulasch

Zutaten für 2 Portionen: *1 Lorbeerblattr, 2 Wacholderbeeren, 5 Körner Pfeffer (angestoßen), 1,5 EL Marmelade (Preiselbeer), 1 EL Aceto Balsamico, 1,5 EL Olivenöl, 250 g Gulasch vom Reh, 60 g Speck, durchwachsen, ½ Karotte(n), ½ Zwiebel, ½ Stück Knollensellerie, ½ Wurzel/n Petersilie, ½ EL Tomatenmark, 200 ml Wildfond, 4 Schalotten, 125 g Pfifferlinge oder Champignons, Salz, Pfeffer, 1 EL Crème fraîche*

Nährwerte pro Portion

370 kcal, 39 g E, 15 g F, 20 g KH, 0 KE, 105 mg Chol, 13 g Ba

- Für die Marinade Lorbeerblätter, Wacholderbeeren, Pfefferkörner (angestoßen), Preiselbeermarmelade, Aceto Balsamico und Olivenöl mischen.
- Rehgulasch von Häuten und Sehnen befreien und mit der Marinade gründlich mischen. Im Kühlschrank mind. 2 Tage durchziehen lassen, dabei mehrfach umrühren.
- Speck würfeln und in einem Schmortopf anbraten.
- 1 Karotte, 1 Petersilienwurzel, 1 Zwiebel, 1 Stück Sellerie waschen, schälen, fein würfeln und mit anbraten. Das Rehfleisch in den Topf geben und kurz mit anbraten.
- 1 EL Tomatenmark zugeben und mit braten lassen. Marinade in den Topf geben und mit so viel Wildfond (ersatzweise Brühe oder ½ Brühe ½ Rotwein) aufgießen, dass das Rehfleisch gerade bedeckt ist. Bei geschlossenem Topf ca. 20 Minuten schmoren lassen.
- Das Gemüse aus dem Gulasch entfernen.
- Schalotten schälen, aber ganz lassen, Pfifferlinge oder Champignons putzen, nicht waschen und zu dem Gulasch geben, weitere 20 Minuten schmoren lassen.
- Das Gulasch mit Salz und Pfeffer abschmecken und 2 EL Crème fraîche in das Gulasch einrühren.

Putengeschnetzeltes mit Käse

Zutaten für 2 Portionen: *200 g Putenbrust, 1 geh. EL Zwiebelwürfel, 1 TL Öl, schwarzer Pfeffer, Basilikum, 100 g Gewürzgurken, Wasser/Brühe, 40 g Kräuterstreichkäse (30 % Fett i. Tr.), evtl. Salz*

Nährwerte pro Portion

190 kcal, 28 g E, 7 g F, 3 g KH, 0 KE, 66 mg Chol, 0 g Ba

- Putenbrust in dünne Streifen schneiden. Die Pfanne mit Öl auspinseln, erhitzen, Fleisch und Zwiebelwürfel hineingeben und scharf anbraten.
- Mit schwarzem Pfeffer und Basilikum würzen, die gewürfelten Gewürzgurken dazugeben. Mit Wasser/Brühe auffüllen, bis das Fleisch bedeckt ist, und bei verminderter Energiezufuhr garen.
- Den Kräuterstreichkäse dazugeben und so lange verrühren, bis der Käse geschmolzen ist und das Gericht gebunden hat. Mit Salz abschmecken, falls nötig.

Hirschbraten

Zutaten für 2 Portionen: *200 g Hirschkeule, Buttermilch, Pfeffer, Salz, 1 zerdrückte Wacholderbeere, 2 TL Öl, ½ Lorbeerblatt, 40 g Suppengrün, Wasser/Brühe, Rotwein, 2 TL 10 %ige saure Sahne*

Nährwerte pro Portion

165 kcal, 21 g E, 9 g F, + g KH, 0 KE, 77 mg Chol, 0 g Ba

- Hirschkeule von Haut und Sehnen befreien und 1–2 Tage in Buttermilch einlegen.
- Das Fleisch gut abtrocknen, mit Pfeffer, Salz und zerdrückter Wachholderbeere würzen.
- Öl erhitzen, das Fleisch von allen Seiten anbraten, Lorbeerblatt und Suppengrün dazugeben. Im vorgeheizten Backofen (200 °C) weiterbraten, wie unter „Braten im Brattopf (s. S. 120) beschrieben, gelegentlich Wasser/Brühe aufgießen.
- Die Soße mit Rotwein abschmecken und durch Zugabe von saurer Sahne verfeinern.

Putenrollbraten

Zutaten für 2 Portionen: 20 g durchwachs. Speck, 200 g Putenbrust, Pfeffer, Salz, 60 g Gemüsezwiebeln, Wasser/Brühe

Nährwerte pro Portion

175 kcal, 25 g E, 8 g F, + g KH, 0 KE, 69 mg Chol, 0 g Ba

- Speck würfeln und im Brattopf erhitzen, Fleisch würzen und in dem ausgelassenen Speck von allen Seiten anbraten.
- Die grob geschnittenen Gemüsezwiebeln dazugeben und im vorgeheizten Backofen (175 °C) weiterbraten (s. „Braten im Brattopf" S. 120). Gelegentlich Wasser/Brühe auffüllen, die Soße nach Bedarf mit Andickungspulver binden.

Putenschnitzel mit Früchten

Zutaten für 2 Portionen: 200 g Putenbrust, Curry, Pfeffer, 1 TL Öl, Salz, 100 g Dunstfruchtcocktail oder 110 g Dunstpfirsiche oder 80 g Dunstananas, 2 EL Saft, 3–4 EL Wasser, Andickungspulver

Nährwerte pro Portion

160 kcal, 24 g E, 4 g F, 5 g KH, 0,5 KE, 60 mg Chol, 1 g Ba

- Putenschnitzel etwas breit klopfen und mit Curry und Pfeffer würzen.
- Die Pfanne mit Öl auspinseln, erhitzen und das Fleisch von beiden Seiten bräunen, evtl. Wasser dazugeben. Wenn das Schnitzel gar ist, salzen.
- Früchte in kleine Stücke schneiden. Früchte, Saft und Wasser zum Fleisch geben und kurz aufkochen, leicht andicken. Als Beilage Reis.

Putenbraten mit Dörrobstfüllung

Zutaten für 6 Portionen: 1 kg Putenbraten, 4 Backpflaumen (ca. 80 g), 4 Dörraprikosen (ca. 60 g), 2 EL fettreduzierter Frischkäse (max. 18 % Fett), Salz, Pfeffer, frisch gemahlen, Curry, Paprikapulver, 3 Karotten, 1 – 2 EL gekörnte Fleischbrühe, 250 ml fettreduzierte Sahne (z. B. „Cuisine" von Alpro), 1 Packung Petersilie (tiefgekühlt), Küchengarn, 1 Bratschlauch

Nährwerte pro Portion

315 kcal, 43 g E, 8 g F, 18 g KH, 1 KE, 100 mg Chol, 5 g Ba

- Den Ofen auf 180 °C (Gas Stufe 2 bis 3, Umluft 160 °C) vorheizen. Das Fleisch mit einem scharfen Messer längs einmal einschneiden. Die Backpflaumen entsteinen. Aprikosen und Backpflaumen in mittelgroße Würfel schneiden.
- Das aufgeschnittene Fleisch leicht aufklappen und mit dem Frischkäse bestreichen, salzen und pfeffern. Drei 20 cm lange Stücke Küchengarn zurechtschneiden. Das gewürfelte Dörrobst auf dem Frischkäse verteilen. Das aufgeklappte Fleisch vorsichtig wieder schließen, fest zusammendrücken und an beiden Enden sowie in der Mitte mit dem Küchengarn umwickeln und fest verknoten.
- Das Fleisch von außen mit Curry und Paprikapulver bestäuben. Die Karotten schälen und in drei gleich große Teile schneiden. Den Bratschlauch an einer Seite fest verschließen. Fleisch und Karotten in den Schlauch legen. Das Ganze auf ein Backblech setzen.
- 800 ml bis 1 Liter Wasser mit gekörnter Fleischbrühe, etwas Pfeffer, Paprika- und Currypulver mischen. Den Bratschlauch schräg halten und das Wasser langsam in den Beutel füllen. Mit dem zweiten Band den Bratschlauch fest zubinden und wieder auf das Blech legen. Auf der oberen Naht das Bratschlauches drei kleine Löcher einschneiden.
- Den Braten auf der mittleren Schiene etwa 60 bis 70 Min. garen. Einen Topf neben das Backblech stellen, den Bratschlauch mit einem Ende in den Topf halten und mit einer Schere den unteren Teil des Schlauchs vorsichtig aufschneiden. Die ganze Flüssigkeit in den Topf laufen lassen.
- Das Fleisch herausnehmen. Die Karotten zum Fond geben, aufkochen und die Sahne einrühren. Nach dem Aufkochen den Fond mit einem Pürierstab sämig pürieren und noch einmal abschmecken. Kurz vor dem Servieren die Petersilie unterrühren. Zum Schluss das Küchengarn vom Fleisch entfernen und in Scheiben schneiden.

Hähnchenkeule

Zutaten für 2 Portionen: *200 g Hähnchenkeule (mit Knochen 250 g), 1 TL Öl, Pfeffer, Paprika, Salz oder Geflügelwürzmischung*

Nährwerte pro Portion

200 kcal, 18 g E, 14 g F, 0 g KH, 0 KE, 85 mg Chol, 0 g Ba

■ Hähnchenkeule waschen und mit Küchenkrepp trocknen.
■ Öl mit Pfeffer, Paprika, Salz oder Geflügelwürzmischung verrühren und die Keule damit bepinseln.
■ Die weitere Verarbeitung erfolgt wie unter „Braten auf dem Rost" (s. S. 123) beschrieben.

Tipp
Auch Grillen und „Braten im Brattopf" (s. S. 120) sind als Zubereitungsart gut geeignet.

Hähnchengeschnetzeltes mit Mais und Champignons

Zutaten für 2 Portionen: *10 Champignons, ½ Dose Mais (ca. 130 g), 250 g Hähnchenbrust, 1 EL Rapsöl, Salz, Pfeffer, frisch gemahlen, 1 – 2 TL gekörnte Brühe, 100 ml fettreduzierte Sahne (z. B. „Rama Cremefine"), ½ Packung Estragon (tiefgekühlt), Muskatnuss, frisch gerieben, 1 EL Weizenmehl (10 g), 1 TL Zitronensaft*

Nährwerte pro Portion

580 kcal, 41 g E, 19 g F, 62 g KH, 5 KE, 150 mg Chol, 9 g Ba

■ Die Champignons mit einem feuchten Tuch abreiben, putzen und vierteln. Die Maiskörner auf einem Sieb abtropfen lassen. Die Hähnchenbrust kalt abspülen, trocken tupfen und in feine Streifen schneiden. Die Hälfte des Öls in einem Topf erhitzen und die Champignons darin scharf anbraten. Mit Salz und Pfeffer würzen und aus dem Topf nehmen.
■ Das Wasser der Champignons, das beim Braten entstanden ist, auffangen. Das restliche Öl im Topf erhitzen und das Fleisch darin scharf anbraten, salzen und pfeffern. 200 ml Wasser in den Topf gießen, die Brühe darin auflösen und kurz aufkochen lassen.
■ Nach etwa 10 Min. auf mittlerer Flamme das aufgefangene Pilzwasser und die Sahne in die Flüssigkeit geben und den Estragon hinzufügen. Mit den Gewürzen abschmecken und das Ganze aufkochen lassen.
■ Das Mehl mit wenig Wasser glatt rühren und in die kochende Sauce rühren. Zum Schluss Mais, Champignons und den Zitronensaft in die Sauce geben und heiß werden lassen.
■ **Beilage:** Kartoffelpüree oder Bandnudeln und Gurkensalat.

So gesund ist Geflügel

Fettarm und reich an hochwertigem Eiweiß – so lässt sich das Fleisch von Pute und Huhn am besten beschreiben. Geflügelfleisch ist ein natürlicher Lieferant von Vitamin B1, B2, B6 und Niacin. Die Gruppe der B-Vitamine sind wichtig für den Eiweiß-, Fett- und Kohlenhydratstoffwechsel. Putenfleisch ist zudem ein guter Eisenlieferant. Schon 150 g decken 30 Prozent des täglichen Eisenbedarfs eines Erwachsenen. Zur besseren Eisenaufnahme im Körper essen Sie etwas Vitamin-C-Haltiges, wie Kartoffeln oder Paprikaschoten zum Geflügel. Geflügelfleisch ist kohlenhydratfrei und muss nicht als BE/KE berechnet werden.

Knoblauch-Hähnchenkeulen

Zutaten für 2 Portionen: *2 Hähnchenkeulen (ca. 400 g), 2 Knoblauchzehen, 1 EL Honig (10 g), Salz, Pfeffer, frisches Paprikapulver*

Nährwerte pro Portion

280 kcal, 27 g E, 17 g F, 4 g Zucker, 4 g KH, 0,5 KE, 110 mg Chol, 0 g Ba

- Grill oder Backofen auf 180 °C (Gas Stufe 2 bis 3, Umluft 160 °C) vorheizen. Die Hähnchenbeine kalt abspülen, trocken tupfen und die Haut zwei bis drei mal quer einschneiden. In eine Auflaufform oder direkt auf das Gitter des Backofens legen.
- Die Knoblauchzehen abziehen und pressen oder fein hacken. Knoblauch, Honig, Salz, Pfeffer und Paprikapulver mit etwas Wasser zu einer sämigen Marinade rühren. Die Hähnchenschenkel mit der Marinade von allen Seiten gut einpinseln.
- Die Hähnchenkeulen auf der mittleren Schiene im Backofen etwa 20 bis 30 Min. grillen. Zwischendurch zweimal wenden und dabei mit der restlichen Marinade einpinseln.
- **Beilage:** Curryreis oder Backkartoffeln und bunter Salat.

Knusprige Hähnchenhaut

Hähnchen und Pute sind die fettarmen Stars in der Geflügelfleischfamilie. Ohne Haut enthalten sie maximal 1 g Fett pro 100 g. Doch besonders beim Grillen sammelt sich direkt unter der Haut eine Menge Fett. Für viele ist aber gerade die knusprige Haut das Leckerste. Trotzdem, im Schnitt enthält Puten- oder Hähnchenfleisch selbst mit Haut nur etwa 5 bis 6 g Fett. Zur Herstellung einer Marinade rühren Sie einfach etwas Wasser mit Gewürzen an.

Hühnerfrikassee mit Spargel

Zutaten für 2 Portionen: *150 g Hühnerbrust, gegart (Rohgewicht 200 g), 2 gestr. TL Margarine, 3 TL Weizenmehl, Hühnerbrühe, Zitronensaft oder Weißwein, 200 g Spargelstücke (Dose)*

Nährwerte pro Portion

225 kcal, 24 g E, 10 g F, 7 g KH, 0,5 KE, 60 mg Chol, +g Ba

- Die gegarte Hühnerbrust in Stücke schneiden. Aus Margarine, Mehl und Hühnerbrühe eine Soße herstellen. Mit Zitronensaft oder Weißwein abschmecken.
- Spargel abtropfen lassen und mit dem Fleisch in die Soße geben, kurz aufkochen.

Putenspieße Zigeuner Art

Zutaten für 2 Portionen: *200 g Putenbrustfilet, 1 rote Paprikaschote, 1 mittelgroße Zucchini, 2 Zwiebeln, 2 EL Sonnenblumenöl, Salz, Pfeffer, frisch gemahlen, Paprikapulver, 1 kleine Dose Tomatenstücke (ca. 400 g), 1 TL eingelegter grüner Pfeffer, 4 EL eingelegte rote Paprikastreifen, flüssiger Süßstoff nach Geschmack, 1 – 2 TL gekörnte Gemüsebrühe, 1 EL Weizenmehl (10 g) Holzspieße*

Nährwerte pro Portion

290 kcal, 29 g E, 12 g F, 17 g KH, 0,5 KE, 60 mg Chol, 7 g Ba

- Das Putenbrustfilet kalt abspülen, trocken tupfen und in mittelgroße Würfel schneiden. Paprikaschote und Zucchini putzen und beides in mittelgroße – etwa in der Größe des Fleisches – Würfel schneiden. Die Zwiebeln abziehen und vierteln.
- 1 Esslöffel Öl mit Salz, Pfeffer und Paprikapulver in einer Tasse verrühren. Jeweils Fleisch, Paprika, Zucchini und Zwiebeln im Wechsel auf den Spieß stecken. Anschließend mit einem Pinsel die Gewürzmarinade auf den Spieß streichen.
- Das restliche Öl in einer beschichteten Pfanne erhitzen und die Putenspieße von jeder Seite scharf anbraten. Anschließend auf mittlerer Flamme weitere 5 bis 8 Min. anbraten. Die Spieße aus der Pfanne nehmen und die Dosentomaten zum Bratfett geben. Kurz aufkochen lassen und mit einer Gabel oder dem Kartoffelstampfer zerdrücken.
- Die Pfefferkörner und die eingelegten abgetropften Paprikastreifen zu den Tomaten in die Pfanne geben und auf mittlerer Stufe köcheln lassen. Mit den Gewürzen abschmecken und die Gemüsebrühe einrühren. Die Fleischspieße zurück in die Sauce geben und alles bei geschlossenem Deckel weitere 5 bis 8 Min. köcheln.
- Anschließend die Spieße aus der Sauce nehmen. Das Mehl mit wenig Wasser verrühren (am besten geht das in einem Schüttelbecher) und die Mischung in die kochende Sauce geben. Aufkochen lassen, bis die Sauce etwas andickt. Die Fleischspieße zusammen mit der Sauce servieren.
- **Beilage:** Zwiebelreis und Tomatensalat.

Teriyakihähnchen

*300 g Hähnchenbrust, 2 EL Teriyakisauce, 1 Zwiebel,
1 Mango (150 g Fruchtfleisch), 10 Kirschtomaten, 1 EL Sesamöl,
1 EL Sojasauce, Chili, gemahlen, Pfeffer, frisch gemahlen, wenig
Salz, flüssiger Süßstoff nach Geschmack, 1 EL Sesam*

Nährwerte pro Portion
280 kcal, 37 g E, 9 g F, 13 g KH, 1 KE, 100 mg Chol, 3 g Ba

▊ Die Hähnchenbrust kalt abspülen, trocken tupfen und in der
Teriyakisauce etwa 15 Min. marinieren. Die Zwiebel abziehen
und in Würfel schneiden. Die Mango schälen, entsteinen und
das Fruchtfleisch würfeln. Die Tomaten abspülen und halbieren.
▊ Das Sesamöl in einer Pfanne erhitzen und das Fleisch rundherum anbraten. Die Zwiebelwürfel dazugeben und mit anbraten.
Mit der Hähnchenbrustmarinade und der Sojasauce aufgießen
und 3 bis 5 Min. auf mittlerer Flamme köcheln lassen.
▊ Zum Schluss kurz die Mangowürfel und die halbierten Kirschtomaten in der Sauce erhitzen und alles mit etwas Chili, Pfeffer, ein wenig Salz und etwas Süßstoff abschmecken. Mit Sesam bestreut servieren.
▊ **Beilage:** Reis und ein asiatischer Gemüsesalat.

Teriyakisauce

Teriyaki ist eine sehr pikante asiatische Würzsauce. Sie schmeckt
süßlich-würzig, und mit ihr lassen sich Rind- und Geflügelfleisch,
aber auch Fisch und Meeresfrüchte marinieren und asiatisch verfeinern. Auch für Wokrezepte, zu Nudel- und Reisgerichten schmeckt
Teriyakisauce besonders köstlich. Die fett- und fast kalorienfreie
Sauce enthält fast kaum Kohlenhydrate und liefert als Gewürzzutat
keine BE/KE. Sie ist in asiatischen Lebensmittelgeschäften und in
Supermärkten mit Asiaabteilung erhältlich.

Ente

*Zutaten: 1 Ente (pro Portion 100 g Ente, mit Knochen 125 g),
Majoran, Salz, 1 Gemüsezwiebel (pro Portion 30 g)*

Nährwerte pro Portion
235 kcal, 18 g E, 17 g F, + g KH, 0 KE, 70 mg Chol, 0 g Ba

▊ Ente ausnehmen, waschen und abtrocknen. Das Innere der
Ente mit Majoran und Salz einreiben.
▊ Zwiebel pellen, in große Stücke schneiden, in das Innere der
Ente geben und die Öffnung verschließen. Die Ente in den Ton-
topf legen und weiterverarbeiten.

Hinweise zum Grillen

Gegrilltes Fleisch können Sie mit und ohne Verwendung von Fett
zubereiten. Bei fetteren Fleischstücken reicht es aus, wenn der
Grillrost kurz mit Öl eingepinselt wird. Magere Fleischstücke bleiben saftiger, wenn man sie von beiden Seiten mit Öl bestreicht.
Zum Grillen möglichst zartes und gut abgehangenes Fleisch
verwenden. Die Fleischstücke sollten von Sehnen und Haut befreit
sein und die gleiche Höhe haben. Das Grillgut wird in den vorgeheizten Grill gegeben, zwischendurch gewendet und erst nach dem
Grillen gesalzen.

Poularde

*Zutaten: 1 Poularde (100 g pro Portion, 125 g mit Knochen), Herz,
Leber, Magen, Tomaten (50 g pro Portion), Petersilie, Geflügelgewürz*

Nährwerte pro Portion
175 kcal, 20 g E, 10 g F, + g KH, 0 KE, 100 mg Chol, 0 g Ba

▊ Poularde ausnehmen, waschen, abtrocknen und innen mit Salz
einreiben.
▊ Die gewaschenen Innereien, in Viertel geschnittene Tomaten
und die Petersilie in die Poularde geben und verschließen.
▊ Die Poularde außerdem von außen leicht mit Geflügelgewürz
einreiben. Die weitere Zubereitung wie unter „Garen im Ton-
topf" beschrieben.

Fischgerichte

Längst ist Fisch zu einem Feinschmeckeressen geworden, das durch seine Geschmacksvielfalt überzeugt. Auch auf dem Küchenzettel des Diabetikers sollte Fisch nicht fehlen. Planen Sie möglichst ein- bis zweimal wöchentlich eine Fischmahlzeit ein. Denn Fisch ist eine hochwertige Eiweißquelle und einer der bedeutendsten Lieferanten für die gefäßschützenden Omega-3-Fettsäuren, Jod sowie zahlreiche Vitamine. Außerdem ist Fisch leicht verdaulich und gut bekömmlich. Er ist eine hervorragende Alternative für alle, die lieber auf Fleisch verzichten wollen.

Fisch – fang Dir einen!

Fisch lässt sich abwechslungsreich und schnell zubereiten. Außerdem zeichnet sich Fisch durch einen hohen Eiweiß- und geringen Energiegehalt aus. Der Fettanteil ist im Verhältnis zum Eiweißgehalt bei den meisten Fischarten gering. Bei uns werden am häufigsten Dorsch/Kabeljau, Seelachs/Köhler, Scholle, Rotbarsch, Heilbutt, Steinbutt und Forelle verwendet. Sie sind im Rahmen einer fettreduzierten Ernährung gut geeignet und zu bevorzugen.

Die Zubereitung von Fisch – gewusst wie

Das zeitaufwendige Ausnehmen, Filetieren, Kratzen und Portionieren von Fisch hat dem Verbraucher die Fischindustrie bzw. der Fischeinzelhandel abgenommen. Heute bekommt man Frischfisch und tiefgefrorenen Fisch küchenfertig vorbereitet, d.h. im Stück, als Portion oder Filet. Tiefgekühlter Fisch ist auch als gepresste Tafel oder vorgefertigtes Gericht im Handel.

- Frischfisch sollte nicht länger als 24 Stunden im Kühlschrank aufbewahrt werden. Die Lagerdauer von tiefgefrorenem Fisch liegt für magere Fische bei 5 bis 7 Monaten, für fette Fische bei 2 bis 4 Monaten und für Fischfilet bei 3 bis 5 Monaten.
- Grundregel für die Zubereitung von Fisch ist das 3-S-System:
- Säubern: Fisch wird grundsätzlich unter fließendem kaltem Wasser gewaschen und mit Küchenkrepp getrocknet (bei tiefgefrorenem Fisch, der ohne Auftauen weiterverwendet wird, entfällt das Waschen).
- Säuern: Zur Geschmacksverbesserung den Fisch mit Essig oder Zitrone beträufeln und 10 Min. einziehen lassen. Das Fischfleisch wird fester und der Geruch gemildert.
- Salzen: Fisch wird erst kurz vor dem Zubereiten gesalzen, denn Salz entzieht dem Fisch Wasser.

Mit einer Reihe von Gewürzen und Würzmischungen wie Tabasco, Cayennepfeffer, Fischgewürz (bitte nicht zusätzlich salzen), Curry, Senf, Worcester- und Sojasoße kann man den Geschmack des Fisches variieren.

Braten von Fisch

Das Braten von Fisch mit wenig Fett, wie bei der diabetesgerechten Ernährung empfohlen, ist schwierig. Aus diesem Grund ist bei den Rezepten nach der Zubereitungsart „Braten" eine höhere Fettmenge angegeben als sonst.

Der niedrige Fettgehalt der Fische rechtfertigt wiederum die Erhöhung der Bratfettmenge.

Verwenden Sie eine Fett sparende, beschichtete Pfanne, die der Größe des Fisches angepasst ist. Den vorbereiteten, gut abgetrockneten Fisch von beiden Seiten in dem nicht zu heißen Fett braten. Geben Sie etwas Wasser dazu, wenn das Fett aufgebraucht und der Fisch noch nicht gar ist. Dieser

Vorgang kann wiederholt werden. Der Bratprozess erfordert volle Aufmerksamkeit!

Dünsten und Überbacken von Fisch

Dünsten ist Garen in wenig Flüssigkeit und Fett. Flüssigkeit kann zugegeben werden oder aus dem Gargut kommen.

Eine Auflaufform oder einen kleinen Topf mit Fett auspinseln. Die Zutaten, wie in den Rezepten beschrieben, dazugeben und zugedeckt im vorgeheizten Backofen (200 °C) oder bei kleiner Flamme auf dem Herd gar dünsten.

Beim Überbacken schieben Sie die Auflaufform oder den Topf ohne Deckel in den auf 200 °C vorgeheizten Backofen oder Grill.

Scholle, gebraten

Zutaten für 2 Portionen: *2 kleine bis mittlere, küchenfertige Schollen (je 250 g mit Gräten), Essig oder Zitrone, Fischgewürz oder Salz, 4 TL Öl, 20 g durchwachsener Speck*

Nährwerte pro Portion

320 kcal, 35 g E, 20 g F, 0 g KH, 0 KE, 135 mg Chol, 0 g Ba

▌ Die Schollen säubern, säuern und würzen.
▌ Das Öl und den gewürfelten Speck in einer beschichteten Pfanne erhitzen und die Schollen darin von beiden Seiten braten, evtl. Wasser dazugeben.

Tipp

Sie können die Scholle auch paniert zubereiten. Ersetzen Sie dann den Speck durch 2 Teelöffel Öl. Paniermehl bitte in die Kohlenhydratberechnung einbeziehen (15 g = 1 KE).

Fisch auf Gemüse

Zutaten für 2 Portionen: *300 g Seelachsfilet, Essig oder Zitrone, 2 Messerspitzen Senf, Fischgewürz oder Salz, 150 g Porree, 50 g Möhren, 50 g Sellerie, 2 TL Öl, 5 EL Wasser/Brühe, Würzmittel, Salz*

Nährwerte pro Portion

200 kcal, 30 g E, 7 g F, 4 g KH, 0 KE, 106 mg Chol, 3 g Ba

▌ Seelachs säubern, säuern und würzen. Gemüse putzen, waschen und in dünne Streifen schneiden.
▌ Öl in einer Auflaufform erhitzen, das Gemüse darin andünsten, Wasser/Brühe dazugeben und abschmecken.
▌ Den Fisch zum Gemüse geben und zugedeckt im vorgeheizten Backofen bei 200 °C garen.

Seelachs, gebraten

Zutaten für 2 Portionen: *300 g Seelachsfilet, Essig oder Zitrone, Fischgewürz oder Salz, Worcestersoße, 4 TL Öl*

Nährwerte pro Portion

210 kcal, 27 g E, 11 g F, 0 g KH, 0 KE, 106 mg Chol, 0 g Ba

▌ Seelachs säubern, säuern und würzen.
▌ Öl in einer der Größe der Fischmenge angepassten, beschichteten Pfanne erhitzen und das Seelachsfilet darin von beiden Seiten braten, evtl. Wasser dazugeben.
▌ Sie können das Filet auch panieren, 15 g Paniermehl entsprechen 1 KE.

Tipp

Essen Sie zweimal die Woche Fisch. Das leicht verdauliche Eiweiß und die wichtigen Omega-3-Fettsäuren machen ihn zu einem wertvollen Lebensmittel. Geben Sie dabei den gegrillten, gekochten oder gedünsteten Eiweißlieferanten den Vorzug vor paniertem und frittiertem Fisch. In der Panade sind sie nämlich gespeichert, die dick machenden Bratfette.

Allgäuer Fisch

Zutaten für 2 Portionen: *300 g Kabeljau- bzw. Dorschfilet, Essig oder Zitrone, Fischgewürz oder Salz, 2 gestr. TL Tomatenmark, 2 gestr. TL Butter/Margarine, 100 g Tomatenscheiben, 40 g Schweizer Käse (45 % Fett i. Tr.), 2 EL Wasser*

Nährwerte pro Portion

240 kcal, 33 g E, 11 g F, 2 g KH, 0 KE, 101 mg Chol, + g Ba

▌ Fischfilet säubern, säuern und würzen, auf der Innenseite mit Tomatenmark bestreichen und zusammenklappen oder aufrollen.
▌ Eine Auflaufform ausfetten, den Fisch hineingeben, mit Tomaten- und Käsescheiben belegen und Wasser hinzufügen.
▌ Im vorgeheizten Backofen bei 200 °C garen und überbacken.

Beilage: Kartoffel-Walnuss-Bratlinge

Zutaten für 2 Portionen: *260 g Kartoffelschnee (4 KE), 30 g Haferflocken (2 KE), 1 Ei, 2 TL 20 %iger Schmant, 2 geh. TL fein geriebene Walnüsse, 2 TL Schnittlauchröllchen, Muskat, Salz, 4 TL Öl*

Nährwerte pro Portion

320 kcal, 9 g E, 18 g F, 30 g KH, 3 KE, 110 mg Chol, 4 g Ba

- Die gekochten Kartoffeln abgießen, durchpressen und erkalten lassen.
- Alle Zutaten gut miteinander vermengen und 30 Min. stehen lassen.
- Danach 6 gleich große, flache Bratlinge formen und in heißem Öl in einer beschichteten Pfanne hellbraun braten.

Tipp

Sie lieben geschmolzene Butter oder helle Saucen zu Ihrem Fisch? Eine kaloriensparende Variante ist die Tomatensauce. Gerade zu gedünstetem Fisch ist die vitaminreiche Sauce vorzüglich geeignet. Wer es fein mag, streicht die Sauce durch ein Sieb, wer mehr auf Sauce mit Biss steht, mischt noch einige Tomatenstücke unter.

Fisch in Weißwein

Zutaten für 2 Portionen: *300 g Rotbarschfilet, Essig oder Zitrone, Fischgewürz oder Salz, Worcestersoße, 2 gestr. TL Butter/ Margarine, 2 geh. EL Zwiebelwürfel, 4 EL Weißwein, trocken, 3 EL Wasser Andickungspulver, 2 TL 10 %ige saure Sahne gehackte Petersilie*

Nährwerte pro Portion

230 kcal, 28 g E, 10 g F, 1 g KH, 0 KE, 71 mg Chol, 0 g Ba

- Rotbarsch säubern, säuern und würzen.
- Fett in einer Auflaufform erhitzen, Zwiebelwürfel andünsten, mit Weißwein und Wasser auffüllen.
- Das aufgerollte Fischfilet dazugeben und zugedeckt im vorgeheizten Backofen bei 200 °C garen.
- Den Fischsud mit Andickungspulver binden und mit der Sahne verfeinern. Beim Anrichten mit gehackter Petersilie bestreuen.

Heilbuttschnitte mit Quark-Kräuter-Butter

Zutaten für 2 Portionen: *400 g Heilbutt, küchenfertig, mit Gräten, Essig oder Zitrone, Fischgewürz oder Salz, ca. ½ l Wasser, Salz, 1 Zitronenscheibe, 40 g Quark-Kräuter-Butter*

Nährwerte pro Portion

220 kcal, 37 g E, 7 g F, 0 g KH, 0 KE, 85 mg Chol, 0 g Ba

- Heilbutt säubern, säuern und würzen.
- Wasser mit Salz und Zitronenscheibe zum Kochen bringen. Den Fisch hineingeben und gar ziehen lassen.
- Beim Servieren die Quark-Kräuter-Butter auf einem Salatblatt anrichten.

Portugiesischer Fisch

Zutaten für 2 Portionen: *300 g Seelachsfilet, Essig oder Zitrone, Fischgewürz oder Salz, Worcestersoße, 30 g durchwachsener Speck, gewürfelt, 2 geh. EL Zwiebelwürfel, 1 gestr. EL Tomatenmark, 3 EL Gewürzgurken, gewürfelt, 5 EL Wasser/Brühe*

Nährwerte pro Portion

235 kcal, 30 g E, 11 g F, 3 g KH, 0 KE, 120 mg Chol, 0 g Ba

- Seelachs säubern, säuern und würzen.
- Speck und Zwiebeln in einer Auflaufform andünsten. Tomatenmark, Gewürzgurken und Wasser dazugeben und miteinander verrühren. Das zusammengeschlagene Fischfilet auf die Masse legen und im vorgeheizten Backofen bei 200 °C zugedeckt gar ziehen lassen.

Tipp

Ob Süß- oder Salzwasserfische – die perfekten Fitmacher überzeugen durch eine nahezu grenzenlose Vielfalt. Panade hebt dabei häufig den Geschmack hervor. Dabei muss es nicht die kalorienreiche klassische „Wiener Variante" aus Mehl, Ei und Semmelbröseln sein. Bestäuben Sie den Fisch einmal mit wenig Mehl und braten ihn in der Pfanne kurz an. So bleibt er schön saftig. Kräuter wie Rosmarin und Salbei geben den letzten Pfiff.

Dorsch mit Senfsoße

Zutaten für 2 Portionen: *400 g Dorsch bzw. Kabeljau, küchenfertig, mit Gräten, Essig oder Zitrone, Fischgewürz oder Salz, ca. ½ l Wasser, 2 Pfefferkörner, ½ Lorbeerblatt, 40 g Zwiebel, Essig, Salz, 2 gestr. TL Margarine, 3 TL Weizenmehl Type 405 (1 KE), Senf*

Nährwerte pro Portion

200 kcal, 32 g E, 5 g F, 6 g KH, 0,5 KE, 82 mg Chol, + g Ba

▌ Fisch säubern, säuern und würzen.
▌ Wasser und Gewürze zum Kochen bringen. Den Fisch hineingeben und auf kleiner Flamme gar ziehen lassen.
▌ Aus Margarine, Mehl und Flüssigkeit eine Soße herstellen und mit Senf abschmecken.

Fischklößchen Helgoland

Zutaten für 2 Portionen: *3–4 EL Zitronensaft, Salz, 400 g Seelachsfilet (tiefgekühlt), Pfeffer, frisch gemahlen, 1 Packung Dill (tiefgekühlt), 1 Ei, 2 EL Magerquark, 1 EL Paniermehl (15 g), 3 EL Cornflakes (15 g), 2 EL Rapsöl, 75 ml fettreduzierte Sahne (z. B. „Cuisine" von Alpro), 1 EL Weizenmehl (20 g)*

Nährwerte pro Portion

525 kcal, 47 g E, 27 g F, 23 g KH, 1,5 KE, 200 mg Chol, 1 g Ba

▌ Etwas Wasser mit etwas Zitronensaft und wenig Salz in einen Topf geben, einmal aufkochen und den tiefgekühlten Seelachs in das Wasser geben und auftauen lassen. Anschließend den weichen Fisch aus dem Sud nehmen, gut abtropfen lassen und mit einem Pürierstab zu feinem Mus pürieren.
▌ Mit Zitronensaft, Salz, Pfeffer, Dill, Ei, Quark und Paniermehl zu einer Fischfarce verarbeiten und noch einmal abschmecken. Noch einmal abschmecken und aus der Masse kleine, gleich große Bällchen formen.
▌ Die Cornflakes in der Küchenmaschine zu feinem Mehl zermahlen oder je nach Geschmack in einem Mörser zu grobem Mehl zerbröseln. Die Fischbällchen im Cornflakesmehl wälzen. Das Öl in einer beschichteten Pfanne erhitzen und die Fischbällchen rundherum bei mittlerer Hitze braten. Die Brattemperatur nicht zu hoch wählen, denn die Fischbällchen verbrennen sehr schnell.
▌ Für die Sauce 75 ml Wasser und die Sahne in einen Topf geben. Mit dem restlichen Zitronensaft, Salz und Pfeffer abschmecken und aufkochen lassen. Das Mehl mit wenig Wasser glatt rühren und in die kochende Flüssigkeit geben und dabei kräftig umrühren. Falls nötig, noch einmal abschmecken.
▌ Einen Saucenspiegel auf zwei Teller gießen und die Klößchen daraufsetzen. Die restliche Sauce separat reichen, damit die goldbraun gebratenen Klößchen appetitlich zur Geltung kommen.
▌ **Beilage:** Kartoffeln und frischer Blattspinat.

Fettarm kochen mit „Cuisine"

Es muss nicht immer Sahne sein, die eine Sauce oder Suppe cremig macht. Die Pflanzensahne „Cuisine" von Alpro Soja wird aus Sojabohnen hergestellt, ist cholesterinfrei, enthält hochwertige pflanzliche Öle mit einem hohen Anteil an ungesättigten Fettsäuren und ist weitaus fettärmer (17 % Fett/100 g) als Sahne, Crème fraîche und Co. Erhältlich ist die Pflanzensahne „Cuisine" in Supermärkten bei den Sojamilchprodukten, die nicht im Kühlregal stehen.

Fischsuppe mit Gemüse

Zutaten für 2 Portionen: *2 Zwiebeln, 1 Stange Lauch, 2 Karotten, ½ Sellerieknolle, 1 EL Rapsöl, Kräuter-Jodsalz, 150 g Seelachsfilet, 150 g Kabeljaufilet, Weißweinessig, 1 – 2 TL gekörnte Gemüsebrühe, 100 g Krabben, verzehrfertig, Salz, Pfeffer, frisch gemahlen, 1 Packung gemischte Kräuter (tiefgekühlt)*

Nährwerte pro Portion

300 kcal, 39 g E, 10 g F, 14 g KH, 0 KE, 140 mg Chol, 10 g Ba

▌ Die Zwiebeln abziehen und würfeln. Die Lauchstange längs halbieren, abspülen und in mitteldicke Ringe schneiden. Die Karotten schälen, halbieren und in dünne Scheiben schneiden. Die Sellerieknolle schälen und in mittelgroße Würfel oder Streifen schneiden.

▌ Das Öl in einer Pfanne erhitzen und das Gemüse darin kräftig anbraten und anschließend mit Kräuter-Jodsalz würzen. Etwa 5 Min. auf mittlerer Flamme weitergaren. Seelachs- und Kabeljaufilet kalt abspülen, trocken tupfen, mit dem Essig beträufeln, wenig salzen und in mittelgroße Stücke schneiden.

▌ ½ l Wasser in einem Topf erhitzen, die gekörnte Gemüsebrühe darin auflösen und das angebratene Gemüse in die Brühe geben. Auf mittlerer Flamme 10 bis 15 Min. garen. Die Krabben und die Fischstücke vorsichtig in die Suppe geben und den Fisch in der Brühe gar ziehen lassen. Zum Abschluss die Suppe mit Salz und Pfeffer abschmecken und die gemischten Tiefkühlkräuter in die Suppe rühren.

Tipp

Bereiten Sie direkt eine komplette Mahlzeit aus der Fischsuppe zu. Wenn Sie gekochten Reis oder Kartoffeln vom Vortag haben, können Sie diese entsprechend Ihrer BE/KE kurz vor Ende der Garzeit in die Suppe geben. Oder Sie kochen klein geschnittene Kartoffeln oder Reis entsprechend Ihrer BE/KE-Menge direkt in der Suppe mit.

Currykabeljau

Zutaten für 2 Portionen: *400 g Kabeljaufilet (frisch oder tiefgekühlt), 2 EL Zitronensaft, Kräuter-Jodsalz, Pfeffer, frisch gemahlen, 2 Zwiebeln, Curry, 2 TL gekörnte Gemüsebrühe, 2 EL fettreduzierter Reibkäse (max. 30 % F. i. Tr.)*

Nährwerte pro Portion

190 kcal, 38 g E, 3 g F, 3 g KH, 0 KE, 1 mg Chol, 1 g Ba

▌ Den Backofen auf 180 °C (Gas Stufe 2 bis 3, Umluft 160 °C) vorheizen. Das Fischfilet kalt abspülen (bei tiefgekühltem Fisch entfällt dieser Arbeitsschritt), trocken tupfen, mit Zitronensaft beträufeln und mit wenig Kräuter-Jodsalz und Pfeffer würzen.

▌ Die Zwiebeln abziehen und in mitteldicke Ringe schneiden. Die Fischfilets in eine Auflaufform legen, die Zwiebelringe darauf verteilen und mit Curry bestäuben. 250 ml Wasser mit der Gemüsebrühe und etwas Curry mischen und über den Fisch gießen. Zum Schluss den geriebenen Käse über dem Fisch verteilen.

▌ Auf mittlerer Schiene im Backofen 15 bis max. 25 Min. überbacken. Den Fisch aus dem Sud nehmen, gut abtropfen lassen und darauf achten, dass er nicht auseinanderbricht.

▌ **Beilage:** Risotto mit Erbsen und Endiviensalat.

Kabeljau

Kabeljau – auch Dorsch genannt – gehört zur Gruppe der mageren Seefische. Er ist für alle Garmethoden geeignet und schmeckt sehr gut in Verbindung mit Sauce oder Sud. In getrockneter Form heißt er Stock- oder Klippfisch und wird bevorzugt in Mittelmeerländern gegessen. Die Leber des Kabeljaus ist sehr kostbar: Aus ihr stammt der Vitamin-D-reiche Lebertran.

Sesamrotbarsch aus dem Wok

Zutaten für 2 Portionen: 4 Schalotten, 1 rote Paprika, 1 mittelgroße Zucchini, 200 g Sojasprossen, 2 EL Erdnussöl, etwas Zitronengras, getrocknet, 3 EL Asia-Jodsalz, Pfeffer, frisch gemahlen, flüssiger Süßstoff nach Geschmack, Sojasauce, 400 g Rotbarschfilet, Zitronensaft, Salz, 1 EL Weizenmehl (10 g), 50 g Paniermehl, 1 EL Sesam, 1 Ei

Nährwerte pro Portion

600 kcal, 51 g E, 27 g F, 38 g KH, 2 KE, 200 mg Chol, 9 g Ba

▌ Die Schalotten abziehen und fein würfeln. Die Paprikaschote putzen, abspülen und in feine Streifen schneiden. Die Zucchini putzen und abspülen, halbieren und in feine Scheiben schneiden. Wasser in einem Topf zum Kochen bringen, die Sojabohnenkeimlinge darin kurz blanchieren und auf einem Sieb abtropfen lassen.

▌ 1 Esslöffel Erdnussöl im Wok erhitzen und darin die Schalotten, Paprika und Zucchini anbraten. Zum Schluss die Sojabohnenkeimlinge zufügen und alles etwa 5 Min. dünsten. Das getrocknete Zitronengras zum Gemüse geben, mit Asia-Jodsalz, Pfeffer und etwas flüssigem Süßstoff würzen und mit etwas Sojasauce ablöschen.

▌ Das Gemüse aus dem Wok nehmen und warm stellen. Den Rotbarsch kalt abspülen, trocken tupfen, mit Zitronensaft säuern und mit wenig Salz und Pfeffer würzen. Das Mehl in einen Suppenteller geben. Paniermehl und Sesam mischen und in einen zweiten Suppenteller füllen. Das Ei in einem tiefen Teller verquirlen.

▌ Den gewürzten Fisch zuerst in Mehl, dann in Ei und zum Schluss in der Sesam-Paniermehl-Mischung wenden. Das restliche Öl im Wok erhitzen und den panierten Fisch von jeder Seite etwa 5 Min. braten. Das Gemüse auf Tellern anrichten und den frisch gebratenen Fisch daraufgeben.

▌ **Beilage:** Reis oder gebratene Nudeln.

Asiatischer Fisch in Kokosmilch

Zutaten für 2 Portionen: 400 g Seelachsfilet (tiefgekühlt), 2 EL Zitronensaft, Asia-Jodsalz, Pfeffer, frisch gemahlen, 1 kleine Dose Kokosmilch (400 ml), 1 TL rote Currypaste, 1 – 2 TL gekörnte Gemüsebrühe, 400 – 500 g asiatisches Tiefkühlgemüse (ohne Fett und Gewürze)

Nährwerte pro Portion

205 kcal, 39 g E, 3 g F, 5 g KH, 0 KE, 40 mg Chol, 4 g Ba

▌ Den Backofen auf 180 °C (Gas Stufe 2 bis 3, Umluft 160 °C) vorheizen. Den Fisch säuern und mit wenig Asia-Jodsalz bestreuen und leicht pfeffern. Die Kokosmilch mit etwas Pfeffer, der roten Currypaste und der Gemüsebrühe mischen und abschmecken.

▌ Das Tiefkühlgemüse in eine Auflaufform geben und den Fisch auf das Gemüse legen. Mit der Kokosmilch übergießen. Auf mittlerer Schiene im Backofen 30 bis 45 Min. garen.

▌ **Beilage:** Basmatireis, denn er vereint sich perfekt mit der würzig-scharfen Kokossauce.

▌ **Variante:** Wenn Sie kein Fischfreund sind oder keinen Fisch vorrätig haben, dann lassen sich auch sehr gut Hähnchenbrust oder Tofu mit den Zutaten des Rezeptes kombinieren.

Kokosmilch

Kokosnussmilch wird aus gepresstem Kokosfleisch und Wasser hergestellt. Sie ist sehr cremig und daher ein guter Sahneersatz. Kokosmilch wird in Dosen zu 400 ml in Asia-Abteilungen von Supermärkten angeboten. Besonders preisgünstig ist Kokosmilch in asiatischen Lebensmittelgeschäften. Es lohnt sich auch, einen Vorrat anzulegen, denn ungeöffnet ist eine Dose Kokosmilch mindestens ein Jahr haltbar. Geschmacklich ist sie zudem vielseitig einsetzbar, z. B. zu Fisch und Geflügel, aber auch als Grundlage für köstlichen Milchreis. Auch ihre Nährwerte können sich sehen lassen: 100 ml Kokosmilch liefern im Schnitt etwa 1 g Fett und maximal 2 g Kohlenhydrate, dazu ist sie als rein pflanzliches Produkt cholesterinfrei.

Fischspieße Pomodoro

Zutaten für 2 Portionen: *400 g Steinbeißerfilet, 2 EL Zitronensaft, Kräuter-Jodsalz, 2 Zwiebeln, ½ Packung Petersilie (tiefgekühlt), 1 Knoblauchzehe, 2 EL Tomatenmark, Pfeffer, frisch gemahlen, flüssiger Süßstoff nach Geschmack, 2 EL Olivenöl, 4 Holzspieße*

Nährwerte pro Portion

300 kcal, 37 g E, 14 g F, 6 g KH, 0 KE, 160 mg Chol, 1 g Ba

▌ Das Steinbeißerfilet kalt abspülen und trocken tupfen. Mit Zitronensaft beträufeln und mit etwas Kräuter-Jodsalz bestreuen. Die Zwiebeln abziehen und vierteln. Das Fischfilet in mittelgroße Würfel schneiden und abwechselnd mit den Zwiebelvierteln auf Holzspieße stecken.

▌ Die Petersilie in eine Schale geben. Die Knoblauchzehe abziehen, sehr fein hacken oder zerdrücken. Mit dem Tomatenmark zur Petersilie geben und verrühren. Leicht salzen und pfeffern, nach Geschmack Süßstoff hinzufügen und 1 Esslöffel Olivenöl in die Paste rühren.

▌ Das restliche Öl in einer beschichteten Pfanne erhitzen und die Spieße von allen Seiten anbraten. Mit der Tomatenpaste vorsichtig einpinseln und auf mittlerer Flamme etwa 4 bis 5 Min. weiterbraten.

Steinbeißer – ein besonderer Fisch

Dieser nordatlantische Fisch ist auch unter dem Namen Klipp-, Kat-, Austernfisch oder Seewolf bzw. Wolfsfisch bekannt. Er hat ein delikates, sehr festes, fettarmes Fleisch, das sich besonders gut für Spieße eignet. Ähnlich verhält es sich mit frischem Thunfisch (Bonito). Der Steinbeißer ist kein Massenprodukt, und Sie finden Ihn deshalb vorwiegend im Fischfachgeschäft oder an der Frischfischtheke im Supermarkt. Preislich liegt er im etwas höheren Bereich. Eine Steinbeißerportion von etwa 200 g Frischfisch liefert im Schnitt etwa 120 Kalorien, 16 g Eiweiß, 3 bis 6 g Fett (ist also ein Magerfisch) und, wie andere Fische auch, keine Kohlenhydrate.

Red Snapper im Spinatbett

Zutaten für 2 Portionen: *400 g Blattspinat (tiefgekühlt), 1 kleines Stück Ingwer, 1 Zwiebel, 1 EL Olivenöl, Knoblauch-Jodsalz, Pfeffer, frisch gemahlen, Muskatnuss, frisch gerieben, 2 EL Sojasauce, 400 g Red-Snapper-Filet, Limettensaft, 1 TL schwarzer Sesam*

Nährwerte pro Portion
265 kcal, 43 g E, 9 g F, 3 g KH, 0 KE, 145 mg Chol, 6 g Ba

▌ Den Blattspinat auftauen. Ingwer schälen und fein hacken oder auf einer Reibe grob reiben. Die Zwiebel abziehen und fein würfeln. Die Hälfte des Öls in einer beschichteten Pfanne erhitzen. Zwiebeln und Ingwer darin anbraten. Den Blattspinat zugeben, mit Knoblauch-Jodsalz, Pfeffer, Muskat und Sojasauce würzen. Aus der Pfanne nehmen und warm stellen.

▌ Den Fisch kalt abspülen, trocken tupfen, mit Limettensaft säuern, etwas salzen und pfeffern. Das restliche Öl in der Pfanne erhitzen und das Fischfilet von allen Seiten anbraten und etwa 5 Min. garen. Das Gemüse auf zwei Tellern portionieren, den gebratenen Red Snapper daraufgeben und mit dem schwarzen Sesam bestreut servieren.

▌ **Beilage:** Reis oder frisches Fladenbrot mit fettarmem Naturjoghurt.

Tipp

Schwarzer Sesam liefert mehr Vitamine und Mineralstoffe als weißer, geschälter Sesam. Wenn Sie keinen schwarzen Sesam alleine verwenden möchten, mischen Sie die gesunden Samen mit weißen.

Red Snapper: exotischer Name – exotischer Fisch?

Das Fleisch des karibischen Red Snapper ist schön fest und lässt sich prima braten oder grillen. Er eignet sich ideal für all diejenigen, die Fisch mit wenigen Gräten bevorzugen. Er ist besonders einfach zu essen. Bekommen Sie keinen Red Snapper im Fischgeschäft oder an der Fischtheke im Supermarkt, können Sie auch auf Wolfsbarsch oder Steinbeißerfilet zurückgreifen.

Fisch professionell zubereiten

Frischen Fisch nach der 3-S-Regel zubereiten
Damit frischer Fisch garantiert gelingt und schmeckt, gehen Sie bei der Zubereitung nach der so genannten 3-S-Regel vor. Sie steht für Säubern, Säuern und Salzen. Zuerst wird der frische Fisch nach dem Ausnehmen unter kaltem Wasser abgespült und dann getrocknet und anschließend mit Zitronensaft oder Essig beträufelt. Dadurch wird das Fischfleisch fest und weiß. Zudem gerinnt das Eiweiß, und der Fischgeruch wird gebunden. Salzen Sie den Fisch erst kurz vor der Zubereitung. Denn das Salz entzieht dem Bindegewebe Wasser, wodurch sich der Geschmack intensiviert. Passende Kräuter zum Fisch sind Basilikum, Dill und Thymian. An Gewürzen eignen sich besonders Knoblauch, Pfeffer, Curry, Senf, Ingwer und sogar eine Prise Zimt, wenn Sie es orientalisch mögen. Wenn Sie sich für Tiefkühlfisch entscheiden, entfällt das Abspülen bei der 3-S-Regel.

Tipps zum Fischkauf
Frischen Fisch erkennen Sie an seinen Augen. Sind sie klar und prall, ist der Fisch frisch. Er hat eine metallisch glänzende Haut mit fest sitzenden Schuppen, ohne Druckstellen und Verletzungen. Frischer Fisch sollte an allen Stellen, an denen sein Blut sichtbar wird – an den Kiemen und der Innenseite der Bauchhöhle –, leuchtend rot sein. Verlassen Sie sich auch auf Ihre Nase und machen den Schnuppertest. Frischer Fisch duftet nach Meer, Jod und Algen.

Gesund und figurfreundlich
Fisch ist ein hochwertiger Eiweiß- und Jodlieferant. Aber auch in puncto Kalorien kann er sich sehen lassen. Magerfische mit einem Fettgehalt unter 10 g pro 100 g liefern in einer Portion im Schnitt 150 bis 180 Kalorien und fette Fische in dieser Menge etwa 250 bis 350 Kalorien. Alle Fische zählen zu den BE/KE-freien Lebensmitteln. Wenn Sie gerne abnehmen möchten, sollten Sie fettarme Fischmahlzeiten einplanen.

Desserts und Süßspeisen

Appetit auf Süßes? Auch Diabetiker dürfen Süßes essen, wenn sie die richtigen Zutaten wählen und die Leckereien in ihren Tagesplan einbauen. Süßspeisen runden den Mittagstisch ab, sind aber auch für kleine Zwischengerichte geeignet. Gesüßt wird mit flüssigem Süßstoff. Lassen Sie sich von den süßen Köstlichkeiten auf den folgenden Seiten verführen.

Süßspeisen – Genuss ohne Reue

Den Abschluss eines guten Essens bildet zweifellos eine gelungene Süßspeise. Aber auch zwischendurch sind diese kleinen Leckereien eine willkommene Abwechslung. Einige Rezepte eignen sich auch für eine süße Hauptmahlzeit. Alle Gerichte werden ganz einfach mit Süßstoff anstelle mit Zucker gemacht.

Zur Herstellung von Süßspeisen ist allgemein Folgendes zu sagen: Die Zutaten sind meistens für 2, manchmal für 4 Portionen oder pro Rezept angegeben. Die Nährstoffangaben beziehen sich auf eine Portion, entsprechend 0,5 KE bzw. 1 KE.

Süßspeisen runden das Mittagessen ab. Dieses Kapitel enthält neben einer Vielzahl von anzurechnenden Süßspeisen auch diverse Auswahlmöglichkeiten an Süßspeisen ohne KE-Berechnung. Zum Süßen eignet sich am besten flüssiger Süßstoff. Er ist leicht zu dosieren und wird im Gegensatz zu Zuckeraustauschstoffen nicht in die Berechnung einbezogen. Flüssiger Süßstoff sollte jedoch nur in kleinen Schritten dosiert werden, denn er ist stark und konzentriert.

Statt 1,5 % fettarmer Milch, wie in den Rezepten vorgesehen, kann auch Vollmilch mit einem Fettgehalt von 3,5 % verwendet werden. Die für die übliche Herstellung von Süßspeisen vorgesehenen Eier sind in den Vorschlägen zum größten Teil durch Eiweiß ersetzt worden. Unter Berücksichtigung dieser Angaben braucht auf eine köstliche Nachspeise nicht verzichtet zu werden.

Pudding ist ein Hochgenuss

Pudding ist warm und pur ein Hochgenuss. Er eignet sich aber auch als Zutat für leckere Füllungen in Kuchen und Süßspeisen. Sie können Pudding ganz einfach und preisgünstig selbst kochen, ohne auf Diätprodukte zurückgreifen zu müssen. Dazu brauchen Sie herkömmliches Kochpuddingpulver (Vanille, Schoko, Mandel, Sahne oder Erdbeere), Milch und flüssigen Süß-

stoff. ½ l Milch wird nach Packungsanweisung erhitzt und ein kleiner Teil davon mit dem Puddingpulver angerührt. Den Zucker aus dem Rezept ersetzen Sie durch flüssigen Süßstoff. So liefert Ihnen das ganze Rezept 4,6 BE. Wenn Sie Puddingpulver auswählen, achten Sie darauf, dass er zum Kochen geeignet ist, und zur Sicherheit lohnt auch ein Blick auf die Zutatenliste des Produktes.

Fruchtcremes

Fruchtcremes sind Süßspeisen von besonders feiner Beschaffenheit, die durch Gelatine gesteift und durch Eischnee und evtl. Eigelb gelockert werden. Sie gehören zur Art der kalt gerührten Cremes und werden im Allgemeinen nicht gestürzt.

Zubereitung

▌ Die gegarten Früchte und die Kompottflüssigkeit mit flüssigem Süßstoff abschmecken.

▌ Bei Aprikosen, Brombeeren, Pfirsichen und Stachelbeeren empfiehlt es sich, die Früchte zu pürieren.

▌ Die Gelatine in reichlich kaltem Wasser ausquellen lassen, ausdrücken und im Wasserbad oder bei geringer Energiezufuhr auf dem Herd unter Rühren auflösen (nicht kochen lassen).

▌ Es empfiehlt sich, zuerst die aufgelöste Gelatine mit etwas Flüssigkeit der Speise zu verrühren, bevor sie in die gesamte Creme eingerührt wird. Die Masse danach kalt stellen.

▌ Wenn die Creme anfängt zu gelieren, d. h. dass beim Durchziehen eines Schneebesens eine Spur sichtbar bleibt, das steifgeschlagene Eiweiß (und evtl. das schaumig gerührte Eigelb) unterziehen.

▌ Die Creme in ein Schälchen geben und abermals kühl stellen.

Aprikosencreme

Zutaten für 2 Portionen: 240 g Aprikosen, püriert, ungesüßt bzw. mit Süßstoff gesüßt, 4 EL Kompottflüssigkeit, 2 EL Wasser, Süßstoff nach Geschmack, 6 g Gelatine (3 Blatt), 1 Eiweiß

Pfirsichcreme

Zutaten für 2 Portionen: 220 g Pfirsiche, püriert, ungesüßt bzw. mit Süßstoff gesüßt, 4 EL Kompottflüssigkeit, 2 EL Wasser Süßstoff nach Geschmack, 6 g Gelatine (3 Blatt), 1 Eiweiß

Kirschcreme

Zutaten für 2 Portionen: 200 g Sauerkirschen, ungesüßt bzw. mit Süßstoff gesüßt, 4 EL Kompottflüssigkeit, 2 EL Wasser Süßstoff nach Geschmack, 4 g weiße Gelatine (2 Blatt), 2 g rote Gelatine (1 Blatt), 1 Eiweiß

Orangencreme

Zutaten für 2 Portionen: 220 g Orangensaft, frisch gepresst, 4 EL Wasser, Süßstoff nach Geschmack, 6 g Gelatine (3 Blatt), 1 Eiweiß,

Brombeercreme

Zutaten für 2 Portionen: 320 g Brombeeren, ungesüßt bzw. mit Süßstoff gesüßt, 6 EL Kompottflüssigkeit, Süßstoff nach Geschmack, 4 g weiße Gelatine (2 Blatt), 4 g rote Gelatine (2 Blatt), 1 Eiweiß

Himbeercreme

Zutaten für 2 Portionen: 420 g Himbeeren, ungesüßt bzw. mit Süßstoff gesüßt, 6 EL Kompottflüssigkeit, Süßstoff nach Geschmack, 6 g weiße Gelatine (3 Blatt), 4 g rote Gelatine (2 Blatt), 1 Eiweiß

Erdbeercreme

Zutaten für 2 Portionen: 360 g Erdbeeren, ungesüßt bzw. mit Süßstoff gesüßt, 6 EL Kompottflüssigkeit, Süßstoff nach Geschmack, 4 g weiße Gelatine (2 Blatt), 4 g rote Gelatine (2 Blatt), 1 Eiweiß

Stachelbeercreme

Zutaten für 2 Portionen: 280 g Stachelbeeren, püriert, ungesüßt bzw. mit Süßstoff gesüßt, 4 EL Kompottflüssigkeit, 2 EL Wasser Süßstoff nach Geschmack, 4 g weiße Gelatine (2 Blatt), 2 g rote Gelatine (1 Blatt), 1 Eiweiß

Nährwerte je Cremevorschlag pro Portion
70 kcal, 6 g E, 0 g F, 10 g KH, 1 KE, 0 mg Chol, 2 g Ba

Rote Johannisbeercreme

Zutaten für 2 Portionen: 420 g Rote Johannisbeeren, püriert, evtl. mit Süßstoff gesüßt, 6 EL Kompottflüssigkeit Süßstoff nach Geschmack, 6 g weiße Gelatine (3 Blatt), 4 g rote Gelatine (2 Blatt), 1 Eiweiß

Nährwerte je Cremevorschlag pro Person
90 kcal, 8 g E, + g F, 10 g KH, 1 KE, 0 mg Chol, 6 g Ba

Erdbeermousse

Zutaten für 2 Portionen: *3 Blatt weiße Gelatine, 200 g Erdbeeren flüssiger Süßstoff nach Geschmack, 100 ml fettreduzierte Sahne (z. B. „Rama Cremefine"), 50 g Magerquark, 1 TL Pistazienkerne, gehackt*

Nährwerte pro Portion

150 kcal, 8 g E, 9 g F, 9 g KH, 0,5 KE, 10 mg Chol, 2 g Ba

▌ Die Gelatine in kaltem Wasser 10 Min. einweichen. Die Erdbeeren abspülen, putzen und zur Hälfte in Scheiben schneiden. Die andere Hälfte mit einem Pürierstab und etwas Süßstoff pürieren. Die gekühlte Sahne steif schlagen und kalt stellen.

▌ Gelatine gut ausdrücken und im Wasserbad auflösen. Wenn sie sich vollständig aufgelöst hat, die Schüssel aus dem Topf nehmen und 5 Esslöffel vom Erdbeerpüree zügig in die Gelatine einrühren. Anschließend die Erdbeer-Gelatine-Masse zum Erdbeerpüree geben und gründlich unterrühren.

▌ Die geschlagene Sahne mit der Erdbeercreme mischen. Zuletzt den Quark unterheben. Den Boden von zwei breiten Whiskeygläsern mit einem Teil der Creme füllen. Die Erdbeerscheiben darauf verteilen und eine weitere Schicht Creme darübergeben. Mit ein paar Erdbeerscheiben garnieren und die Gläser 3 Stunden kalt stellen. Vor dem Servieren mit gehackten Pistazien bestreuen.

▌ **Variante:** Die Mousse schmeckt auch toll mit Apfelmus, Himbeeren, Mango oder Aprikosen.

Gelees

Geleespeisen sind süße Speisen aus Wein, Fruchtsaft, Milch oder Joghurt, die durch Beigabe von Früchten verfeinert und durch Gelatine gesteift werden.

Soll die Speise gestürzt werden, nehmen Sie 1 Blatt (2 g) Gelatine pro Portion mehr als im Rezept angegeben. Die festen Speisen vorsichtig vom Gefäßrand lösen, kurz ins heiße Wasser halten und stürzen.

Geleespeisen benötigen zum Gelieren eine Temperatur von unter 20 °C. Je nach Konsistenz, Temperatur und Menge der zubereiteten Speise dauert das Gelieren wenige Minuten oder mehrere Stunden. Nicht in die Kühltruhe stellen.

Zubereitung

▪ Die Flüssigkeit mit Süßstoff und den geschmacksgebenden Zutaten verrühren. Die Gelatine in reichlich kaltem Wasser ausquellen lassen, ausdrücken und im Wasserbad oder bei geringer Energiezufuhr auf dem Herd unter Rühren auflösen (nicht kochen lassen).

▪ Es empfiehlt sich, zuerst die aufgelöste Gelatine mit etwas Flüssigkeit der Speise zu verrühren, bevor sie in die gesamte Speise eingerührt wird. So erhält man eine gleichmäßig glatt gebundene Geleespeise.

Buttermilchgelee

Zutaten für 2 Portionen: ¼ l Buttermilch, abgeriebene Zitronenschale, Süßstoff, 4 g weiße Gelatine (2 Blatt), 2 g rote Gelatine (1 Blatt),

Nährwerte pro Portion

55 kcal, 7 g E, 1 g F, 5 g KH, 0,5 KE, 5 mg Chol, 0 g Ba

Fruchtgelee

Zutaten für 2 Portionen: 220 g Fruchtcocktail, ungesüßt bzw. mit Süßstoff gesüßt, 4 EL Kompottflüssigkeit, 3 – 4 EL Wasser, Zitronensaft, Süßstoff, 4 g Gelatine (2 Blatt)

Nährwerte pro Portion

55 kcal, 2 g E, 0 g F, 10 g KH, 1 KE, 0 mg Chol, 2 g Ba

Kirsch-Joghurt-Speise

Zutaten für 2 Portionen: 250 g Magerjoghurt, 100 g Sauerkirschen, ohne Stein, ungesüßt bzw. mit Süßstoff gesüßt, 4 EL Kompottflüssigkeit, Zitronensaft, Süßstoff, 4 g Gelatine (2 Blatt)

Nährwerte pro Portion

80 kcal, 7 g E, 0 g F, 10 g KH, 1 KE, 0 mg Chol, + g Ba

Errötende Jungfrau

Zutaten für 2 Portionen: 220 g Magerjoghurt, 4 EL Buttermilch, 4 g rote Gelatine (2 Blatt), Zitrone oder Rum, Süßstoff

Nährwerte pro Portion

60 kcal, 7 g E, 0 g F, 5 g KH, 0,5 KE, 0 mg Chol, 0 g Ba

Rote Apfelspeise

Zutaten für 2 Portionen: 180 g Apfelmark, ungesüßt bzw. mit Süßstoff gesüßt, 6 EL Wasser, Zitronensaft, Süßstoff, 6 g rote Gelatine (3 Blatt)

Nährwerte pro Portion

60 kcal, 3 g E, 0 g F, 10 g KH, 1 KE, 0 mg Chol, 2 g Ba

▪ Die Flüssigkeit mit Süßstoff und den geschmacksgebenden Zutaten verrühren. Die Gelatine in reichlich kaltem Wasser ausquellen lassen, ausdrücken und im Wasserbad oder bei geringer Energiezufuhr auf dem Herd unter Rühren auflösen (nicht kochen lassen).

▪ Es empfiehlt sich, zuerst die aufgelöste Gelatine mit etwas Flüssigkeit der Speise zu verrühren, bevor sie in die gesamte Speise eingerührt wird. So erhält man eine gleichmäßig glatt gebundene Geleespeise.

Saftgelee

Zutaten für 2 Portionen: 220 g Orangen- oder, 260 g Grapefruitsaft, frisch gepresst, 4 EL Wasser, Süßstoff, 6 g Gelatine (3 Blatt)

Nährwerte pro Portion

55 kcal, 3 g E, 0 g F, 10 g KH, 1 KE, 0 mg Chol, 0 g Ba

▌ Die Flüssigkeit mit Süßstoff und den geschmacksgebenden Zutaten verrühren. Die Gelatine in reichlich kaltem Wasser ausquellen lassen, ausdrücken und im Wasserbad oder bei geringer Energiezufuhr auf dem Herd unter Rühren auflösen (nicht kochen lassen).

▌ Es empfiehlt sich, zuerst die aufgelöste Gelatine mit etwas Flüssigkeit der Speise zu verrühren, bevor sie in die gesamte Speise eingerührt wird. So erhält man eine gleichmäßig glatt gebundene Geleespeise.

Wein-Apfel-Gelee

Zutaten für 2 Portionen: 100 g Apfelsaft, ungesüßt, 100 g Weißwein, trocken, 80 g Apfel, feingeschnitten, Zitrone, Süßstoff, 8 g Gelatine (4 Blatt)

Nährwerte pro Portion

95 kcal, 4 g E, 0 g F, 10 g KH, 1 KE, 0 mg Chol, 1 g Ba, 4 g Alkohol

▌ Die Flüssigkeit mit Süßstoff und den geschmacksgebenden Zutaten verrühren. Die Gelatine in reichlich kaltem Wasser ausquellen lassen, ausdrücken und im Wasserbad oder bei geringer Energiezufuhr auf dem Herd unter Rühren auflösen (nicht kochen lassen).

▌ Es empfiehlt sich, zuerst die aufgelöste Gelatine mit etwas Flüssigkeit der Speise zu verrühren, bevor sie in die gesamte Speise eingerührt wird. So erhält man eine gleichmäßig glatt gebundene Geleespeise.

Tipp

Kochen Sie für eine Fruchtgrütze Beeren oder klein geschnittene Früchte mit Obstsaft auf, und dicken diese mit angerührter Speisestärke an. Eine besonders vitaminschonende Möglichkeit ist es, nur den Saft für die Grütze anzudicken und die Früchte erst nach dem Kochen unter den angedickten Saft zu mischen. Das Aroma und die kräftigen Farben der Früchte bleiben so bestens erhalten.

Quarkeis mit heißen Kirschen

Zutaten für 2 Portionen: *2 Port. Quarkeis mit Butter-Vanille-Aroma, 200 g Sauerkirschen, ohne Stein, ungesüßt, 4 EL Kompottflüssigkeit, 4 EL Wasser, Zitronensaft, Süßstoff, 1 ml Andickungspulver, 1 TL Rum*

Nährwerte pro Portion

170 kcal, 10 g E, 8 g F, 12 g KH, 1 KE, 65 mg Chol, 1 g Ba

▌ Sauerkirschen, Kompottflüssigkeit und Wasser zum Kochen bringen. Mit Zitronensaft und Süßstoff abschmecken.

▌ Den Topf von der Kochstelle nehmen, das Andickungspulver einrühren, nochmals kurz aufkochen lassen und mit Rum verfeinern.

Himbeer-Joghurt-Eis

Zutaten pro Rezept: *210 g Himbeeren, frisch (1 KE), 250 g Magerjoghurt (1 KE), 1 TL Süßstoff, 3 EL geschlagene Sahne, gut gehäuft, 40 g klein gehackte Pistazienkerne*

Nährwerte pro Portion

115 kcal, 5 g E, 7 g F, 6 g KH, 0,5 KE, 17 mg Chol, 3 g Ba

▌ Himbeeren verlesen, vorsichtig waschen, gut abtropfen lassen und zerdrücken.

▌ Joghurt mit Süßstoff abschmecken, zu den Himbeeren geben und verrühren. Die geschlagene Sahne zum Schluss unterziehen.

▌ Das Eis in ein flaches Gefäß füllen und für etwa 3 Stunden in das Gefrierfach stellen. Damit das Eis cremig bleibt und am Rand nicht zu fest wird, bitte halbstündlich umrühren.

▌ Das Eis in 4 Portionen teilen und mit einem Löffel oder Eisportionierer Kugeln o. Ä. abstechen.

▌ Mit Pistazienkernen garnieren.

Milch-Flammeris

Flammeris, wie sie auf den folgenden beiden Seiten vorgestellt werden, sind süße, gekochte Speisen, die mit einem stärkehaltigen Bindemittel angedickt werden. Als Geschmackszutaten dienen u. a. Zitronenschalen, Vanillestangen und Kakao. Eine geschmackliche Aufwertung des Flammeris erzielt man durch Zugabe von Eiweiß und Aromen.

Zubereitung

▌ Bindemittel mit etwas kalter Milch glatt rühren. Die restliche Milch mit den geschmacksgebenden Zutaten (Zitronenschale, Vanillestange) erhitzen. Das Bindemittel unter Rühren in die kochende Milch geben, aufkochen lassen, mit Süßstoff abschmecken.

▌ Bei Verwendung von Grieß als Bindemittel lässt man den Grieß trocken unter Rühren in die kochende Milch einrieseln, auf kleiner Flamme gar ziehen lassen, anschließend abschmecken.

▌ Soll der Flammeri mit Eiweiß oder Aromen verfeinert werden, so gibt man das steif geschlagene Eiweiß bzw. das Aroma unter die fertige heiße Speise.

Tipp

Ein Päckchen handelsübliches Vanillepuddingpulver (3 KE) und ½ l Milch (2 KE) ergeben 5 Portionen zu 1 KE.

Birne Helene

Zutaten für 2 Portionen: *100 ml Milch (1,5 % Fett), 6 g Mondamin oder Schokoladenpuddingpulver, 3 g Kakao Süßstoff, 80 g gekochte Birnen (2 × 40 g)*

Nährwerte pro Portion

60 kcal, 2 g E, 1 g F, 10 g KH, 1 KE, + mg Chol, 1 g Ba

▌ Flammeri mit 2 EL Kompottflüssigkeit verrühren, über die Birnenhälften geben.

Grießflammeri

Zutaten für 2 Portionen: *200 ml Milch 1,5 % Fett), 16 g Grieß, Zitronenschale, Süßstoff, 1 Eiweiß*

Nährwerte pro Portion

85 kcal, 6 g E, 2 g F, 10 g KH, 1 KE, 5 mg Chol, 0 g Ba

Mandel-Rumflammeri

Zutaten für 2 Portionen: *200 ml Milch (1,5 % Fett), 12 g Mondamin, 1 Eiweiß, Mandel-/Rumaroma, Süßstoff*

Nährwerte pro Portion

85 kcal, 6 g E, 2 g F, 10 g KH, 1 KE, 5 mg Chol, 0 g Ba

Vanilleflammeri

Zutaten für 2 Portionen: *200 ml Milch (1,5 % Fett), 12 g Mondamin und Vanillestange oder Puddingpulver, Süßstoff*

Nährwerte pro Portion

70 kcal, 3 g E, 2 g F, 10 g KH, 1 KE, 5 mg Chol, 0 g Ba

Pfirsich Melba/ Tutti Frutti

Zutaten für 2 Portionen: *100 ml Milch (1,5 % Fett), 6 g Mondamin und Vanillestange oder Vanillepuddingpulver, Süßstoff, 110 g Pfirsichkompott oder 110 g Fruchtcocktail*

Nährwerte pro Portion

60 kcal, 2 g E, 1 g F, 10 g KH, 1 KE, 0 mg Chol, 1 g Ba

▌ Flammeri mit 2 EL Kompottflüssigkeit verrühren und über die Pfirsichhälften bzw. den Fruchtcocktail geben.

Schokoladenflammeri

Zutaten für 2 Portionen: *200 ml Milch (1,5 % Fett), 12 g Mondamin oder Schokoladenpuddingpulver, 6 g Kakao, Süßstoff*

Nährwerte pro Portion

75 kcal, 4 g E, 2 g F, 10 g KH, 1 KE, 5 mg Chol, 0 g Ba

Quark-Zitronen-Eis

Zutaten pro Rezept: *250 g Magerquark, 1 Eigelb, ½ Zitrone Süßstoff, 1 Eiweiß, 100 g Sahne*

Nährwerte pro Portion

115 kcal, 9 g E, 8 g F, 2 g KH, 0 KE, 65 mg Chol, 0 g Ba

▌ Magerquark und Eigelb cremig rühren, den Zitronensaft und Süßstoff hinzugeben.

▌ Das Eiweiß und die Sahne getrennt steif schlagen und beides unter die Masse heben.

▌ Das Eis in ein flaches Gefäß füllen und in das Gefrierfach stellen, bis es schnittfest ist. Das Eis in 5 Portionen teilen.

▌ Anstelle von Zitronensaft kann auch etwas Kakaopulver oder 1 Fläschchen Butter-Vanille-Aroma zum Abschmecken genommen werden.

Süßspeisen ohne KE-Berechnung

Dies sind Süßspeisen, die wegen ihres geringen Kohlenhydratgehaltes nicht in die KE-Berechnung einbezogen werden, was aber nicht bedeutet, dass Sie diese Desserts in unbegrenzter Menge essen können; der Energiegehalt muss schon berücksichtigt werden. Kohlenhydratanrechnungsfreie Nachtische kann man auf die verschiedenste Weise herstellen.

Die Zubereitung der unterschiedlichen Rezepte entnehmen Sie bitte den Beschreibungen der einzelnen Nachspeisearten.

Unberechnete Nachtische ermöglichen es, das Mittagessen auch dann abzurunden, wenn Sie sich für Gemüse oder mehr Kartoffeln als Beilage entscheiden. Saft oder Püree sind natürlich anzurechnen.

Quarkcreme

Zutaten für 2 Portionen: *150 g Magerquark, Vanillemark, 4 EL Mineralwasser, 1 Eigelb, 1 Eiweiß, 2 Bl Gelatine, Süßstoff*

Nährwerte pro Portion

110 kcal, 15 g E, 3 g F, 0 g KH, 0 KE, 3 mg Chol, 0 g Ba

▌ Magerquark, Vanillemark und Eigelb cremig rühren.

▌ Die Gelatine in reichlich kaltem Wasser ausquellen lassen, ausdrücken und im Wasserbad oder bei geringer Energiezufuhr auf dem Herd unter Rühren auflösen (nicht kochen lassen).

▌ Es empfiehlt sich, zuerst die aufgelöste Gelatine mit etwas Flüssigkeit der Speise zu verrühren, bevor sie in die gesamte Speise eingerührt wird. So erhält man eine gleichmäßig glatt gebundene Geleespeise.

▌ Das Eiweiß schaumig schlagen und unter die Speise heben.

▌ Mit Süßstoff nach Geschmack abrunden.

Rotweingelee

Zutaten für 2 Portionen: *100 ml trockener Rotwein, 200 ml Wasser, Zitronensaft, Süßstoff, 2 Bl weiße Gelatine, 2 Bl rote Gelatine*

Nährwerte pro Portion

110 kcal, 15 g E, 3 g F, 0 g KH, 0 KE, 0 mg Chol, 0 g Ba

▌ Rotwein und Zitronensaft mischen.

▌ Die Gelatine in reichlich kaltem Wasser ausquellen lassen, ausdrücken und im Wasserbad oder bei geringer Energiezufuhr auf dem Herd unter Rühren auflösen (nicht kochen lassen).

▌ Es empfiehlt sich, zuerst die aufgelöste Gelatine mit etwas Flüssigkeit der Speise zu verrühren, bevor sie in die gesamte Speise eingerührt wird. So erhält man eine gleichmäßig glatt gebundene Geleespeise.

▌ Mit Süßstoff nach Geschmack abrunden.

Tipp

Quark gibt es in unterschiedlichen Fettstufen. Greifen Sie statt zum Sahnequark mit 40 % Fett i.Tr. zum Magerquark mit weniger als 1 % Fett i.Tr. Darin steckt nicht nur weniger Fett, sondern auch mehr Eiweiß und Calcium als in Sahnequark. Damit die magere Variante schön locker und cremig wird, schlagen Sie Magerquark mit etwas Mineralwasser auf. Rühren Sie püriertes Obst, zerdrückte Bananen, geraspelte Äpfel unter, und Sie bekommen im Handumdrehen einen süßen Nachtisch.

Rhabarbercreme

Zutaten für 2 Portionen: *200 g Rhabarberkompott, 150 ml Kompottflüssigkeit, 2 Bl weiße Gelatine, 2 Bl rote Gelatine, 1 Eiweiß, Süßstoff*

Nährwerte pro Portion

35 kcal, 6 g E, 0 g F, 2 g KH, 0 KE, 0 mg Chol, 3 g Ba

- Die gegarten Früchte und die Kompottflüssigkeit mit flüssigem Süßstoff abschmecken.
- Die Gelatine in reichlich kaltem Wasser ausquellen lassen, ausdrücken und im Wasserbad oder bei geringer Energiezufuhr auf dem Herd unter Rühren auflösen (nicht kochen lassen).
- Es empfiehlt sich, zuerst die aufgelöste Gelatine mit etwas Flüssigkeit der Speise zu verrühren, bevor sie in die gesamte Creme eingerührt wird. Die Masse danach kalt stellen.
- Wenn die Creme anfängt zu gelieren, d. h. dass beim Durchziehen eines Schneebesens eine Spur sichtbar bleibt, das steifgeschlagene Eiweiß (und evtl. das schaumig gerührte Eigelb) unterziehen.
- Die Creme in ein Schälchen geben und abermals kühl stellen.

Rhabarberkompott

Zutaten für 2 Portionen: *250 g Rhabarber, 200 ml Wasser, Stangenzimt, Süßstoff*

Nährwerte pro Portion

15 kcal, 1 g E, 0 g F, 2 g KH, 0 KE, 0 mg Chol, 4 g Ba

- Wasser, Stangenzimt und Süßstoff zum Kochen bringen. Rhabarber dazugeben, vorsichtig garen, evtl. nachsüßen.

Mousse au Chocolat

Zutaten für 2 Portionen: *4 Eier, 1 Tafel Zartbitterschokolade (100 g), 1 EL Kokosfett, ½ Fläschchen Rum-Aroma, 30 g Halbfettbutter, 2 – 3 EL Streusüße (z. B. „Canderel"), 1 EL Mandelblättchen, 1 TL Kakaopulver*

Nährwerte pro Portion

285 kcal, 10 g E, 22 g F, 12 g KH, davon 11 g Zucker, 1,2 KE, 240 mg Chol, 1 g Ba

- Die Eier trennen, das Eiklar zu steifem Schnee schlagen und kalt stellen. Die Schokolade in kleine Stücke brechen. In einem Topf Wasser zum Kochen bringen, die Schokolade in eine hitzebeständige Schüssel geben und in das Wasserbad stellen.
- Sobald die Schüssel im Wasserbad steht, die Herdplatte ausschalten, damit kein Wasser in die Schokolade spritzt. Die Schokolade unter ständigem Rühren schmelzen, dann das Kokosfett zugeben. Sobald alles geschmolzen ist, sofort aus dem Wasserbad nehmen.
- Das Rum-Aroma und die Butter in die Schokolade rühren. Eigelb und die Streusüße mit den Quirlen des Handrührgeräts zu einer cremigen Masse schlagen. Die geschmolzene Schokoladen-Butter-Masse unterrühren. Zuletzt das Eiweiß vorsichtig und gleichmäßig unter die Masse ziehen.
- Die Mousse in eine saubere, fest verschließbare Schüssel füllen und eine Nacht, mindestens aber 8 bis 10 Stunden im Kühlschrank ruhen lassen. Kurz vor dem Servieren die Mandelblättchen in einer Pfanne ohne Fett goldbraun rösten. Das Kakaopulver auf vier Teller sieben. Mit zwei Löffeln Nocken aus der Mousse stechen und auf die Teller setzen. Mit den gerösteten Mandelblättchen garniert servieren.
- **Variante:** Die Mousse schmeckt auch sehr gut mit weißer Schokolade oder mit Vollmilchschokolade.

Weincreme

Zutaten für 2 Portionen: *150 ml trockener Weißwein, 150 ml Wasser, 3 Bl Gelatine, 1 Eigelb, Eiweiß, Süßstoff, Zitronensaft*

Nährwerte pro Portion

105 kcal, 6 g E, 3 g F, 0 g KH, 0 KE, 108 mg Chol, 0 g Ba, 6 g Alkohol

- Die Gelatine in reichlich kaltem Wasser ausquellen lassen, ausdrücken und im Wasserbad oder bei geringer Energiezufuhr auf dem Herd unter Rühren auflösen (nicht kochen lassen).
- Es empfiehlt sich, zuerst die aufgelöste Gelatine mit etwas Wein und dem Zitronensaft sowie dem Süßstoff zu verrühren, bevor sie in die gesamte Creme eingerührt wird. Die Masse danach kalt stellen.
- Wenn die Creme anfängt zu gelieren, d. h. dass beim Durchziehen eines Schneebesens eine Spur sichtbar bleibt, das steifgeschlagene Eiweiß (und evtl. das schaumig gerührte Eigelb) unterziehen.
- Die Creme in ein Schälchen geben und abermals kühl stellen.

Zitronencreme

Zutaten für 2 Portionen: *3 EL Zitronensaft, 3 EL Wasser, 1 Eigelb, Eiweiß, 1 Bl Gelatine, Süßstoff*

Nährwerte pro Portion

55 kcal, 4 g E, 3 g F, + g KH, 0 KE, 108 mg Chol, 0 g Ba

- Den Zitronensaft mit flüssigem Süßstoff abschmecken.
- Die Gelatine in reichlich kaltem Wasser ausquellen lassen, ausdrücken und im Wasserbad oder bei geringer Energiezufuhr auf dem Herd unter Rühren auflösen (nicht kochen lassen).
- Es empfiehlt sich, zuerst die aufgelöste Gelatine mit etwas Flüssigkeit der Speise zu verrühren, bevor sie in die gesamte Creme eingerührt wird. Die Masse danach kalt stellen.
- Wenn die Creme anfängt zu gelieren, d. h. dass beim Durchziehen eines Schneebesens eine Spur sichtbar bleibt, das steifgeschlagene Eiweiß (und evtl. das schaumig gerührte Eigelb) unterziehen.
- Die Creme in ein Schälchen geben und abermals kühl stellen.

Tipp

Damit Sahne schön fest wird, sind ein paar einfache Grundregeln zu beachten. Ganz wichtig ist, dass Sie die Sahne kühlen, sonst wird sie nicht richtig steif. Die kalte Sahne wird am besten in einem sauberen hohen Gefäß geschlagen. Die Quirle des Handrührgeräts sollten ebenfalls sauber und fettfrei sein. Dann wird sie auf höchster Stufe geschlagen. Wenn Streusüße oder andere Zusätze in die Sahne gehören, diese erst einrieseln lassen, wenn die Sahne bereits beginnt, fester zu werden. Wenn Sie mit den Quirlen Straßen in der Sahne ziehen können und sie auch am Boden des Gefäßes steif bleibt, ist sie fertig. Schlagen Sie jetzt weiter, flockt Sahne zu Butter aus. Wenn die geschlagene Sahne nicht direkt weiterverarbeitet wird, ist sie zugedeckt im Kühlschrank am besten aufgehoben.

Vanillecreme

Zutaten für 2 Portionen: *1 Vanilleschote, 75 ml fettarme Milch, 75 ml fettreduzierte Sahne (z. B. „Cuisine" von Alpro), 2 Blatt weiße Gelatine, 1 Eigelb, 2 EL Streusüße (z. B. „Canderel"), 1 EL rote Konfitüre mit Süßstoff (kalorienreduziert), 1 EL Pistazien, gehackt*

Nährwerte pro Portion

155 kcal, 6 g E, 12 g F, 5 g KH, 0 KE, 130 mg Chol, 1 g Ba

- Die Vanilleschote längs aufschlitzen und das Mark herauskratzen. Die Milch und die Sahne in einen Topf geben und langsam erhitzen. Das Mark der Vanilleschote zugeben und zum Kochen bringen. Vom Herd nehmen und 5 Min. ziehen lassen. Die Gelatine in kaltem Wasser 10 Min. einweichen.
- Das Ei trennen, Eiklar zu steifem Schnee schlagen und kalt stellen. Das Eigelb mit der Streusüße mischen und mit den Quirlen des Handrührgeräts cremig schlagen. Nach und nach in die Vanillemilch einrühren. Bei niedriger Temperatur unter ständigem Rühren erhitzen, bis die Mischung eindickt – nicht kochen lassen! Vom Herd nehmen, in ein kaltes, sauberes Gefäß schütten und abkühlen lassen. Dabei immer wieder umrühren, damit sich keine Haut bildet.
- Die Gelatine gut ausdrücken und im Wasserbad auflösen. Wenn sie sich vollständig aufgelöst hat, die Schüssel aus dem Topf nehmen und 5 Esslöffel der Vanillecreme hineinrühren. Die Gelatine in die restliche Vanillemasse rühren und kalt stellen. Sobald die Creme beginnt zu gelieren, den Eischnee unterheben und 3 bis 4 Stunden abgedeckt im Kühlschrank erstarren lassen.
- Mit zwei Teelöffeln Nocken aus der Creme stechen und auf zwei Teller setzen. Die rote Konfitüre mit etwas lauwarmem Wasser glatt rühren und die Vanillecreme damit garnieren. Mit den gehackten Pistazien bestreut servieren.

Tropenmix

Zutaten für 2 Portionen: *¼ l Dickmilch (3,5 % Fett) (1 KE), 80 g Mango (1 KE), ¼ l Mineralwasser, Zitronensaft, Süßstoff*

Nährwerte pro Portion

100 kcal, 4 g E, 5 g F, 10 g K, 1 KE, 14 mg Chol, 1 g Ba

- Dickmilch, Mango, Mineralwasser und Zitronensaft in einem Mixer gut durchmischen und mit Süßstoff abschmecken. Kühl servieren.

Moccacreme

Zutaten für 2 Portionen: *50 ml starker Kaffee oder Espresso, 250 g Magerquark, 50 g fettreduzierte Sahne (z. B. „Cuisine" von Alpro), 1 – 2 EL Streusüße (z. B. „Canderel"), 1 Msp. Kakaopulver*

Nährwerte pro Portion

130 kcal, 18 g E, 4 g F, 5 g KH, 0 KE, 5 mg Chol, 0 g Ba

- Den Kaffee oder Espresso kochen und abkühlen lassen. Den Quark mit der Sahne glatt rühren. Die Streusüße und den erkalteten Kaffee mit dem Quark mischen und abschmecken. In zwei Gläser füllen und mit Kakaopulver bestreut servieren.
- Ein ideales Dessert für alle, die gerne Kaffee mögen. Dieses Dessert ist blitzschnell zubereitet. Wenn Sie es verfeinern oder abwandeln möchten, können Sie auch Bananenscheiben oder Sauerkirschen (ohne Zucker) und ein paar Schokoladenraspel zugeben.

Schützt Koffein vor Diabetes?

Immer wieder gibt es Meldungen, dass bestimmte Stoffe in Lebensmitteln vor Diabetes schützen können oder den Blutzucker senken. So wird auch dem Koffein nachgesagt, dass er ein Schutzschild gegen die Entstehung des Typ-2-Diabetes darstellt. Auch wenn es vereinzelte Studien dazu gibt, ist es nicht zu empfehlen, Kaffee im Austausch zu Wasser, Früchte- oder Kräutertee im Übermaß zu trinken. Bis zu drei bis vier normal große Tassen empfiehlt die Deutsche Gesellschaft für Ernährung (DGE) täglich. Echte Präventivmaßnahmen für gute Blutzuckerwerte bei Typ-2-Diabetes sind ein gesundes Körpergewicht und regelmäßige Bewegung.

Kiwicreme

Zutaten für 2 Portionen: *110 g Kiwi ohne Schale (1 KE), 12 g Vanillepuddingpulver (1 KE), 1 Eigelb, 4 EL Wasser, 4 EL Weißwein, trocken, ½ TL Süßstoff, 1 Eischnee, 1 EL geschlagene Sahne, gut gehäuft*

Nährwerte pro Portion

145 kcal, 4 g E, 6 g F, 11 g KH, 1 KE, 120 mg Chol, 1 g Ba

▌ Die Hälfte der Kiwi pürieren.
▌ Vanillepuddingpulver und Eigelb mit einem Teil der Flüssigkeit verrühren.
▌ Den Rest der Flüssigkeit erhitzen, kurz vor dem Kochen das Puddingpulver einrühren und aufkochen lassen.
▌ Das Kiwipüree, den Süßstoff sowie den Eischnee unter die heiße Creme ziehen, erkalten lassen. Danach die restlichen klein geschnittenen Kiwis sowie die Schlagsahne unter die Speise heben, portionieren und kalt stellen.

Quark-Apfel-Auflauf

Zutaten für 2 Portionen: *2 TL Margarine, 1 Eigelb, 125 g Magerquark, ¾ TL Süßstoff, ½ abgeriebene Zitronenschale, 15 g Weizenvollkorngrieß (1 KE), ½ TL Backpulver, 90 g Apfel, geschält (1 KE), 1 Eischnee, 1 gestr. TL Margarine*

Nährwerte pro Portion

365 kcal, 26 g E, 17 g F, 25 g KH, 2 KE, 220 mg Chol, 3 g Ba

▌ Margarine und Eigelb schaumig rühren.
▌ Quark, Süßstoff, Zitronenschale, Grieß und Backpulver hinzufügen und gut durchrühren.
▌ Die in feine Scheiben geschnittenen Äpfel sowie den Eischnee unter den Teig heben.
▌ Die Masse in eine kleine, mit Margarine ausgefettete Auflaufform geben und im vorgeheizten Backofen bei 175 °C ca. 25 – 30 Min. backen.

Tipp

Appetit auf Eis? Eis ist nicht gleich Eis. Creme- und Rahmeis sind zwar besonders cremig, enthalten aber viel Fett. Relativ fettarm sind hingegen Milch- und Fruchteis. Bei der Herstellung von Sorbet werden gar keine Milchprodukte, sondern gefrorenes Wasser verwendet, welches mit Fruchtmark aromatisiert wird. Fruchtsorbet ist dadurch fast fettfrei – beachten Sie aber den jeweiligen Zuckergehalt.

Blitzeis

Zutaten für 2 Portionen: *100 ml fettreduzierte Sahne bzw. Sprühsahne (Natreen), 200 g Fettarmer Joghurt, 200 g Sauerkirschen (tiefgekühlt), etwas Zitronensaft, 1 EL Streusüße (z. B. von Canderel), 2 Minzezweige*

Nährwerte pro Portion

200 kcal, 5 g E, 12 g F, 18 g KH, 1,5 KE, 20 mg Chol, 1 g Ba

▌ Die kalte Sahne mit dem Handrührgerät auf höchster Stufe steif schlagen. Joghurt, Kirschen, Zitronensaft und Streusüße in einer Küchenmaschine oder mit einem Pürierstab zu einer cremigen Masse pürieren. Die geschlagene Sahne bzw. die fertige Sprühsahne (sie ist bereits gesüßt) unterheben und mit etwas Streusüße abschmecken.
▌ Die Minzezweige abspülen und trocken schütteln. Entweder das Blitzeis direkt in Gläser füllen und mit der Minze garnieren oder in einer fest verschlossenen Schüssel ½ halbe Stunde ins Gefrierfach stellen. Vor dem Portionieren noch einmal kräftig durchrühren und mit ein paar Minzblättchen garniert servieren.
▌ **Variante:** Sie können das Blitzeis auch mit gefrorenen Tropikfrüchten oder Beeren zubereiten. Dank seiner zart-milchigen Konsistenz kommt es vor allem bei Kindern gut an.
▌ Ganz wichtig, damit das Eis auch blitzschnell gefriert: Die Früchte müssen auf jeden Fall tiefgekühlt sein. Sofort nach dem Aufschlagen genießen oder kalt stellen.

Beerentraum

Zutaten für 2 Portionen: *250 g Heidelbeeren, 300 g Magerquark, 2 EL fettreduzierter Frischkäse (max. 20 % Fett), etwas Sprudelwasser, etwas Zitronensaft, flüssiger Süßstoff nach Geschmack, 1 EL Mandelblättchen*

Nährwerte pro Portion
195 kcal, 23 g E, 4 g F, 16 g KH, 0,9 KE, 3 mg Chol, 7 g Ba

▪ Tiefgekühlte Heidelbeeren auf einem Sieb auftauen lassen (dabei den Saft auffangen), frische Heidelbeeren abspülen und verlesen. Den Quark mit dem Frischkäse mischen. Den aufgefangenen Heidelbeersaft in den Quark rühren. Je nach Konsistenz noch etwas Sprudelwasser zugeben. Mit Zitronensaft zu einer glatten Masse rühren und mit dem flüssigen Süßstoff abschmecken.

▪ Die Mandelblättchen in einer beschichteten Pfanne ohne Fett goldgelb rösten und abkühlen lassen. Zum Schluss die Heidelbeeren mit dem Quark mischen. In zwei Gläser füllen und mit den gerösteten Mandelblättchen garnieren.

▪ **Variante:** Sehr gut schmeckt der Beerentraum auch mit frischen Erdbeeren oder Himbeeren.

Gesundes Beerenobst

Erdbeeren, Heidelbeeren (Blaubeeren), Stachelbeeren, Brombeeren, Holunder, Sanddorn, Johannisbeeren, Himbeeren und Preiselbeeren: Sie alle gehören zur Beerenobstgruppe. Ihre Hoch-Zeit sind die Sommermonate, hier sind sie besonders reich an Vitaminen und Mineralstoffen, wie z. B. Vitamin C und Kalium, Kalzium und Magnesium. Sekundäre Pflanzenstoffe für gute Blutfette, zur Stärkung des Immunsystems und als Schutzschild gegen Krebs, sind ebenso reichlich in Beeren enthalten. Dazu gehören z. B. der dunkelblaue Farbstoff in Brom- und Heidelbeeren (Anthocyan) oder Flavonoide in Himbeeren. Beerenobst ist sehr kalorienarm und ballaststoffreich. Deshalb fallen die Mengen pro BE/KE etwas größer aus als bei Apfel, Birne und Co.

Joghurtmousse mit Fruchtspiegel

Zutaten für 2 Portionen: *200 g Joghurt, 2 EL Zitronensaft, 1 EL Streusüße (z. B. „Canderel"), 3 Blatt weiße Gelatine, 300 g Himbeeren, 2 Minzezweige*

Nährwerte pro Portion
130 kcal, 8 g E, 4 g F, 15 g KH, 1,5 KE, 15 mg Chol, 10 g Ba

▪ Den Joghurt mit dem Zitronensaft glatt rühren und mit Streusüße abschmecken. Die Gelatine in kaltem Wasser 10 Min. einweichen, anschließend gut ausdrücken und im Wasserbad auflösen. Wenn sie sich vollständig aufgelöst hat, die Schüssel aus dem Topf nehmen und 5 Esslöffel der Joghurtmasse einrühren. Dann den restlichen Joghurt hinzufügen.

▪ Die Creme in zwei kleine Förmchen gießen, abdecken und sofort für 2 bis 3 Stunden kalt stellen. Kurz vor dem Anrichten die Himbeeren abspülen und verlesen, vier Himbeeren beiseite legen. Die restlichen Früchte mit einem Pürierstab pürieren und, falls nötig, mit etwas Streusüße abschmecken. Die Minzezweige abspülen und trocken schütteln.

▪ Auf zwei Tellern einen Fruchtspiegel gießen. Die fest gewordene Joghurtmousse vorsichtig aus den Förmchen lösen und auf den Fruchtspiegel setzen. Mit den Himbeeren, dem restlichen Himbeerpüree und je einem Minzezweig garniert servieren.

▪ **Variante:** Die Mousse können Sie auch mit roter Gelatine zubereiten und anstelle von Himbeeren Stachelbeeren oder Kiwi verwenden.

Pfirsichsalat mit Pistazien

Zutaten für 2 Portionen: *2 mittelgroße Pfirsiche (ca. 250 g), etwas Zitronensaft, flüssiger Süßstoff nach Geschmack, 1 EL Pistazienkerne, gehackt*

Nährwerte pro Portion

80 kcal, 3 g E, 2 g F, 13 g KH, 1 KE, 0 mg Chol, 3 g Ba

▌ Die Pfirsiche abspülen, entkernen und der Länge nach in Spalten schneiden. Mit Zitronensaft und wenig Süßstoff marinieren und fächerartig auf zwei Tellern anrichten. Zum Servieren mit den gehackten Pistazien bestreuen.

▌ **Variante:** Sie können anstelle von Pfirsichen auch Nektarinen oder feste Aprikosen verwenden.

Tipp

In einer Mousse ist immer Sahne versteckt. Das kalorienlastige Dessert können Sie „erleichtern", indem Sie Sahne durch fettarmen Joghurt, Dickmilch oder leichten Frischkäse ersetzen. Locker wird die Speise durch Verwendung von Gelatine und steif geschlagenem Eiweiß. Mit püriertem Beerenobst entsteht schnell eine köstliche Frucht-Mousse.

Rote Grütze

Zutaten für 2 Portionen: *100 g Heidelbeeren, 100 g Sauerkirschen (tiefgekühlt, ohne Zuckerzusatz), 100 g Himbeeren (tiefgekühlt, ohne Zuckerzusatz), 100 g Erdbeeren (tiefgekühlt, ohne Zuckerzusatz), 120 ml Sauerkirschsaft, 100 % Frucht (ohne Zuckerzusatz), 2 EL Vanillepuddingpulver (30 g), 1 – 2 EL Streusüße (z. B. „Canderel"), 50 ml fettreduzierte Sahne (z. B. Rama „Cremefine"), 1 Minzezweig*

Nährwerte pro Portion

210 kcal, 3 g E, 6 g F, 36 g KH, 3,5 KE, 10 mg Chol, 8 g Ba

▌ Die Heidelbeeren abspülen und verlesen. Mit den Sauerkirschen, Himbeeren und Erdbeeren in einen Topf geben. Den Sauerkirschsaft dazugießen, vorher 5 Esslöffel abnehmen und das Puddingpulver damit glatt rühren. Das Obst mit dem Saft zum Kochen bringen und das angerührte Puddingpulver hineinrühren.

▌ So lange aufkochen lassen, bis die Mischung klar ist. Nach Geschmack mit etwas Streusüße abschmecken. Die gekühlte Sahne steif schlagen. Die Minze abspülen, trocken schütteln und von den Stielen zupfen.

▌ Die rote Grütze etwas abkühlen lassen und in zwei Schälchen füllen. Die Sahne in einen Spritzbeutel geben und eine Rosette auf jede Grütze spritzen. Mit den Minzeblättchen garniert servieren.

Tiefkühlobst: praktisch in der schnellen Küche

Wenn Sie schell etwas Erfrischendes auf den Tisch bringen möchten, eignet sich dazu tiefgekühltes Obst sehr gut. Besonders Beerenfrüchte wie Erdbeeren, Johannisbeeren, Stachelbeeren oder Blaubeeren, aber auch Steinobst wie z. B. Kirschen lassen sich gut in Kombination mit Milchprodukten zubereiten. Achten Sie beim Kauf der Früchte darauf, dass sie nicht gezuckert sind, sondern nur den eigenen Fruchtzucker enthalten. Informationen dazu finden Sie in der Nährwertanalyse auf der Verpackung.

Apfel-Pfannkuchen

Zutaten pro Rezept: *1 Eigelb, 4 EL Mineralwasser, 40 g Weizenvollkornmehl (2 KE), 1 Prise Salz, 1 Messerspitze Zimt, ¼–½ TL Süßstoff, 1 mittelgroßen Apfel (1 KE), 1 Eischnee, 1 TL Öl*

Nährwerte pro Rezept

300 kcal, 12 g E, 12 g F, 35 g KH, 3 KE, 217 mg Chol, 7 g Ba

- Eigelb, Wasser, Mehl, Gewürze und Süßstoff gut verquirlen.
- Den Apfel in dünne Scheiben schneiden und zum Teig geben. Zum Schluss den Eischnee unter die Masse ziehen.
- Die Apfel-Pfannkuchen unter Verwendung des Öls in einer kleinen beschichteten Pfanne abbacken. Die Teigmenge ist ausreichend für 3 kleine Pfannkuchen (1 Stück = 1 KE).

Gefüllte Bratäpfel

Zutaten für 4 Portionen: *4 mittelgroße Äpfel, 100 g Magerquark, 1 Eigelb, 2 EL gemahlene Haselnüsse, abgeriebene Zitronenschale, Vanillemark, Süßstoff, 1 Eischnee*

Nährwerte pro Portion

145 kcal, 6 g E, 5 g F, 17 g KH, 1,5 KE, 50 mg Chol, 3 g Ba

- Die Äpfel ausstechen, so dass ein Apfel 140 g (1,5 KE) mit Schale wiegt.
- Quark, Eigelb und Nüsse verrühren. Mit Zitronenschale, Vanillemark und Süßstoff abschmecken. Zum Schluss den Eischnee unter die Masse heben und die Äpfel damit füllen.
- Die Äpfel auf dem mit Backpapier ausgelegten Blech im vorgeheizten Backofen bei 175 °C ca. 10–15 Min. garen.

Holunderbeersuppe mit Schneeklößchen

Zutaten pro Rezept: 300 ml Holunderbeersaft, ungesüßt (2 KE), 125 ml Wasser, 1 TL Zitronensaft, 1 Messerspitze Zimt, 2 ml Andickungspulver, Süßstoff, 1 Eischnee

Nährwerte pro Rezept

125 kcal, 8 g E, 0 g F, 21 g KH, 2 KE, 0 mg Chol, 0 g Ba

- Saft, Wasser, Zitronensaft und Zimt erhitzen. Kurz vor dem Kochen das Andickungspulver unter Rühren einstreuen, aufkochen lassen und mit Süßstoff abschmecken.
- Aus dem Eischnee mit dem Teelöffel kleine Klößchen abstechen und auf heißem Wasser (kurz vor dem Kochpunkt) gut 5 Min. ziehen lassen. Die Klößchen vor dem Servieren auf die kalte oder warme Suppe setzen.

Tipp

Bei frischen Holunderbeeren setzt man 300 g Beeren mit ¼ l kaltem Wasser an, lässt das Ganze 5 Min. köcheln und püriert es in einem Mixer. Die weitere Zubereitung wie oben beschrieben. Je nach Belieben andünsten. Vorsicht, Andickungspulver quillt nach!

Quarkkeulchen

Zutaten für 2 Portionen: 250 g Kartoffeln, mehlig kochend, 125 g Magerquark, 1 Ei, 30 g Weizenmehl, 1 Prise Salz, ½ TL Zimt, gemahlen, abgeriebene Schale von 1 Zitrone, flüssiger Süßstoff nach Geschmack, 1 EL Maiskeimöl, 1 EL Streusüße (z. B. „Canderel")

Nährwerte pro Portion

270 kcal, 16 g E, 9 g F, 31 g KH, 3 KE, 120 mg Chol, 3 g Ba

- Die Kartoffeln am Vortag in der Schale kochen und noch heiß pellen. Am Tag der Zubereitung fein reiben und mit Quark, Ei, Mehl, Salz, Zimt und Zitronenschale mischen. Mit flüssigem Süßstoff abschmecken. Falls der Teig etwas klebt, noch 1 Esslöffel Mehl (ca. 20 g) zugeben.
- Mit 1 Esslöffel teelöffelgroße Portionen abstechen und zu ovalen Keulchen formen. Das Öl in einer beschichteten Pfanne erhitzen und die Quarkkeulchen von allen Seiten goldbraun backen. Noch warm süßen und servieren.
- Empfehlung: Quarkkeulchen kommen aus Sachsen und werden dort gern als süßer Hauptgang oder als Dessert verspeist. Zu ihnen schmeckt frisches Apfelmus oder Kompottobst (ohne Zucker).

Tipp

Verwenden Sie für die Quarkkeulchen gekochte Kartoffeln vom Vortag. Sie lassen sich sehr gut reiben und fallen nicht so leicht auseinander. Wenn Sie es leicht mögen, reiben Sie die Kartoffeln ganz fein. Bevorzugen Sie den kartoffeligen Akzent, reiben Sie die Kartoffeln recht grob und mischen sie mit den restlichen Zutaten.

Fruchtkaltschale

Zutaten für 2 Portionen: 300 g Beerenobst (tiefgekühlt, ohne Zucker), flüssiger Süßstoff nach Geschmack, Zitronensaft, 500 ml Kefir, 2 Minzezweige

Nährwerte pro Portion

185 kcal, 10 g E, 1 g F, 34 g KH, 2,3 KE, 0 mg Chol, 1 g Ba

- Das Beerenobst leicht antauen lassen und mit einem Pürierstab pürieren. Das Fruchtmus durch ein Sieb streichen und mit flüssigem Süßstoff und etwas Zitronensaft abschmecken. Kefir mit dem Obstpüree mischen, auf zwei Suppenteller aufteilen und mit frischer Minze garniert servieren.

Kokosmilchreis mit Aprikosenpüree

Zutaten für 2 Portionen: *300 ml Kokosmilch, 80 g Milchreis, ½ Zimtstange, 1 Prise Salz, 1 kleines Glas Aprikosen,, ohne Zucker (370 ml), 1 – 2 EL Streusüße („Feine Süße" von Natreen)*

Nährwerte pro Portion
220 kcal, 4 g E, 1 g F, 48 g KH, 3,5 KE, 0 mg Chol, 3 g Ba

▌ Die Kokosmilch aufkochen lassen. Den Milchreis, die halbe Zimtstange und etwas Salz zugeben. Den Reis auf kleiner Flamme 30 bis 40 Min. ausquellen lassen. Dabei mehrmals mit einer Gabel umrühren, damit er nicht klumpt oder anbrennt. Die Aprikosen gut abtropfen lassen, den Aprikosensaft dabei auffangen.

▌ Falls der Reis zu dick wird, den Aprikosensaft hinzufügen. Die Zimtstange aus dem Reis entfernen. Milchreis mit der Streusüße abschmecken. Die abgetropften Aprikosen mit einem Passierstab pürieren. Den Milchreis in zwei Schälchen füllen und mit dem Aprikosenpüree übergießen.

▌ **Variante:** Der Kokosmilchreis schmeckt auch sehr gut in Kombination mit Sauerkirschen oder Pflaumenkompott (ohne Zusatz von Zucker).

Pflaumenauflauf

Zutaten für 2 Portionen: *3 mittelgroße Pflaumen (ca. 110 g), 2 Eier, flüssiger Süßstoff nach Geschmack, 1 Päckchen Vanillezucker (12 g), Zimt, gemahlen, 1 Prise Salz, 4 EL Weizenmehl (40 g), 5 EL fettarme Milch*

Nährwerte pro Portion

220 kcal, 11 g E, 7 g F, 28 g KH, davon 8 g Zucker, 2,5 KE, 240 mg Chol, 2 g Ba

▪ Den Backofen auf 180 °C (Gas Stufe 2 bis 3, Umluft 160 °C) vorheizen. Die Pflaumen abspülen, halbieren und entsteinen. Die Eier trennen und das Eiklar mit einer Prise Salz zu steifem Schnee schlagen und abgedeckt kühl stellen.

▪ Die Eigelbe mit Süßstoff und Vanillezucker schaumig schlagen. Anschließend den Zimt und das Salz zugeben. Das Mehl in die Eimasse rühren und die Milch mit dem Teig mischen. Zuletzt den kalten, steifen Eischnee vorsichtig unter den Teig heben.

▪ Die Hälfte des Teiges in eine Auflaufform füllen und die Pflaumenhälften darauf verteilen. Anschließend den restlichen Teig auf die Pflaumen geben und glatt streichen. Auf der mittleren Schiene 20 bis 25 Min. goldgelb backen.

▪ **Variante:** Sie können den Auflauf auch sehr gut mit Äpfeln oder Sauerkirschen zubereiten.

So wird aus Eiklar Eischnee

Das gallertartige Eiklar wird in vielen Rezepten gerne zu Eischnee verarbeitet, um den Teig zu lockern. Bei Soufflés ist geschlagenes Eiklar ein fester Bestandteil, ohne den die luftige Speise nicht möglich wäre. Damit aus Eiklar Eischnee wird, muss das Ei exakt getrennt werden. Auch wenn nur Spuren des Eigelbs zurückbleiben, wird es nicht richtig steif. Am besten lassen sich Eier trennen, wenn sie kalt sind. Zudem wird dann auch das Eiklar schneller steif. Die eingewirbelten Luftbläschen, die dem Eischnee sein Volumen geben, bleiben auch nach dem Schlagen in einem hohen Rührgefäß über Stunden erhalten. Geben Sie ins Eiklar eine Prise Salz, so wird der Schaum schön cremig. Eiklar ist steif, wenn Sie mit den Quirlen Straßen in den Schnee ziehen können. Wird er nicht sofort weiterverarbeitet, empfiehlt es sich, Eischnee abgedeckt im Kühlschrank aufzubewahren.

Gebäck

Leckeres Vollkornbrot und Getreideprodukte sind als Energielieferanten besonders wichtig, weil sie die Muskeln und das Gehirn mit Glukose (Traubenzucker) versorgen. In Form von Stärke machen Kohlenhydrate lange satt. Falls Sie bisher noch nie Vollkornprodukte gegessen haben, sollten Sie einmal neue Brotsorten ausprobieren. Vollkornbrötchen und Brote aus fein gemahlenem Vollkornmehl erleichtern den Einstieg. Ballaststoffe haben die Fähigkeit, ein Mehrfaches ihres eigenen Gewichts an Wasser aufzunehmen. Der Darm kann diesen Brei viel leichter weitertransportieren.

Süßes Gebäck

Folgendes sollten Sie beim Backen nicht außer Acht lassen: Backen Sie nach Rezepten, von denen Ihnen die Nährstoffanalyse bekannt ist. Nährstoffangaben geben Auskunft für den Gehalt an Eiweiß, Fett, Kohlenhydraten, Kilojoule (Kilokalorien) bezogen auf 100 g des verzehrfertigen Gebäcks, pro Stück oder entsprechend 1 KE.

Lesen Sie sich neue Rezepte gut durch. Verfahren Sie genauso wie im Rezept beschrieben, denn manche Zubereitungsarten, wie z.B. Bisquitteig oder Baisermasse, reagieren bei Abweichungen von der beschriebenen Rezeptur mit „Nicht-gelingen".

Zucker-Ersatz

Streusüße auf Aspartambasis ist ein idealer Zuckerersatz. Sie schmeckt angenehm süß, ohne leicht metallischen Nachgeschmack. 1 Teelöffel Streusüße hat das gleiche Volumen und die gleiche Süßkraft wie 1 Teelöffel Zucker. Dabei ist sie kalorienarm und nahezu kohlenhydratfrei (1 Teelöffel liefert 2 kcal und 0,04 BE). Streusüße auf Aspartambasis kommt zum Einsatz bei Obst, Joghurt, Müsli, Desserts sowie zum Süßen von Heiß- und Kaltgetränken. Sie eignet sich auch sehr gut als Puderzuckerersatz. Sie ist koch- und gefrierfest. Zum Backen von Keksen kann sie auch zum Einsatz kommen. Doch bei längeren Backzeiten und -temperaturen von über 180 °C verliert Aspartam-Streusüße ihre Süßkraft. Alle streufähigen Produkte enthalten Maltodextrin, um das Produkt rieselfähig zu machen. Der Anteil ist jedoch so niedrig, dass er keine Auswirkung auf

den Blutzuckerspiegel hat. Aspartam-Streusüße gibt es im Supermarkt, in Drogeriemärkten und Reformhäusern.

Garprobe

- Stechen Sie ein dünnes Holzstäbchen in den Kuchen. Wenn kein Teig mehr daran klebt, ist der Kuchen gar.
- Trockene Kuchen im heißen Zustand aus der Form lösen und auf einem Kuchengitter auskühlen lassen.
- Bei nassen Kuchen lösen und entfernen Sie am besten nur den Rand der Form und schneiden den Kuchen auf dem Springformboden.
- Sollte sich das Backpapier bei Bisquitzubereitungen nicht abziehen lassen, bepinseln Sie es mit kaltem Wasser.

Ballaststoffe – günstig für den Blutzucker

Ballaststoffe zählen zu den Kohlenhydraten. Sie sind ausschließlich in pflanzlichen Lebensmitteln enthalten – vor allem in Getreide. Sie werden vom menschlichen Verdauungssystem nur teilweise verwertet, sind aber von großem gesundheitlichem Nutzen für uns. Die in den Vollkornprodukten enthaltenen Ballaststoffe sorgen dafür, dass die enthaltene

Stärke nur sehr langsam in das Blut gelangen kann, wodurch ein zu schneller Blutzuckeranstieg verhindert wird. Außerdem wirken sie sich positiv auf den Cholesterinspiegel aus, fördern die Darmtätigkeit und sättigen anhaltend. Heute werden täglich nur noch 20 Gramm Ballaststoffe gegessen, 30 Gramm sollten es aber sein.

Falls Sie bisher noch nie Vollkornprodukte gegessen haben, sollten Sie einmal neue Gebäcksorten ausprobieren. Fein gemahlenes Vollkornmehl erleichtert den Einstieg. Ballaststoffe haben die Fähigkeit, ein Mehrfaches ihres eigenen Gewichts an Wasser aufzunehmen. Der Darm kann diesen Brei viel leichter weitertransportieren. Ballaststoffe aus Getreide (Zellulose) sind für die Verdauung besonders wichtig: grobe Partikel (Ganzkornbrot) sind besser als feine, wie im Vollkornmehl.

Pektin im Apfel und Beta-Galaktane im Hafer bezeichnet man als lösliche Ballaststoffe. Sie wirken positiv auf den menschlichen Organismus ein, da sie den Cholesterinspiegel im Blut indirekt senken können. Fructose (Fruchtzucker) wird für Diabetiker heute nicht mehr empfohlen.

Quarkbrötchen

Zutaten pro Rezept: *200 g Weizenvollkornmehl (10 KE), 150 g Magerquark, 2 EL Wasser, 1 Ei, 1 Pr. Salz, 2 gestr. TL Backpulver, ½ – 1 TL Süßstoff, Milch (1,5 % Fett)*

Nährwerte pro Stück

80 kcal, 5 g E, 1 g F, 12 g KH, 1 KE

- Mehl, Quark, Wasser, das Ei, Salz, Backpulver und evtl. Süßstoff in eine Schüssel geben. Miteinander verkneten, zuerst mit dem elektrischen Knethaken und dann per Hand.
- 10 Häufchen à 40 – 45 Gramm abwiegen und daraus kleine Brötchen formen. Die Hände dazu leicht mit Mehl bestäuben.
- Die Brötchen auf ein mit Backpapier ausgelegtes Backblech setzen, mit Milch bestreichen und im vorgeheizten Backofen bei 175 °C etwa 15 – 20 Min. backen.

Tipp

Durch Zugabe von angebratenen, abgekühlten Zwiebelwürfeln (50 g Zwiebeln, 5 g Öl) erhält man eine pikante Geschmacksrichtung. Die Nährwerte verändern sich pro Stück nur geringfügig.

Zitronengebäck

Zutaten pro Rezept: *100 g Weizenvollkornmehl Type 1700 (5 KE), 150 g Weizenmehl Type 550 (10 KE), 1 TL Backpulver, 1 Ei, 60 g Isomalt (3 KE), 1 TL Süßstoff, 1 abgeriebene Zitronenschale, 2 EL Zitronensaft, 125 g Butter*

Nährwerte pro 20 g Gebäck

100 kcal, 2 g E, 6 g F, 10 g KH, 1 KE

- Mehl und Backpulver auf ein Backbrett sieben, in die Mitte eine Vertiefung drücken und das Ei hineingeben.
- Isomalt, Süßstoff, Zitronenschale und Saft sowie die Butterflöckchen auf dem Mehlkranz verteilen. Alles von außen nach innen gut miteinander verkneten und den Teig 30 Min. kühl stellen.
- Den Teig zwischen Klarsichtfolie etwa 3 mm dünn ausrollen und mit einer kleinen Ausstechform Kreise o. Ä. ausstechen. Auf ein mit Backpapier ausgelegtes Backblech geben und im vorgeheizten Backofen bei 175 – 190 °C etwa 8 – 10 Min. abbacken.

Tipp

Nüsse enthalten die gesunden mehrfach ungesättigten Fettsäuren – und davon reichlich. Aufgrund des hohen Fettgehaltes sollten Sie Nüsse und Mandeln dennoch sparsam einsetzen. Plätzchen erhalten ebenfalls Biss und ein nussiges Aroma, wenn Sie einen Teil der gemahlenen Nüsse durch zarte Haferflocken ersetzen. Beim Austausch von Mandeln geben Sie einfach einige Tropfen Bittermandelöl zum Teig.

Süßes Gebäck

Zitronenherzen

Zutaten pro Rezept: *1 Eigelb, 35 g Fruchtzucker (3,5 KE), ½ TL Süßstoff, 2 EL Zitronensaft, 100 g gemahlene Mandeln, 20 g Weizenkleie, ½ Vanilleschote, 1 Messerspitze Backpulver, 2 ml Andickungspulver, 1 Eiweiß, 15 g Fruchtzucker (1,5 KE), 2 TL Zitronensaft, 1 ml Andickungspulver*

Nährwerte pro 40 g
175 kcal, 6 g E, 12 g F, 11 g KH, 1 KE

- Eigelb und Fruchtzucker schaumig rühren.
- Süßstoff, Zitronensaft, Mandeln, Weizenkleie, das Mark einer halben Vanilleschote sowie das Back- und Andickungspulver dazugeben und eine ¾ Stunde kühl stellen.
- Den Teig zwischen Klarsichtfolie ½ cm dick ausrollen, kleine Herzen ausstechen und auf ein mit Backpapier ausgelegtes Backblech setzen.
- Das Eiweiß zu steifem Schnee schlagen, Fruchtzucker sowie Zitronensaft dazugeben und zum Schluss das Andickungspulver unterrühren.
- Das Eiweiß in Häufchen auf die Herzen setzen und im vorgeheizten Backofen bei 175 °C etwa 10 – 15 Min. backen.

Clafoutis

Zutaten 8 kleine Förmchen: *1 Glas Schattenmorellen (350 g Abtropfgewicht), 4 Pck. Vanillinzucker, 2 Eier, 100 g Mehl (Type 1050), 100 ml Milch (1,5 % Fett), 6 EL Magerquark. Außerdem: Fett für die Förmchen, Semmelbrösel*

Nährwerte pro Stück
147 kcal, 7 g E, 2 g F, 24 g KH, 2,4 KE

- Die Schattenmorellen abtropfen lassen. Vanillinzucker mit den Eiern schaumig schlagen. Mehl, Milch und den Quark hinzufügen und zu einem Teig verrühren.
- Die Förmchen ausfetten und mit Semmelbröseln leicht ausstreuen. Den Teig gleichmäßig verteilen, die Kirschen darauf geben und leicht eindrücken.
- Förmchen in den kalten Backofen geben (mittlere Einschubleiste) und bei ca. 200 °C (Umluft 180 °C) etwa 35 Min. backen.

Tipp

Wichtig: Die Plätzchen sollen goldgelb sofort aus dem Ofen genommen werden und auf einem Kuchengitter abkühlen. Wenn sie zu spät aus dem Ofen kommen, schmecken sie schnell trocken.

Früchteriegel

Zutaten für 18 Stück: *50 g Aprikosen, getrocknet, 50 g Pflaumen, getrocknet, 150 g Halbfettbutter, 2 EL Honig, 250 g Cornflakes, ungezuckert, 80 g Mandeln, gehackt, 2 Eier, 100 g Mehl (Type 1050), 100 g Fruchtaufstrich Aprikose*

Nährwerte pro Stück
170 kcal, 4 g E, 7 g F, 24 g KH, 2,4 KE

- Den Backofen auf 180 °C (Umluft 160 °C) vorheizen. Ein Backblech mit Backpapier auslegen. Die Trockenfrüchte klein hacken, mit der Halbfettbutter und dem Honig bei schwacher Hitze erwärmen, bis die Butter zerfließt.
- Die Cornflakes in einem Gefrierbeutel zerstoßen. Mit den Mandeln, Eiern und dem Mehl mischen. Fruchtaufstrich mit 1 EL Wasser verrühren. Alles zu der Trockenfruchtmasse geben und vermengen.
- Die Cornflakes-Mischung auf eine Blechhälfte geben und leicht andrücken, im Backofen (mittlere Einschubleiste) etwa 30 Min. backen. Abkühlen lassen und in Riegel schneiden.

Tipp

Backen Sie doch mal in kleinen Formen. So bleiben weniger Reste, die zum Naschen verführen. Muffins sind beliebt und passen zu jeder Gelegenheit. Pflanzenöl macht das Gebäck besonders saftig. Das gelingt auch, wenn Sie die angegebene Fettmenge im Rezept um bis zu 40 % verringern. Verwenden Sie für die notwendigen Milchprodukte fettarme Milch und fettarmen Joghurt oder Buttermilch. Setzen Sie einfach Papier-Backförmchen in die Vertiefungen eines Muffinbleches – dann ist das Einfetten überflüssig.

Mirabellenkränze

Zutaten für zwei Backbleche, ergibt 10 Stück: *Belag: 400 g Mirabellen, 1 Pck. Mandelpuddingpulver, 375 ml Milch (1,5 % Fett), 1 TL Süßstoff, flüssig. Teig: 30 g Zucker, 1 Pck. Vanillinzucker, 1 Prise Salz, 125 g Magerquark, 50 ml Milch (1,5 % Fett), 40 ml Rapsöl, 200 g Mehl (Type 405), 1 Pck. Backpulver, 30 g Mandeln, gehackt*

Nährwerte pro Stück

206 kcal, 7 g E, 6 g F, 30 g KH, 3 KE

- Mirabellen waschen, entsteinen und halbieren. Puddingpulver mit 6 EL der Milch glatt rühren. Übrige Milch aufkochen, von der Kochstelle nehmen und Puddingpulver dazugeben; unter Rühren kurz aufkochen lassen. Mit Süßstoff süßen, in eine Schüssel füllen. Mit Klarsichtfolie abdecken.
- Backofen auf 160 °C (Umluft 140 °C) vorheizen. Zucker, Vanillinzucker, Salz, Quark, Milch und Öl verrühren. Mehl mit Backpulver mischen und unterkneten. Teig dünn ausrollen, 10 runde Böden ausstechen (Ø 9 cm) und auf die Backbleche setzen.
- Restlichen Teig verkneten, in 10 Teile teilen und jeweils zu einer Rolle (ca. 50 cm lang) formen. Die Enden jeder Rolle zusammenlegen und zu einer Kordel drehen. Den Rand der Teigböden mit wenig Wasser bestreichen, Kordel daraufliegen und leicht andrücken.
- Pudding cremig rühren, je 2 EL auf den Böden verteilen. Mit Mirabellenhälften belegen und Mandeln bestreuen. Im Ofen (mittlere Einschubleiste) 20 Min. backen. Kränze auf einem Kuchengitter erkalten lassen.

Quark-Kissen

Zutaten für 15 Stück: *Teig: 150 g Magerquark, 6 EL Rapsöl, 1 Ei, 2 Pck. Vanillinzucker, 1 Prise Salz, 300 g Mehl (Type 405), 1 Pck. Backpulver. Füllung: 350 g Magerquark, 4 EL saure Sahne, 1 Ei, ½ Fläschchen Butter-Vanillearoma, 50 g Zucker, Süßstoff. Außerdem: 2 Eigelb, 1 EL Milch (1,5 %)*

Nährwerte pro Stück

172 kcal, 8 g E, 6 g F, 21 g KH, 2,5 KE

- Den Backofen auf 200 °C (Umluft 180 °C) vorheizen. Ein Backblech mit Backpapier auslegen. Quark, Öl, Ei, Vanillinzucker und Salz verrühren. Mehl mit dem Backpulver mischen und mit der Quarkmasse vermengen. Den Teig auf einer bemehlten Arbeitsfläche dünn ausrollen. Quadrate von 10 × 10 cm ausschneiden.
- Quark mit saurer Sahne, Ei, Butter-Vanillearoma und Zucker verrühren. Mit flüssigem Süßstoff abschmecken. In die Mitte jedes Teig-Quadrats einen EL der Quarkfüllung geben. Das Eigelb mit der Milch verrühren und die Ecken der Quadrate damit bepinseln, alle vier Ecken nach innen klappen und die Spitzen leicht miteinander verdrehen.
- Quarkkissen vorsichtig auf das Blech setzen, mit übrigem Eigelb bepinseln und im Backofen (mittlere Einschubleiste) ca. 20 Min. backen.

Marmorwaffeln

Zutaten für 8 Stück: *100 g Halbfettbutter, weich, 50 g Zucker, 1 Pck. Vanillinzucker, 2 Eier, 200 g Mehl (Type 405), ½ TL Backpulver, 300 ml Milch (1,5 % Fett), 2 EL Kakaopulver, 30 g Schokoraspel*

Nährwerte pro Stück

218 kcal, 6 g E, 8 g F, 30 g KH, 3 KE

- Butter mit Zucker und Vanillinzucker schaumig schlagen. Eier einzeln dazugeben und unterrühren. Mehl mit Backpulver mischen und abwechselnd mit der Milch in die Butter-Ei-Masse rühren. Waffelteig 15 Min. quellen lassen. Das Waffeleisen auf mittlerer Stufe vorheizen.
- Den Teig halbieren, unter eine Hälfte Kakaopulver und Schokoraspeln rühren. Beide Backflächen des Waffeleisens dünn mit Öl bestreichen, je 2 EL vom hellen und dunklen Teig auf der unteren Backfläche verteilen und rasch mit einem Löffel ineinander ziehen. Waffeleisen schließen und 3 bis 4 Min. goldbraun backen.

Wiener Buchteln

Zutaten für 15 Stück: *200 g Mehl (Type 405), 20 g Hefe, 100 ml Milch (1,5 % Fett), lauwarm, 30 g Zucker, 1 Pck. Vanillinzucker, 40 g Halbfettmargarine, 1 Prise Salz, 3 EL Rapsöl, 2 EL Puderzucker*

Nährwerte pro Stück

115 kcal, 2 g E, 4 g F, 17 g KH, 1,7 KE

▪ Das Mehl in eine Schüssel geben, in die Mitte eine Vertiefung drücken. Hefe in etwas Milch auflösen, 1 TL Zucker hinzufügen und in die Vertiefung geben, mit etwas Mehl vom Rand bestäuben. Zugedeckt an einem warmen Ort ca. 15 Min. gehen lassen.

▪ Den übrigen Zucker, restliche Milch, Vanillinzucker, Halbfettmargarine und Salz mit dem Hefevorteig zu einem glatten Teig verkneten. Weitere 30 Min. zugedeckt gehen lassen, bis der Teig sich verdoppelt hat.

▪ Backofen auf 200 °C (Umluft: 175 °C) vorheizen. Hefeteig nochmals durchkneten, 12 Bällchen formen, in dem Öl wenden und in eine kleine Tarteform (Ø 16 cm) nicht zu dicht nebeneinander setzen. Die Buchteln nochmals gehen lassen, bis sie sich sichtbar vergrößert haben.

▪ Im vorgeheizten Backofen 20 bis 25 Min. backen. Die Buchteln aus dem Ofen nehmen, leicht abkühlen lassen, mit Puderzucker bestäuben und lauwarm servieren.

Marzipanmuffins

Zutaten für 10 Stück: *100 g Marzipanrohmasse, 250 g Mehl (Type 405), 60 g Mandeln, gehackt, 2 ½ TL Backpulver, ½ TL Natron, 1 Ei, 80 g Zucker, 50 ml Pflanzenöl, 250 g Joghurt (1,5 % Fett), Süßstoff, flüssig. Außerdem: 12 Papier-Backförmchen*

Nährwerte pro Stück

217 kcal, 5 g E, 10 g F, 26 g KH, 2,6 KE

▪ Den Backofen auf 180 °C (Umluft 160 °C) vorheizen. Die Papierförmchen in die Vertiefungen der Muffinform setzen. Marzipanrohmasse kneten und daraus 12 Kugeln formen. Mehl, Mandeln, Backpulver und Natron mischen.

▪ Das Ei verquirlen. Zucker, Öl, Joghurt zugeben und gut verrühren, mit Süßstoff süßen. Mehlmischung zugeben und nur so lange rühren, bis die trockenen Zutaten feucht sind.

▪ Die Hälfte vom Teig in die Vertiefungen füllen. Je eine Marzipankugel auf den Teig geben, mit übrigem Teig auffüllen. Im Ofen (mittlere Einschubleiste) 20 bis 25 Min. goldbraun backen.

Tipp

Bestreuen Sie die Muffins vor dem Backen mit 60 g gehackten Pistazien.

Schokomuffins

Zutaten für 12 Stück: *90 g Mehl (Type 1050), 100 g Mehl (Type 405), 2 TL Backpulver, ½ TL Natron, 3 EL Kakaopulver, 50 g Schokotröpfchen, 1 Ei, 80 g Zucker, 60 ml Pflanzenöl, ½ Fläschchen Vanillearoma, 260 g Buttermilch, Süßstoff, flüssig. Außerdem: 12 Papier-Backförmchen*

Nährwerte pro Stück

170 kcal, 4 g E, 7 g F, 22 g KH, 2,3 KE

▪ Den Backofen auf 180 °C (Umluft 160 °C) vorheizen. Die Papierförmchen in die Vertiefungen der Muffinform setzen. Mehl, Backpulver, Natron, Kakaopulver und Schokotröpfchen vermischen.

▪ Das Ei verquirlen. Mit Zucker, Öl, Vanillearoma und Buttermilch verrühren, eventuell mit Süßstoff süßen. Mehlmischung zugeben und nur so lange rühren, bis die trockenen Zutaten feucht sind. Teig in die Vertiefungen füllen. Im Ofen (mittlere Einschubleiste) 20 bis 25 Min. backen.

▪ Weiße Kuvertüre schmelzen, Muffins eintauchen und leicht abtropfen lassen.

Schoko-Muffins mit Walnüssen

Zutaten für 6 Stück: 35 g *Sonnenblumenöl,* 40 g *Zucker,* 4 ml *flüssiger Süßstoff,* 1 TL *Vanillezucker (5 g),* ½ *Fläschchen Buttervanille-Aroma,* 1 *Ei,* 100 ml *fettarme Milch,* ½ TL *Essig,* 15 EL *Weizenmehl (150 g),* 1 TL *Backpulver,* 1 *Prise Salz,* 4 EL *Kakaopulver,* 50 g *Walnüsse,* 6 *Papierbackförmchen*

Nährwerte pro Schoko-Muffin (bei 6 gesamt)

265 kcal, 7 g E, 14 g F, 28 g KH, davon 9 g Zucker, 2,8 KE

▪ Den Backofen auf 180 °C (Gas Stufe 2 bis 3, Umluft 160 °C) vorheizen. In jede Mulde des Muffinblechs ein paar Tropfen Wasser setzen und die Backförmchen am Boden andrücken. Das Öl mit Zucker, Süßstoff, Vanillezucker, Buttervanille-Aroma und dem Ei zu einer glatten Masse rühren. Milch und Essig hinzufügen.

▪ Das Mehl mit Backpulver, Salz und dem Kakaopulver mischen und löffelweise unter die Fettmasse rühren. Den Teig abschmecken und, falls nötig, noch etwas flüssigen Süßstoff zugeben. Die Walnüsse grob hacken und mit dem Schokoteig mischen.

▪ Den Teig gleichmäßig auf die Förmchen verteilen. Auf der mittleren Schiene 20 Min. backen. Anschließend aus dem Ofen nehmen und 5 Min. im Backblech ruhen lassen. Dann die kompletten Förmchen aus dem Blech nehmen und die Muffins auf eine Platte setzen und noch lauwarm genießen.

Blätterteig wird oft für „kleine Teilchen" verwendet. Dieser zählt allerdings zu den fettreichsten Teigarten. Backen Sie gefüllte Taschen und ähnliches Kleingebäck lieber mit einem Quark-Öl-Teig. Er ist schnell zubereitet und lässt sich gut formen. Magerquark macht ihn schön saftig. Seien Sie vorsichtig bei Füllungen mit Marzipan, Kokos oder Nougat. Probieren Sie lieber fruchtige Füllungen. Besonders lecker: Eine Füllung aus Obst und lieblichem Quark.

Brownies light

Zutaten für 20 Stück, 2 *Äpfel, säuerlich,* 60 g *brauner Zucker,* 100 g *Walnüsse, gehackt,* 100 g *Zartbitterschokolade,* 100 g *Halbfettbutter,* 4 *Eier,* 60 g *brauner Zucker,* 1 *Prise Salz,* 120 g *Joghurt (1,5 % Fett),* 200 g *Mehl (Type 405),* 4 EL *Kakaopulver,* 2 TL *Backpulver*

Nährwerte pro Stück

157 kcal, 4 g E, 8 g F, 15 g KH, 1,5 KE

▪ Die Äpfel schälen, vierteln, entkernen und klein würfeln. Zucker in einer Pfanne goldbraun karamellisieren. Walnüsse dazugeben. Äpfel hinzufügen und 2 Min. unter Rühren karamellisieren, beiseite stellen.

▪ Backofen auf 175 °C (Umluft 160 °C) vorheizen. Backform mit Backpapier auslegen. Schokolade in Stücke brechen. Zusammen mit der Butter in einer Metallschüssel im Wasserbad (oder Mikrowelle) schmelzen, dabei gelegentlich umrühren.

▪ Eier mit Zucker aufschlagen. Joghurt und Schokoladen-Butter-Mischung untermengen, Salz zufügen. Mehl mit Kakao und Backpulver mischen und darüber sieben. Zügig unterrühren. Zum Schluss die Nuss-Apfel-Mischung unterziehen.

▪ Den Teig gleichmäßig in die Backform geben. Im Backofen (mittlere Einschubleiste) etwa 25 bis 30 Min. backen. Abkühlen lassen, dann in Würfel schneiden.

Saure-Sahne-Kekse

Zutaten für 30 Stück: 15 EL *Weizenmehl (150 g),* 1 *Päckchen Vanillezucker (12 g),* 75 g *saure Sahne,* 75 g *Margarine,* 2 EL *fettarme Milch,* 5 EL *Zucker (50 g)*

Nährwerte pro Keks (bei 30 gesamt)

45 kcal, 1 g E, 2 g F, 6 g KH, davon 2 g Zucker, 0,6 KE

▪ Mehl mit dem Vanillezucker, der sauren Sahne und Margarine zu einem Teig verarbeiten. In Frischhaltefolie gewickelt 1 Stunde im Kühlschrank ruhen lassen. Den Backofen auf 180 °C (Gas Stufe 2 bis 3, Umluft 160 °C) vorheizen. Den Teig zwischen zwei Lagen Frischhaltefolie dünn ausrollen.

▪ Mit einem Plätzchenausstecher 30 Plätzchen ausstechen. Zwei Backbleche mit Backpapier auslegen und die Plätzchen daraufsetzen. Jedes Plätzchen mit Milch bepinseln und mit etwas Zucker bestreuen. Auf der zweiten und dritten Schiene von unten etwa 10 bis 13 Min. backen.

Rhabarber-Taschen

Zutaten für 12 Stück: *250 g Mehl (Type 405), ½ Würfel Hefe, 150 ml Milch (1,5 % Fett), lauwarm, 30 g Zucker, 40 g Butter, 1 Prise Salz, 350 g Rhabarber, 1 Pck. Vanillinzucker, 125 g Magerquark, Süßstoff, flüssig, ¼ Fläschchen Vanillearoma.*
Zum Bestreichen: 1 Ei, 1 EL Milch

Nährwerte pro Stück

134 kcal, 5 g E, 4 g F, 19 g KH, 2 KE

- Das Mehl in eine Schüssel geben, in die Mitte eine Vertiefung drücken. Hefe in etwas Milch und 1 TL Zucker auflösen und Mischung in die Vertiefung geben, mit etwas Mehl vom Rand bestäuben. Zugedeckt an einem warmen Ort 15 Min. gehen lassen.
- Übrigen Zucker, restliche Milch, Butter und Salz mit dem Vorteig zu einem glatten Teig verkneten. Den Teig zugedeckt so lange gehen lassen, bis er sich sichtbar vergrößert hat. Rhabarber waschen, putzen und in 2 cm lange Stücke schneiden. Mit 150 ml Wasser und Vanillinzucker aufkochen lassen, in einem Sieb abtropfen lassen. Rhabarber mit Quark vermengen, Süßstoff und Vanillearoma hinzugeben.
- Ei trennen. Den Teig dünn, 12 Kreise (Ø 12 cm) ausstechen, die Ränder mit verquirltem Eiweiß bestreichen. Etwas Rhabarber-Quark auf eine Hälfte geben, zusammenklappen und die Ränder gut andrücken. Backofen auf 200 °C vorheizen. Teilchen zugedeckt 10 Min. ruhen lassen, Taschen mit Eigelb-Milch bestreichen. Im Ofen (mittlere Einschubleiste) 20 bis 25 Min. goldbraun backen.

Haferflockenplätzchen

Zutaten für 30 Stück: *1 Ei, 100 g Butter, 50 g Zucker, 5 ml flüssiger Süßstoff, ½ TL Zimt, ½ Fläschchen Buttervanillearoma, 200 g kernige Haferflocken, 1 TL Backpulver, 5 EL Haselnüsse, gemahlen, 5 EL fettarme Milch*

Nährwerte pro Haferflockenplätzchen (bei 30 gesamt)

75 kcal, 1 g E, 5 g F, 6 g KH, davon 2 g Zucker, 0,6 KE

- Den Backofen auf 180 °C (Gas Stufe 2 bis 3, Umluft 160 °C) vorheizen. Ei, Butter, Zucker, Süßstoff, Zimt und Buttervanille-Aroma mit den Quirlen des Handrührgeräts zu einer schaumigen Masse verrühren. Die Haferflocken mit dem Backpulver mischen, unter die Butter-Ei-Masse rühren und zum Schluss die gemahlenen Haselnüsse zugeben.
- Ein Backblech mit Backpapier auslegen. Mit einem Teelöffel 30 gleich große Häufchen abstechen und diese zu je 8 bis 9 Stück pro Reihe auf das Blech setzen. Die Plätzchen vor dem Backen mit Milch bepinseln und auf der mittleren Schiene 10 bis 15 Min. backen.

Tipp

Sie können dem Teig auch ein paar gehackte Pistazien beimischen. Das unterstreicht die nussige Note der Haferflocken.

Buttergeschmack im Gebäck: leicht gemacht

Wenn Sie lieber Margarine statt Butter in Kuchenteigen verarbeiten und trotzdem nicht auf den typischen Buttergeschmack verzichten möchten, können Sie ½ bis 1 Fläschchen (je nach Geschmack) Buttervanille-Aroma in den Teig geben. Verwenden Sie Butter, können Sie das Aroma trotzdem verwenden – es unterstreicht den Buttergeschmack im Gebäck zusätzlich.

Terrassentaler

Zutaten für 25 Stück: 280 g Weizenmehl, ½ TL Backpulver, 5 EL Zucker (50 g), 4 ml flüssiger Süßstoff, 1 EL Vanillezucker (10 g), 1 Ei, 125 g Halbfettmargarine, 60 g Johannisbeerkonfitüre (mit Süßstoff)

Nährwerte pro Terrassentaler (bei 25 gesamt)

60 kcal, 1 g E, 2 g F, 9 g KH, davon 0 g Zucker, 0,9 KE

- Aus Mehl, Backpulver, Zucker, Süßstoff, Vanillezucker, Ei und der Margarine einen glatten Mürbeteig kneten. Den Teig, in Frischhaltefolie gewickelt, 1 Stunde im Kühlschrank ruhen lassen. Den Backofen auf 180 °C (Gas Stufe 2 bis 3, Umluft 160 °C) vorheizen. Zwei Backbleche mit Backpapier oder mit backfester Silikonbackfolie auslegen.
- Den Teig zwischen zwei Lagen Frischhaltefolie dünn ausrollen. Plätzchen in zwei verschiedenen Größen, aber gleicher Form ausstechen. Im Backofen etwa 15 Min. backen. Aus dem Ofen nehmen, kurz abkühlen lassen und die Oberseite der größeren Plätzchen dünn mit Konfitüre bestreichen und je ein kleineres Plätzchen daraufsetzen, so dass sie wie Terrassen oder Doppeldecker aussehen.
- **Variante:** Wollen Sie bei Kindern punkten, verwenden Sie anstelle der Konfitüre Nuss-Nougat-Creme.

Backpapier: fettarmer Helfer beim Backen

Die Verwendung von Backpapier ist eine gute Möglichkeit, Fett zu sparen. Springformen und Backbleche können einfach, hygienisch und schnell mit Backpapier ausgelegt werden. Damit das Papier auf dem Blech und in der Form besser haftet, geben Sie ein paar Tropfen kaltes Wasser auf das Blech oder die Form, bevor das Papier daraufkommt. Eine weitere Alternative sind hitzebeständige Silikonbackunterlagen. Sie werden einfach auf das Blech gelegt. Sie sind wiederverwendbar und lassen sich nach dem Backen einfach säubern.

Bunte Obstblumen

Zutaten für 10 Tortelett-Förmchen: Teig: 180 g Mehl (Type 405), 1 Msp. Backpulver, 40 g Zucker, ¼ Fläschchen Vanillearoma, 100 g Halbfettmargarine. Belag: 1 Ds. Mandarinen (Abtropfgewicht 175 g), 2 Kiwis, 300 g Erdbeeren, 1 Pck. Dessert-Soßenpulver, ohne Kochen (Vanillegeschmack), 150 ml Milch (1,5 %), 1 Pck. Tortenguss, klar, Süßstoff, flüssig

Nährwerte pro Stück

171 kcal, 3 g E, 5 g F, 28 g KH, 2,9 KE

- Mehl mit Backpulver mischen. Zucker, Aroma, 2 EL Wasser und Margarine hinzufügen und zu einem Teig verkneten. Teig in Frischhaltefolie gewickelt etwa 30 Min. kalt stellen.
- Zehn Tortelett-Förmchen einfetten, Backofen auf 200 °C (Umluft 180 °C) vorheizen. Die Mandarinen abtropfen lassen, dabei den Saft auffangen. Kiwis schälen, halbieren und in Scheiben schneiden. Erdbeeren waschen, putzen und halbieren.
- Teig in 10 Stücke teilen und in die Förmchen drücken. Böden mehrmals einstechen. Förmchen im Ofen (unterste Einschubleiste) 10 bis 15 Min. backen. Böden sofort aus der Form nehmen und auf einem Kuchenrost erkalten lassen.
- Soßenpulver nach Packungsanleitung, aber nur mit 150 ml Milch, zubereiten. Creme auf den Böden verteilen, mit dem Obst blütenförmig belegen. Aus Tortengusspulver, 125 ml Mandarinensaft (evtl. mit Wasser auffüllen) und 125 ml Wasser einen Guss (ohne Zucker) zubereiten, mit Süßstoff süßen. Das Obst damit überziehen.

Tipp

Nüsse enthalten die gesunden mehrfach ungesättigten Fettsäuren – und davon reichlich. Aufgrund des hohen Fettgehaltes sollten Sie Nüsse und Mandeln dennoch sparsam einsetzen. Plätzchen erhalten ebenfalls Biss und ein nussiges Aroma, wenn Sie einen Teil der gemahlenen Nüsse durch zarte Haferflocken ersetzen. Beim Austausch von Mandeln geben Sie einfach einige Tropfen Bittermandelöl zum Teig.

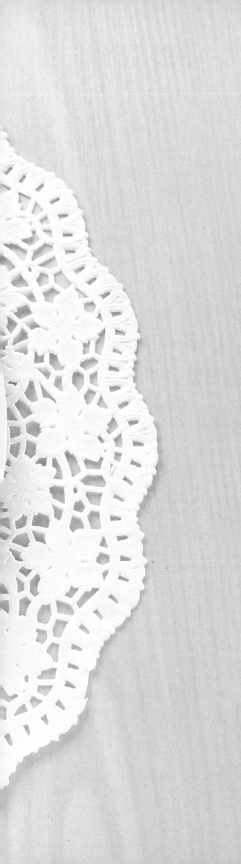

Kuchen und Torten

Kuchen für Diabetiker? Ein Widerspruch in sich? Nicht bei den folgenden Rezepten. Duftend frisch aus dem Ofen – für diesen Genuss lohnt sich die Mühe, Kuchen und Gebäck selbst herzustellen. Mit selbst gebackenem Kuchen, nach speziell zusammengestellten und berechneten Rezepturen, können sie Ihren nächsten Kaffeeklatsch ohne Bedenken planen und genießen. Stets daran denken: Alles in Maßen.

Backen – mit und ohne Zucker

Süß ist eine bevorzugte Geschmacksrichtung des Menschen. Ein normaler Blutzuckerspiegel, und das ist heute erwiesen, ist auch mit einer Ernährung zu erreichen, die Zucker (Saccharose) enthält. Der Zuckeranteil kann bei etwa 10 Prozent der täglich aufgenommenen Energiemenge liegen. Das entspricht einer Menge von 30 bis 50 g am Tag, unter Berücksichtigung der Kalorien und des Blutzuckers.

Zucker: trotz Diabetes kein Problem

Trotz Diabetes können Sie heute auch kleine Mengen von herkömmlichem Zucker (Saccharose) zum Backen verwenden. Gerade bei Teigen, bei denen Eigelb schaumig geschlagen wird, z.B. Rührteig oder Biskuitteig, gibt der Zucker das nötige Volumen. Auch Plätzchenteige werden saftiger, wenn Sie einen Teil Zucker mit Süßstoff kombinieren. Die Deutsche Diabetes Gesellschaft (DDG) schreibt in ihren Leitlinien zur Ernährung, dass etwa 10 Prozent der täglichen Kalorien über gezuckerte Lebensmittel wie Kekse, Kuchen, Schokolade oder Joghurt mit Zucker gegessen werden können – nicht müssen! Hilfe für die Kohlenhydratberechnung: Zucker = 12 g, 1 KE Zucker = 10 g, oder 1 Esslöffel. Voraussetzung für die Verwendung von Zucker ist die Kenntnis über Berechnung und Wirkung auf den Blutzuckerspiegel. Dann spricht nichts gegen ein Stück normal gezuckerten Kuchen oder ein paar Plätzchen.

Fruchtzucker und Co. sind nicht mehr nötig

Fruchtzucker wird heute in der Diabeteskost nicht mehr empfohlen! Fruchtzucker und Sorbit sind Süßungsmittel, die häufig in Diätprodukten wie Keksen, Kuchen oder Schokolade zum Einsatz kommen. Auf den Blutzuckerspiegel haben sie nur eine geringe Wirkung. Doch ihr Kaloriengehalt ist dem von herkömmlichem Zucker gleich. Häufig kommt hinzu, dass Diätprodukte mehr Fett und entsprechend mehr Kalorien enthalten als herkömmlich gezuckerte Alternativen. Eine Ausnahme hinsichtlich der Kalorien (2,4 kcal/g) bilden Zuckeralkohole wie Isomalt, Lactit, Maltit und Mannit. Sie werden meistens in industriell hergestellten Lebensmitteln wie Lightgetränken, Bonbons oder Joghurts eingesetzt. Der Verzehr von Zuckeraustauschstoffen und Zuckeralkoholen kann abführend und stark blähend wirken.

Backen und Dosieren mit Süßstoff

Süßstoffe sind eine kalorienfreundliche Alternative zu Zucker. Künstliche Süßstoffe sind energie- und kohlenhydratfrei. Bei Übergewicht ist der Austausch von Zuckeraustauschstoffen und Zucker gegen kalorienfreie Süßstoffe empfehlenswert. Und auch zum Backen und Kochen können Sie die flüssigen oder streufähigen Süßstoffe einsetzen. Streusüße etwa auf Aspartambasis ist eine willkommene Möglichkeit, Desserts und Süßspeisen kalorienfrei und mit angenehmem Geschmack zu süßen. Denken Sie aber immer daran, Süßstoffe in kleiner Menge zu dosieren, da sie eine vielfach höhere Süßkraft im Vergleich zu Zucker haben.

Die Dosierung vorsichtig vornehmen

Deshalb ist es ratsam, die Dosierung in kleinen Schritten vorzunehmen und lieber nach dem Abschmecken noch einmal nachzusüßen als von vorneherein den Teig zu übersüßen. Das Abschmecken lohnt in jedem Fall, denn der Eigengeschmack der Lebensmittel (z.B. aus Obst) kann auch zum süßen Gesamtergebnis des Teiges beitragen. Süßstoff ist kalorienfrei, liefert keine BE/KE, ist hitze- und kältebeständig. Tipp für die Dosierung: 3,5 bis 4 ml flüssiger Süßstoff entsprechen der Menge von 50 g Zucker. Kleine Messbecher für die Dosierung von Süßstoff werden häufig mit den Flaschen angeboten. Sie können diese Menge auch ganz einfach auf einer digitalen Küchenwaage abwiegen.

Altdeutscher Apfelkuchen

Zutaten pro Rezept: 100 g Weizenvollkornmehl Type 1700 (5 KE), 100 g Weizenmehl Type 550 (6,5 KE), 1 Prise Salz, 15 g Frische Hefe, 20 g Fruchtzucker oder Zucker (2 KE), 100 ml Milch (1,5 % Fett), 30 g Margarine, 3 Tbl. Süßstoff, 250 g Äpfel (2,5 KE), 3 Eigelb, 100 g Magerjoghurt, 100 g Schmant (20 % Fett), 1 TL Süßstoff, 3 Eischnee

Nährwerte pro Stück

200 kcal, 7 g E, 8 g F, 25 g KH, 2 KE

- Mehl und Salz in eine Schüssel geben und in die Mitte eine Vertiefung drücken.
- Die Hefe mit dem Fruchtzucker oder Zucker flüssig rühren und in die Vertiefung geben.
- Milch auf etwa 35 °C erwärmen, die Margarine sowie den Süßstoff darin auflösen und über den Mehlkranz, jedoch nicht direkt in die aufgelöste Hefe gießen. Mit dem elektrischen Knethaken so lange kneten, bis sich alle Zutaten miteinander verbunden haben. Per Hand nachkneten, bis ein lockerer Teigkloß entstanden ist.
- Den Teig zugedeckt an einen warmen Ort stellen und gehen lassen, bis sich sein Volumen verdoppelt hat.
- Den Teig ausrollen, in eine beschichtete Springform (26 cm) legen und am Rand etwa ½ cm hoch stehen lassen.
- Die Äpfel schälen, in dünne Scheiben schneiden, den Hefeteig damit belegen und nochmals 10–15 Min. gehen lassen.
- Eigelb, Joghurt, Schmant und Süßstoff gut verquirlen. Den Eischnee unterheben und die Masse gleichmäßig auf den Äpfeln verteilen.
- Im vorgeheizten Backofen bei 190 °C etwa 25–30 Min. backen. Den Kuchen in 8 Stücke schneiden.

Apfelkuchen sehr fein

Zutaten für eine Springform (Ø 26 cm) – ergibt 16 Stücke: 3 Eier, 3 EL Wasser, heiß, 90 g Zucker, 1 Pck. Vanillinzucker, 1 Prise Salz, 200 g Mehl (Type 405), 2 TL Backpulver, 750 g Äpfel, 2 EL Puderzucker

Nährwerte pro Stück

112 kcal, 3 g E, 2 g F, 22 g KH, 2,2 KE

- Den Backofen auf 180 °C vorheizen (Umluft 160 °C). Für den Biskuitteig die Eier trennen, Eigelbe mit 3 EL heißem Wasser verrühren, 50 g des Zuckers und Vanillinzucker zugeben und alles schaumig schlagen.
- Die Eiweiße mit Salz steif schlagen, restlichen Zucker einrieseln lassen und auf die Eigelbcreme geben. Mehl mit Backpulver mischen und auf die Eimasse sieben. Alles vorsichtig vermengen. Teig in eine mit Backpapier ausgelegte Springform füllen.
- Für den Belag Äpfel waschen, schälen, halbieren, Kerngehäuse entfernen. Die gewölbte Seite in gleichmäßigen Abständen ½ cm tief einschneiden und diese Seite nach oben auf den Teig legen. Mit Puderzucker bestäuben und im Ofen (mittlere Einschubleiste) ca. 30 bis 35 Min. backen. Kuchen aus der Form nehmen und auskühlen lassen.

Tipp

Durch das Verwenden von Backpapier können Sie „Fettkalorien" sparen. Genormten Backpapierzuschnitt müssen Sie nur noch auf das Backblech legen. Beim Einsatz von Springformen legen Sie das Backpapier einfach auf den Boden, umschließen die Form mit dem Springformrand und schneiden überstehendes Papier ab.

Harzer Apfelkuchen

Zutaten pro Rezept: *120 g Weizenvollkorn-mehl Typ 1700 (6 KE), 100 g Weizenmehl Type 550 (7 KE), 180 g Magerquark, 1 Eigelb, 1½ TL Süßstoff, 2 gestr. TL Back-pulver, 1 abgeriebene Zitronenschale, 1 TL Zimt, 1 Messerspitze gemahlene Nelken, 1 Messerspitze Kardamom, 1 Prise Salz, 50 g gemahlene Haselnüsse, 270 g geschälte Äpfel (3 KE), 2 Eigelb, 100 g Magerjoghurt, 100 g Schmant (20 % Fett), 1 TL Süßstoff, 3 Eischnee*

Nährwerte pro Stück

150 kcal, 7 g E, 6 g F, 17 g KH, 1,5 KE

- Die Backzutaten gut miteinander ver-kneten, zuerst mit dem elektrischen Knethaken und dann per Hand. Den Teig zwischen Klarsichtfolie ausrollen. Bitte etwa 1 – 1½ cm größer, als der Boden der Springform (26 cm) misst, damit ein Rand stehen bleibt.
- Die Äpfel schälen, in dünne Scheiben schneiden und den Teig damit belegen.
- Eigelb, Joghurt, Schmant und Süßstoff gut verquirlen, den Eischnee unterhe-ben und die Masse gleichmäßig auf den Äpfeln verteilen.
- Im vorgeheizten Backofen bei 175 °C etwa 25 – 30 Min. backen. Den Kuchen in 12 Stücke schneiden.

Birnen-Tarte

Zutaten für eine Springform (Ø 26 cm) – ergibt 12 Stücke: *180 g Mehl (Type 405), 90 g Butter, 30 g Zucker, 1 Prise Salz, 1 Ei, 3 Birnen, 1 – 2 EL Zitronensaft, 2 EL Apriko-senkonfitüre.* ***Außerdem:*** *Fett für die Form*

Nährwerte pro Stück

152 kcal, 2 g E, 7 g F, 20 g KH, 2 KE

- Mehl, Butter, Zucker, Salz und Ei zu einem glatten Teig verkneten, in Folie wickeln und 45 Min. kalt stellen. Die Birnen schälen, vierteln und entker-nen. Die Viertel in sehr dünne Schei-ben schneiden und mit Zitronensaft beträufeln.
- Backofen auf 200 °C (Umluft 180 °C) vorheizen. Eine Tarteform einfetten. Den Teig in die Form drücken und ei-nen kleinen Rand formen. Die Birnen-scheiben fächerartig darauf verteilen. Im Ofen (mittlere Einschubleiste) ca. 45 Min. backen, Kuchen nach 30 Min. mit Alufolie abdecken, um starkes Bräunen zu vermeiden.
- Die Konfitüre mit etwas Wasser unter Rühren erwärmen und die heiße Tarte damit bestreichen.

Tipp

Zur Tarte schmeckt milder Ziegenkäse.

Quark-Apfel-Torte

Zutaten pro Rezept: *60 g Margarine oder Butter, 40 g Isomalt (2 KE), 2 Eigelb, 500 g Magerquark, 1 TL Süßstoff, 60 g Weizengrieß (4 KE), 1 gestr. TL Backpulver, 350 g geschälte Äpfel (4 KE), 2 Eiweiß*

Nährwerte pro Stück

140 kcal, 9 g E, 6 g F, 12 g KH, 1 KE

- Fett und Isomalt mit dem Eigelb schau-mig rühren.
- Den gut abgetropften Quark, den Süß-stoff und den mit dem Backpulver vermischten Grieß dazugeben und ver-rühren.
- Die Äpfel in feine Streifen schneiden und unter den Teig mengen.
- Das Eiweiß zu steifem Schnee schlagen und unter die Masse ziehen.
- Den Teig in eine beschichtete Spring-form (26 cm) füllen und im vorge-heizten Backofen bei 175 °C etwa 50 – 60 Min. backen.
- Den Kuchen in 10 Stücke schneiden.

Pflaumen-/Zuckerkuchen

Zutaten pro Rezept: *Grundrezept Hefe-Teig: 480 g Weizenmehl Type 550 (32 KE), 1 Prise Salz, 40 g Frische Hefe, 80 g Isomalt (4 KE), 200 ml Milch (1,5 % Fett), 100 g Margarine/Butter, 1 Ei.*
Belag für Pflaumenkuchen: 500 g Pflaumen (5 KE), 20 g Mandelblätter, 20 g Isomalt (1 KE). Belag für Zuckerkuchen: 100 g saure Sahne (20 % Fett), 50 g Mandelblätter, 40 g Isomalt (2 KE)

Nährwerte pro Stück
Pflaumenkuchen:
145 kcal, 3 g E, 5 g F, 21 g KH, 2 KE

Zuckerkuchen:
190 kcal, 5 g E, 9 g F, 22 g KH, 2 KE

- Mehl und Salz in eine Schüssel geben und in die Mitte eine Vertiefung drücken.
- Die Hefe mit einem Drittel des Isomalts verrühren und stehen lassen, bis sie sich verflüssigt hat und dann in die Vertiefung geben. Das restliche Isomalt zum Mehl geben.
- Die Milch auf etwa 35 °C erwärmen, das Fett darin auflösen und über den Mehlkranz, jedoch nicht direkt in die Hefe gießen. Das Ei hinzufügen und alles mit dem elektrischen Knethaken so lange kneten, bis sich die Zutaten gut miteinander verbunden haben.
- Per Hand nachkneten, bis ein lockerer Teigkloß entstanden ist. Den Teig zugedeckt an einen warmen Ort stellen und gehen lassen, bis sich sein Volumen verdoppelt hat.
- Den Teig in zwei gleich große Stücke teilen, ausrollen und je in eine beschichtete Springform (28 cm) legen.
- Die Pflaumen waschen, entsteinen und den ersten Kuchen damit belegen.
- Die saure Sahne durchrühren und gleichmäßig auf dem zweiten Kuchen verteilen.
- Beide Kuchen mit Mandelblättern sowie Isomalt bestreuen und nochmals 10–15 Min. gehen lassen, danach im vorgeheizten Backofen bei 175–190 °C etwa 20 Min. backen.
- Den Pflaumenkuchen in 12 und den Zuckerkuchen in 10 Stücke schneiden.

Erdbeerkuchen vom Blech

Zutaten für ein Backblech – ergibt 20 Stücke: *Teig: 270 g Mehl (Type 405), 75 g Stärke, 2 TL Backpulver, 140 g Zucker, 1 Pck. V.-Zucker, Salz, 120 g Halbfettbutter, 5 Eier, 100 g Erdbeerkonfitüre. Belag: 1 Pck. Vanillepuddingpulver, ½ l Milch (1,5 %), Süßstoff, 250 g Magerquark, 1,5 kg Erdbeeren, 2 Pck. Erdbeer-Tortenguss*

Nährwerte pro Stück
197 kcal, 6 g E, 5 g F, 32 g KH, 3,1 KE

- 150 g Mehl, 50 g Stärke, 1 TL Backpulver mischen und mit 50 g Zucker, 1 Päckchen Vanillinzucker, Salz, 120 g Butter und 1 Ei rasch zu einem geschmeidigen Teig kneten, in Folie wickeln und 45 Min. kalt stellen.
- Backofen auf 200 °C (Umluft 180 °C) vorheizen. Den Teig ausrollen und auf ein mit Backpapier ausgelegtes Backblech legen, mehrmals mit einer Gabel einstechen und im Ofen (untere Einschubleiste) 12 Min. backen.
- Die Erdbeerkonfitüre auf den Boden streichen. Für den Biskuitteig 4 Eier trennen. Die Eigelbe mit 2 EL heißem Wasser verrühren und mit 90 g Zucker schaumig schlagen. Eiweiße mit einer Prise Salz steif schlagen, auf die Eigelbmasse geben. 120 g Mehl, 25 g Stärke und 1 TL Backpulver mischen und darübersieben. Alles vorsichtig vermengen, auf dem vorgebackenen Boden verteilen und 15 Min. (mittlere Einschubleiste) backen.
- Aus Puddingpulver und Milch nach Packungsanleitung (ohne Zucker) einen Pudding kochen, abkühlen lassen und den Quark unterrühren. Mit Süßstoff abschmecken. Erdbeeren halbieren. Den fertigen Teig mit der Creme bestreichen und die Erdbeeren darauf verteilen. Aus Tortengusspulver und 500 ml Wasser einen Guss (ohne Zucker) zubereiten, mit Süßstoff süßen, auf den Erdbeeren verteilen.

Quark-Rhabarber-Kuchen

Zutaten pro Rezept: 60 g Margarine oder Butter, 40 g Isomalt (2 KE), 3 Eigelb, 500 g Magerquark, 1½ TL Süßstoff, 90 g Weizengrieß (6 KE), 1 gestr. TL Backpulver, 3 Eiweiß, 300 g Rhabarber

Nährwerte pro Stück

180 kcal, 12 g E, 9 g F, 13 g KH, 1 KE

- Fett und Isomalt mit dem Eigelb schaumig rühren. Den gut abgetropften Quark, den Süßstoff und den mit Backpulver vermischten Grieß dazugeben und verrühren.
- Das Eiweiß zu steifem Schnee schlagen und vorsichtig unter die Masse heben. Die Hälfte des Teiges in eine beschichtete Springform (26 cm) füllen.
- Den restlichen Teig mit dem geputzten und in feine Stücke geschnittenen Rhabarber vermischen und auf den bereits eingefüllten Teig geben.
- Im vorgeheizten Backofen bei 175 °C etwa 50–60 Min. backen.
- Den Kuchen in 8 Stücke schneiden.

Sparen Sie Fett mit der richtigen Backform! Probieren Sie die neueren Alternativen zu der herkömmlichen Kasten- und Gugelhupfform. Bei flexiblen Formen aus Silikon können Sie das Einfetten nämlich völlig sparen. Der Kuchen backt dennoch nicht an und lässt sich leicht aus der Form lösen.

Rhabarber-Schnee-Kuchen

Zutaten pro Rezept: 160 g Weizenvollkornmehl Type 1700 (8 KE), 2 Eigelb, 50 g Margarine, 50 g Magerquark, ½ TL Backpulver, ½ abgeriebene Zitronenschale, 2 EL Wasser, 1 TL Süßstoff, 400 g Rhabarber, 2 Eiweiß, 20 g Fruchtzucker oder Zucker (2 KE)

Nährwerte pro Stück

120 kcal, 4 g E, 6 g F, 12 g KH, 1 KE

- Mehl auf ein Backbrett sieben, in die Mitte eine Vertiefung drücken und das Eigelb hineingeben. Margarineflöckchen, Quark, Backpulver, Zitronenschale, Wasser und Süßstoff auf dem Mehlkranz verteilen.
- Alles von außen nach innen gut miteinander verkneten und den Teig 30 Min. kühl stellen.
- Den Teig zwischen Klarsichtfolie ausrollen, in eine beschichtete Springform (26 cm) legen und am Rand ½ cm hoch stehen lassen. Mit der Gabel einige Male einstechen und im vorgeheizten Backofen bei 200 °C etwa 10 Min. vorbacken.
- Den Rhabarber in sehr kleine Stücke schneiden, den Süßstoff dazugeben, vermengen und auf dem Tortenboden verteilen.
- Das Eiweiß mit dem Fruchtzucker oder Zucker zu steifem Schnee schlagen und gleichmäßig über dem Rhabarber verstreichen.
- Bei 190 °C etwa 20 Min. weiterbacken. Den Kuchen in 10 Stücke schneiden.

Kirsch-Streusel-Kuchen

Zutaten für ein Backblech – ergibt 25 Stücke: Streusel: 100 g Halbfettbutter, weich, 180 g Mehl (Type 405), 50 g Zucker, 1 Pck. V.-Zucker. Teig: 250 g Halbfettbutter, 125 g Zucker, 1 Prise Salz, 5 Eier Zitronenschale, 500 g Mehl (Type 405), 1 Pck. Backpulver, 100 ml Milch (1,5 %), 2 Gläser Schattenmorellen (à 350 g)

Nährwerte pro Stück

204 kcal, 4 g E, 7 g F, 32 g KH, 3,2 KE

- Butter mit Mehl, Zucker, Vanillinzucker vermengen, leicht zu Streuseln zusammendrücken und kalt stellen. Ofen auf 200 °C (Umluft 170 °C) vorheizen.
- Für den Teig die Butter schaumig rühren, Zucker und Salz dazugeben. So lange rühren, bis der Zucker gelöst ist. Nacheinander Eier hinzufügen, abgeriebene Zitronenschale dazugeben.
- Mehl mit Backpulver mischen und abwechselnd mit der Milch unterrühren. Den Teig gleichmäßig auf ein mit Backpapier ausgelegtes Backblech streichen. Die abgetropften Kirschen darauf verteilen und leicht eindrücken. Streusel darübergeben. Im Ofen (mittlere Einschubleiste) 50 bis 60 Min. backen.

Tipp

Entscheiden Sie mit der richtigen Teigauswahl, ob Ihr Kuchen „leichter" wird. Wenig Fett steckt in Biskuit-, Hefe- und Quark-Öl-Teigen. Die meist fettreicheren Rühr- und Mürbeteige gelingen genauso gut, wenn Sie diese mit Halbfettmargarine bzw. Halbfettbutter oder weniger Öl zubereiten. Auch Quark kann gut einen Teil des Fettes im Teig ersetzen.

Kirschkuchen

Zutaten pro Rezept: Teig: *100 g Weizenmehl, ½ TL Backpulver, 2 EL Mandeln, gemahlen, 50 g Eiskalte Butter, 1 Fläschchen Buttervanille-Aroma, 1 Prise Salz, 1 Ei, 1 EL flüssiger Süßstoff.* Füllung: *1 kleines Glas Schattenmorellen (ohne Zuckerzusatz, 370 ml), 50 g Mandeln, gemahlen, 2 Eier, 1 EL Streusüße (z. B. „Feine Süße" von Natreen), 15 Tropfen flüssiger Süßstoff, 1 EL Weizenmehl (10 g), ½ TL Backpulver, 2 EL Mandelblättchen*

Nährwerte pro Stück (bei 12 gesamt)

160 kcal, 4 g E, 10 g F, 13 g KH, 1,3 KE

▌ Das Mehl mit dem Backpulver und den gemahlenen Mandeln mischen. Die eiskalte Butter in Stückchen schneiden und zum Mehl geben. Aroma, Salz und Ei und den flüssigen Süßstoff zugeben. Mit den Knethaken des Handrührgeräts erst 3 Min., dann mit den Händen kräftig durchkneten, so dass ein geschmeidiger Mürbeteig entsteht.

▌ Den Teig in Frischhaltefolie gewickelt 1 Stunde im Kühlschrank ruhen lassen. Die Schattenmorellen abtropfen. Den Backofen auf 175 °C (Gas Stufe 2, Umluft 160 °C) vorheizen. Eine kleine Springform (22 cm Ø) mit Backpapier auslegen.

▌ Den Teig zwischen zwei Lagen Frischhaltefolie mit einem Nudelholz dünn ausrollen. Den Boden der Form dünn und gleichmäßig mit dem Mürbeteig auslegen. Aus dem restlichen Teig einen 3 bis 4 cm hohen Rand formen und die Seitenwände der Form damit auskleiden. Den Teig mit einer Gabel mehrmals einstechen und den Boden mit der Hälfte der gemahlenen Mandeln bestreuen.

▌ Die gut abgetropften Schattenmorellen auf dem Mürbeteig verteilen. Die Eier trennen und das Eiklar zu steifem Schnee schlagen. Die Eigelbe mit 1 Esslöffel warmem Wasser, der Streusüße und dem flüssigen Süßstoff aufschlagen.

▌ Den Eischnee mit Mehl, Backpulver und dem restlichen Mandelmehl vorsichtig mischen. Mit der aufgeschlagenen Eigelbmasse mischen und auf den Kirschen verteilen. Mit den Mandelblättchen bestreuen und im vorgeheizten Ofen in 30 bis 40 Min. backen.

▌ **Variante:** Die Torte schmeckt auch sehr gut mit Pflaumen oder Stachelbeeren aus dem Glas (ohne Zuckerzusatz).

Blaubeer-Buttermilch-Kuchen

Zutaten für ein Backblech – ergibt 20 Stücke: 500 g Blaubeeren, 400 g Mehl (Type 405), 1 Pck. Backpulver, 1 Prise Salz, 100 g Zucker, 300 ml Buttermilch, 3 Eier, ½ Fläschchen Butter-Vanille-Backaroma, Süßstoff, flüssig. Außerdem: Puderzucker zum Bestäuben

Nährwerte pro Stück

117 kcal, 4 g E, 1 g F, 22 g KH, 2,1 KE

▪ Ein Backblech mit Backpapier auslegen. Die Blaubeeren verlesen, waschen und abtropfen lassen.

▪ Das Mehl mit Backpulver, Salz und dem Zucker vermischen. Die Buttermilch mit den Eiern und dem Backaroma verquirlen und zum Mehl-Zucker-Gemisch geben. Alles zu einem glatten Teig verrühren. Den Teig auf das Backblech streichen.

▪ Die Blaubeeren mit Süßstoff süßen und gleichmäßig auf dem Teig verteilen.

▪ Das Blech in den kalten Backofen (mittlere Einschubleiste) schieben und den Kuchen bei 200 °C (Umluft 180 °C) etwa 30 Min. backen, bis er leicht gebräunt ist. Den Kuchen auf dem Blech abkühlen lassen. Vor dem Servieren mit Puderzucker bestäuben.

Quitten-Sanddornkuchen

Zutaten für eine Springform (Ø 26 cm) – ergibt 12 Stücke: Teig: 2 Eier, 80 g Zucker, 1 Prise Salz, 1 Pck. V.-Zucker, 150 g Mehl (Type 405), ½ TL Backpulver, 1 EL Weizenkleie. Belag: 5 Quitten, 250 ml Weißwein, 50 ml Sanddornsirup (ungesüßt), 5 Nelken Zimt, ½ TL Süßstoff, flüssig, 3 Eiweiß, 20 g Zucker, 20 g Pistazien, gehackt

Nährwerte pro Stück

154 kcal, 4 g E, 3 g F, 22 g KH, 2,2 KE

▪ Backofen auf 180 °C (Umluft 160 °C) vorheizen. Springform mit Backpapier auslegen. Die Eier trennen, Eigelbe mit Zucker schaumig schlagen. Die Eiweiße mit einer Prise Salz und dem Vanillinzucker steif schlagen, auf die Eigelbcreme geben. Das Mehl mit Backpulver mischen und darübersieben, Weizenkleie zufügen und alles vorsichtig vermengen.

▪ Den Teig in die Springform füllen und 12 – 15 Min. goldgelb backen. Biskuit abkühlen lassen. Für den Belag die Quitten mit einem trockenen Tuch abreiben, waschen und schälen. Früchte vierteln, entkernen und in Spalten schneiden.

▪ Den Wein, Sanddornsirup mit Nelken und etwas Zimt aufkochen, mit Süßstoff abschmecken. Quitten 3 bis 4 Min. darin dünsten. Den Biskuitboden mit einigen Löffeln des Suds beträufeln und mit den Quitten belegen.

▪ Eiweiße mit einer Prise Salz steif schlagen, Zucker dabei einrieseln lassen. Baisermasse über die Quitten streichen. Mit den Pistazien bestreuen und etwa 10 Min. backen.

Ananaskuchen mit Kokos-Sahne

Zutaten für ein Backblech – ergibt 20 Stücke: Teig: 2 Ds Ananas, leicht gezuckert (Abtropfgewicht je 340 g), 1 Zitrone, unbehandelt, 200 g Halbfettbutter, 100 g Zucker, 1 Prise Salz, 3 Eier, 75 ml Milch (1,5 %), 400 g Mehl (Type 405), 1 Pck. Backpulver. Belag: 100 g Kokosraspel, 1 Pck. Paradiescreme Vanille, 250 ml Milch (1,5 %), 250 ml Schlagcreme, 250 g Magerquark, Süßstoff, flüssig

Nährwerte pro Stück

239 kcal, 6 g E, 10 g F, 31 g KH, 3 KE

▪ Den Backofen auf 180 °C (Umluft 160 °C) vorheizen. Ein tiefes Backblech mit Backpapier auslegen. Ananas abtropfen lassen. Zitronenschale abreiben, Saft auspressen.

▪ Butter, Zucker, Salz, Eier, Milch, Zitronensaft und -schale verrühren. Mehl mit Backpulver mischen, zur Buttermasse geben und zu einem glatten Teig verarbeiten. Den Teig gleichmäßig auf das Backblech streichen, Ananas darauf verteilen. Im Ofen (mittlere Einschubleiste) 35 Min. goldbraun backen. Auskühlen lassen.

▪ Kokosraspel in einer beschichteten Pfanne ohne Fett goldbraun rösten. Die Paradiescreme mit der Milch verrühren und auf höchster Stufe cremig aufschlagen. Die Schlagcreme steif schlagen und mit dem Quark unter die Creme rühren, mit Süßstoff abschmecken. Den Belag auf dem Kuchen verteilen. Kokosraspel darüberstreuen.

Rhabarberkuchen mit Baiserhaube

Zutaten für ein tiefes Blech – ergibt 24 Stücke: *Teig:* 600 g Rhabarber, 300 g Erdbeeren (frisch oder TK), 70 g Amarettini, 170 g Halbfettmargarine, 1 Prise Salz, 120 g Zucker, 1 Pck. Vanillinzucker, 5 Eier, 375 g Mehl (Type 405), 1 Pck. Backpulver. *Belag:* 4 Eiweiß, 1 Prise Salz, 80 g Zucker. *Außerdem:* **Amarettini Minze**

Nährwerte pro Stück

153 kcal, 4 g E, 4 g F, 24 g KH, 2,4 KE

▌ Den Backofen auf 175 °C (Umluft 150 °C) vorheizen. Rhabarber waschen, putzen und in Stücke schneiden. Erdbeeren waschen und putzen. Die Amarettini zerbröseln. Margarine, Salz, Zucker und Vanillinzucker verrühren, die Eier einzeln unterrühren.

▌ Mehl mit Backpulver mischen und mit den Amarettini-Bröseln vermengen. Den Teig auf ein mit Backpapier ausgelegtes tiefes Blech streichen, Rhabarber und Erdbeeren darauf verteilen. Im Ofen (mittlere Einschubleiste) ca. 20 Min. backen.

▌ Die Eiweiße mit einer Prise Salz steif schlagen, den Zucker nach und nach einrieseln lassen. Die Baisermasse wellenförmig auf dem Kuchen verteilen und weitere ca. 20 Min. backen. Auskühlen lassen, mit Amarettini und Minzeblättern verzieren.

Aprikosen-Wähe

Zutaten für eine Springform (Ø 26 cm) – ergibt 16 Stücke: *Teig:* 200 g Mehl (Type 405), ½ Würfel Hefe, 100 ml Milch (1,5 % Fett), lauwarm, 30 g Zucker, 1 Prise Salz, 25 g Butter. *Belag:* 1 Ds. Aprikosen (480 g Abtropfgewicht), 100 ml Buttermilch, 30 g Sahne, 2 Eier, 1 Pck. Vanillinzucker, 30 g Mandelblättchen

Nährwerte pro Stück

120 kcal, 3 g E, 4 g F, 17 g KH, 1,7 KE

▌ Das Mehl in eine Schüssel geben, in die Mitte eine Vertiefung drücken. Hefe in etwas lauwarmer Milch auflösen, 1 TL Zucker hinzufügen und in die Vertiefung geben, mit etwas Mehl vom Rand bestäuben. Zugedeckt an einem warmen Ort ca. 15 Min. gehen lassen.

▌ Den übrigen Zucker, restliche Milch, Salz und Butter zu dem Hefevorteig geben und zu einem glatten Teig kneten. Weitere 30 Min. zugedeckt an einem warmen Ort gehen lassen, bis sich der Teig verdoppelt hat.

▌ Aprikosen auf einem Sieb abtropfen lassen. Backofen auf 180 °C vorheizen. Den Teig gut durchkneten, zu einem Kreis (Ø 28 cm) ausrollen und in eine mit Backpapier ausgelegte Form legen, den Teigrand etwas hochziehen. Zugedeckt 15 Min. gehen lassen.

▌ Buttermilch, Sahne, Eier und Vanillinzucker verrühren. Die Aprikosen auf dem Teigboden verteilen, den Guss darübergießen. Im Ofen (mittlere Einschubleiste) 35 bis 40 Min. backen. Nach dem Abkühlen mit Mandelblättchen bestreuen.

Mandarinen-Melonen-Kuchen

Zutaten für eine Tarteform (Ø 28 cm) – ergibt 16 Stücke: *1 Ds. Mandarinen, leicht gezuckert (Abtropfgewicht 175 g), ½ Honigmelone, 1 Pkg. Blätterteig aus dem Kühlregal (200 g, Ø 32 cm), ½ Pck. Vanillepuddingpulver, 200 g Magerquark Süßstoff, flüssig, 1 Pck. Tortenguss, hell, 125 ml Orangensaft, 125 ml Wasser*

Nährwerte pro Stück

142 kcal, 4 g E, 8 g F, 15 g KH, 1,4 KE

▌ Backofen auf 200 °C (Umluft 180 °C) vorheizen. Die Mandarinen in einem Sieb abtropfen lassen, den Saft auffangen. Melone vierteln, Schale entfernen, entkernen und in ca. 1 cm dicke Stücke schneiden.

▌ Blätterteig in eine mit Backpapier ausgelegte Tarteform legen und mehrmals mit einer Gabel einstechen. Im Ofen (mittlere Einschubleiste) ca. 30 Min. backen, abkühlen lassen.

▌ Den aufgefangenen Saft evtl. mit Wasser auf 250 ml auffüllen, 4 EL davon mit dem Puddingpulver verrühren, restliche Flüssigkeit zum Kochen bringen. Das Puddingpulver einrühren und unter Rühren aufkochen lassen. Etwas abkühlen lassen, unter den Quark ziehen, mit Süßstoff süßen.

▌ Den Teigboden aus der Form nehmen, Quarkcreme daraufstreichen. Mandarinen und Melonenstücke auf der Creme verteilen. Aus Tortengusspulver, Orangensaft und Wasser einen Guss (ohne Zucker) zubereiten und das Obst damit überziehen.

Orangen-Schnitten

Zutaten für ein Backblech – ergibt 20 Stücke: *½ ungespritzte Zitrone, 150 g Butter, 100 g Zucker, 4 Eier, 1 Prise Salz, 200 g Mehl (Type 405), 2 TL Backpulver, 100 g Weichweizengrieß, 300 g Joghurt (1,5 % Fett), 150 ml Orangensaft, 2 EL Puderzucker*

Nährwerte pro Stück

159 kcal, 4 g E, 8 g F, 18 g KH, 1,8 KE

▌ Backofen auf 180 °C (Umluft 160 °C) vorheizen. Schale der Zitrone abreiben, Zitrone auspressen.

▌ Die Butter schaumig rühren. Nach und nach den Zucker, die Eier und das Salz hinzufügen. Das Mehl mit dem Backpulver, Zitronenschale und Grieß mischen, abwechselnd mit dem Joghurt unter die Buttermasse rühren.

▌ Den Teig auf ein mit Backpapier ausgelegtes Backblech streichen. Im Ofen (mittlere Einschubleiste) 25 bis 30 Min. backen.

▌ Den Orangensaft mit 1 EL Zitronensaft mischen. Den Kuchen mit einem Holzstäbchen mehrmals einstechen und den Saft darüberträufeln. Kurz vor dem Servieren mit Puderzucker bestäuben.

Rahmkuchen mit Johannisbeeren

Zutaten für eine Tarteform (Ø 26 cm) – ergibt 16 Stücke: *1 frischer Mürbeteig, backfertig ausgerollt (aus dem Kühlregal), 500 g Johannisbeeren, 4 Eier, 250 g Joghurt (1,5 % Fett), 200 g saure Sahne, 30 g Zucker, 1 Pck. Vanillinzucker, abgeriebene Zitronenschale, Süßstoff, flüssig*

Nährwerte pro Stück

122 kcal, 5 g E, 5 g F, 14 g KH, 1,4 KE

▌ Mürbeteig 10 Min. vor dem Verarbeiten aus dem Kühlschrank nehmen. Backofen auf 180 °C (Umluft 160 °C) vorheizen. Johannisbeeren waschen, von den Rispen streifen.

▌ Tarteform mit Backpapier auslegen, Boden und Rand mit dem Teig auskleiden. Boden mehrmals mit einer Gabel einstechen. Im Ofen (untere Einschubleiste) ca. 15 Min. backen, auskühlen lassen.

▌ Die Eier mit Joghurt, saurer Sahne, Zucker, Vanillinzucker und Zitronenschale gut verrühren, evtl. mit Süßstoff nachsüßen. Masse auf den vorgebackenen Boden geben und glatt streichen. Die Beeren darauf verteilen, leicht eindrücken. Den Kuchen in 25 bis 30 Min. fertig backen.

Schneller Kokos-Bienenstich

Zutaten für ein Backblech – ergibt 24 Stücke: Teig: 500 ml Buttermilch, 4 Eier, 400 g Mehl (Type 405), 150 g Zucker, 1 TL Süßstoff, flüssig, 1 Pck. Backpulver. Belag: 100 g Kokosraspel, 40 g Zucker

Nährwerte pro Stück

126 kcal, 4 g E, 3 g F, 21 g KH, 2,2 KE

- Den Backofen auf 175 °C (Umluft 160 °C) vorheizen. Ein Backblech mit Backpapier auslegen. Die Buttermilch mit Eiern, Mehl, Zucker, Süßstoff und dem Backpulver zu einem glatten Teig rühren.
- Den Teig gleichmäßig auf dem Backblech verteilen. Kokosraspeln und Zucker vermengen und über den Teig streuen. Im Ofen (mittlere Einschubleiste) 20 Min. backen.

Tipp

Zucker sparen leicht gemacht: Generell können Sie kalorienfreie Süßstoffe genauso vielseitig einsetzen wie Haushaltszucker. Kuchenfüllungen auf Quark-, Pudding- und Obstbasis lassen sich ohne weiteres mit flüssigem Süßstoff zubereiten. Als Faustregel gilt: 8 Tropfen entsprechen einem Teelöffel Zucker.

Kanarischer Bananenkuchen

Zutaten für eine Kastenform (25 cm) – ergibt ca. 20 Stücke: Teig: 2 Bananen (sehr reif), 2 EL Zitronensaft, 1 EL Rum, 3 Eier, 160 g Halbfettbutter, 1 Pck. Vanillinzucker, 60 g Puderzucker, 1 Prise Salz, 200 g Mehl (Type 405), 2 TL Backpulver, 1 Ds. Mandarinen (Abtropfgewicht 175 g). Außerdem: Fett für die Form, Puderzucker

Nährwerte pro Stück

110 kcal, 3 g E, 4 g F, 15 g KH, 1,4 KE

- Die Kastenform ausfetten. Den Backofen auf 180 °C (Umluft 160 °C) vorheizen. Die Bananen schälen, mit Zitronensaft und Rum pürieren. Die Eier trennen. Eigelbe, Butter, Vanillinzucker und Puderzucker schaumig rühren und unter das Bananenpüree mischen. Eiweiße mit einer Prise Salz steif schlagen.
- Das Mehl mit dem Backpulver vermischen und über das Bananen-Eigelbgemisch sieben. Mandarinen hinzufügen, den Eischnee daraufgeben und alles zu einem glatten Teig verrühren. Den Teig in die Kastenform füllen. Im Ofen ca. 60 Min. backen.

Pfirsich-Aprikosen-Streuselkuchen

Zutaten für 12 Stücke: Teig: 60 g Margarine, 2 ml flüssiger Süßstoff, 2 Eier, 125 g Weizenmehl, 1 TL Backpulver. Füllung: 135 g Aprikosen, 140 g Pfirsich, ohne Stein, 2 EL Haselnüsse, gemahlen. Streusel: 10 EL Weizenmehl (100 g), 2 EL Zucker (20 g), 50 g Butter

Nährwerte pro Stück (bei 12 gesamt)

175 kcal, 4 g E, 10 g F, 17 g KH, davon 3 g Zucker, 1,7 KE

- Den Backofen auf 180 °C (Gas Stufe 2 bis 3, Umluft 160 °C) vorheizen. Für den Teig die weiche Margarine mit Süßstoff, Eiern, Mehl und Backpulver zu einem glatten Teig kneten. Den Teig in Frischhaltefolie gewickelt ½ Stunde im Kühlschrank ruhen lassen. Den Boden einer kleinen Springform (22 cm Ø) mit Backpapier auslegen.
- Aprikosen und den Pfirsich abspülen, entsteinen und in Spalten schneiden. Den Teig aus dem Kühlschrank nehmen und zwischen zwei Lagen Frischhaltefolie mit dem Nudelholz ausrollen. Den Boden der Springform mit dem Teig auslegen und mehrmals mit einer Gabel einstechen. Die Aprikosen- und Pfirsichhälften fächerartig auf dem Boden verteilen.
- Die gemahlenen Haselnüsse darüberstreuen. Für den Streuselteig das Mehl mit Zucker und Butter verkneten. Mit den Händen zu Streuseln verarbeiten und über das Obst streuen. Auf der mittleren Schiene 30 bis 40 Min. backen.

Tipp

Wenn Sie keine frischen Früchte bekommen, können Sie tiefgekühlte Früchte oder Kompottobst aus dem Glas (ohne Zuckerzusatz) verwenden. Streuselteig können Sie bis zu drei Tage luftdicht verschlossen im Kühlschrank aufbewahren. Er lässt sich prima mit Apfelwürfeln oder Beerenobst als Tassenportion backen.

Tipp Bananenkuchen

Richten Sie den Kuchen auf einem Bananenblatt (gibt's im Asialaden) an und bestäuben Sie ihn mit wenig Puderzucker.

Streuseltörtchen

Zutaten für 2 Portionen: *75 g Tiefkühlbeeren, 5 Tropfen flüssiger Süßstoff, 6 EL Weizenmehl (60 g), 1 EL Zucker (10 g), 1 Päckchen Vanillezucker (10 g), 40 g Butter, ½ Fläschchen Buttervanille-Aroma, 25 g Mandeln, gemahlen, etwas flüssiger Süßstoff, 2 feuerfeste Tarteförmchen*

Nährwerte pro Törtchen (bei 2 gesamt)

375 kcal, 6 g E, 24 g F, 34 g KH, davon 11 g Zucker, 3,4 KE

▌ Den Backofen auf 200 °C (Gas Stufe 3, Umluft 180 °C) vorheizen. Die Beeren mit flüssigem Süßstoff in einer Schüssel mischen. Das Mehl mit Zucker, Vanillezucker, Butter, Buttervanille-Aroma und den gemahlenen Mandeln erst mit den Knethaken des Handrührgeräts verrühren, dann schnell mit den Händen zu einem Streuselteig kneten, abschmecken und, falls nötig, noch etwas Süßstoff zugeben.

▌ Die Beerenmischung gleichmäßig in die beiden Minitarteformen geben und mit der Streuselmasse bestreuen. Im Ofen auf der oberen Schiene 15 bis 25 Min. backen, bis die Streusel leicht gebräunt sind. Die Tarteförmchen aus dem Ofen nehmen und noch lauwarm servieren.

Aus eins mach ganz viele: Varianten des Streuseltörtchens

Neben Beeren schmeckt so ein Streuseltörtchen auch sehr gut mit gewürfelten Äpfeln oder Birnen, die mit einem Hauch Zimt abgeschmeckt wurden. Aber auch klein geschnittene Mango oder Pflaumen sind leckere Obstsorten, die dazu passen. Und sogar pikant können Sie die Törtchen zubereiten. Lassen Sie Süßstoff, Vanillezucker und Zucker weg, geben dafür eine Prise Salz und Paprikapulver dazu. Anstelle von Obst können Sie aber auch fein gewürfelte Paprika oder Zucchini verwenden. Eine sehr raffinierte Idee – perfekt, wenn Sie Ihre Gäste überraschen möchten.

Gugelhupf

Zutaten für eine Gugelhupfform (Ø 22 cm) – ergibt 20 Stücke: *50 g Rosinen, 2 EL Rum, 300 g Mehl (Type 405), ½ Würfel Hefe, 125 ml Milch (1,5 % Fett), lauwarm, 70 g Zucker, 1 Ei, 1 Eigelb, 1 Prise Salz, 120 g Halbfettmargarine, 30 g gehackte Mandeln.* Außerdem: *Fett und Grieß für die Form, 1 EL Puderzucker*

Nährwerte pro Stück

123 kcal, 3 g E, 4 g F, 17 g KH, 1,8 KE

▌ Die Rosinen mit dem Rum mischen und ziehen lassen. Das Mehl in eine Schüssel geben, in die Mitte eine Vertiefung drücken. Hefe zerbröseln und in etwas lauwarmer Milch auflösen, 1 EL Zucker hinzufügen und in die Vertiefung geben, mit etwas Mehl vom Rand bestäuben. Zugedeckt an einem warmen Ort ca. 15 Min. gehen lassen.

▌ Den übrigen Zucker, restliche Milch, Ei und Eigelb, Salz, Margarine und Mandeln verrühren, die eingelegten Rosinen hinzufügen. Die Masse mit dem Hefevorteig zu einem glatten Teig verkneten. Weitere 45 Min. zugedeckt gehen lassen, bis der Teig sich verdoppelt hat.

▌ Ofen auf 200 °C vorheizen. Die Form einfetten, mit Grieß ausstreuen. Den Teig kneten und diesen in die Form geben. Teig weitere 10 Min. gehen lassen.

▌ Im Ofen (mittlere Einschubleiste) 45 Min. backen. 10 Min. in der Form auskühlen lassen, auf eine Platte stürzen und mit Puderzucker bestäuben.

Käsekuchen

Zutaten für eine Springform (Ø 26 cm) – ergibt 16 Stücke: 10 St. Zwieback, 85 g Halbfettbutter, 600 g Frischkäse (Rahmstufe, z. B. Exquisa Joghurt Natur), 70 g Zucker, 1 Pck. Vanillinzucker, 1 TL Speisestärke, abgeriebene Zitronenschale, 1 – 2 EL Zitronensaft, Süßstoff, flüssig, 5 Eier

Nährwerte pro Stück

156 kcal, 4 g E, 10 g F, 11 g KH, 1,1 KE

- Zwieback in eine Plastiktüte geben, die Tüte verschließen, den Zwieback mit einem Nudelholz zerkleinern und in eine Schüssel geben.
- Die Brösel mit Halbfettbutter verkneten, die Masse in eine mit Backpapier ausgelegte Springform geben, festdrücken und einen ca. 1 cm hohen Rand formen. Kalt stellen.
- Den Backofen auf 175 °C vorheizen (Umluft 150 °C). Den Frischkäse mit Zucker, Vanillinzucker, Speisestärke, etwas Zitronenschale und Zitronensaft verrühren, evtl. mit Süßstoff nachsüßen. Eier trennen, Eigelbe zufügen und unterrühren. Eiweiß steif schlagen und unter die Frischkäsemasse heben.
- Die Masse auf den Zwiebackboden geben und glatt streichen. Im Ofen (mittlere Einschubleiste) 60 Min. goldgelb backen. Eventuell nach 40 Min. mit Alufolie abdecken, damit der Kuchen nicht zu stark bräunt.

Englischer Teekuchen

Zutaten für eine Springform (Ø 22 cm) – ergibt 12 Stücke: 50 g Aprikosen, getrocknet, 50 g Pflaumen, getrocknet, ½ unbehandelte Zitrone, 120 g Halbfettmargarine, 75 g Zucker, 3 Eier, 110 g Weizenmehl (Type 1050), 60 g Speisestärke, 1 ½ TL Backpulver, 100 g gehackte Mandeln, 1 Prise Salz

Nährwerte pro Stück

212 kcal, 5 g E, 10 g F, 25 g KH, 2,4 KE

- Die Aprikosen und Pflaumen fein würfeln. Von der Zitrone die Schale fein abreiben und die Zitrone auspressen. Die Margarine mit dem Zucker cremig rühren, die Eier einzeln unterrühren.
- Den Ofen auf 180 °C (Umluft 160 °C) vorheizen. Das Mehl mit Speisestärke und dem Backpulver mischen und unter die Margarine-Ei-Masse rühren. Zitronenschale und -saft, Aprikosen, Pflaumen, Mandeln und Salz unter die Masse heben.
- Die Springform mit Backpapier auslegen und den Teig einfüllen. Im Ofen (mittlere Einschubleiste) 45 bis 50 Min. backen. Den Kuchen auf ein Küchengitter stürzen und auskühlen lassen.

Anstelle der Aprikosen und Pflaumen kann nach Belieben anderes Trockenobst verwendet werden.

Himbeer-Biskuitrolle

Zutaten für ein Backblech – ergibt 20 Stücke: *Teig: 4 Eier,*
120 g Zucker, 70 g Mehl (Type 405), 40 g Stärke, ½ TL Backpulver.
Füllung: 500 g Himbeeren, 6 Blatt Gelatine, weiß, 2 EL Zitronensaft,
300 g Magerquark, cremig gerührt, 2 Pck. Vanillinzucker, Süßstoff,
flüssig, 120 g Schlagsahne. Außerdem: 1 EL Puderzucker

Nährwerte pro Stück

107 kcal, 4 g E, 3 g F, 20 g KH, 2 KE

▌ Backofen auf 200 °C (Umluft 180 °C) vorheizen, das Backblech
mit Backpapier auslegen. Eier trennen, Eigelbe mit 100 g Zucker schaumig rühren. Eiweiße steif schlagen, dabei restlichen
Zucker einrieseln lassen und zur Eigelbmasse geben. Mehl mit
Stärke und Backpulver mischen, auf die Ei-Masse sieben, alles
vermengen.

▌ Den Teig auf das Backblech streichen. Im Ofen (mittlere Einschubleiste) 12 Min. goldgelb backen. Biskuit auf ein mit Zucker bestreutes Geschirrtuch stürzen, Backpapier mit Wasser
bestreichen und abziehen. Den Teig mit Hilfe des Tuchs von der
Längsseite her aufrollen und auskühlen lassen.

▌ Himbeeren verlesen. Gelatine in kaltem Wasser einweichen.
150 g Himbeeren und Zitronensaft pürieren, mit dem Quark
und Vanillinzucker verrühren, mit Süßstoff abschmecken. Die
restlichen Himbeeren halbieren (einige zur Dekoration zurück-
lassen).

▌ Gelatine ausdrücken und bei schwacher Hitze auflösen. 3 EL
der Quarkcreme unterrühren und unter die Quarkmasse mengen. Halbierte Himbeeren unterheben, alles kalt stellen.

▌ Sahne steif schlagen und unter die gelierende Masse heben.
Biskuitrolle auseinanderrollen, Creme darauf streichen, dabei
1 cm Rand freilassen. Biskuit wieder aufrollen und mind. 2
Stunden kalt stellen. Mit Puderzucker bestäuben und mit den
Himbeeren verzieren.

Nougat-Marzipan-Kuchen

Zutaten für eine Kastenform (25 cm) – ergibt 20 Stücke: *100 g Marzipanrohmasse, 100 g Nussnougat, 200 g Halbfettbutter, 3 Eier, 3 TL Zimt, gemahlen, 250 g Mehl (Type 405), 2 TL Backpulver, 4 EL Milch (1,5 % Fett).* **Außerdem: Fett für die Form**

Nährwerte pro Stück

142 kcal, 4 g E, 8 g F, 14 g KH, 1,4 KE

▌ Backofen auf 175 °C (Umluft 150 °C) vorheizen, Backform einfetten. Marzipan fein reiben. Nougat klein schneiden und leicht erwärmen.

▌ Die Butter cremig rühren, nach und nach die Eier, Nougat, Marzipan und Zimt unterrühren. Mehl mit Backpulver mischen und abwechselnd mit der Milch unter die Buttermasse rühren.

▌ Den Teig in die Form füllen. Im Ofen (mittlere Einschubleiste) 45 bis 50 Min. backen, evtl. nach 25 Min. mit Alufolie abdecken. Den Kuchen 10 Min. in der Form auskühlen lassen, dann aus der Form lösen.

Marmorkuchen

Zutaten für eine Kastenform (20 cm) – ergibt 12 Stücke: *160 g Halbfettbutter, 70 g Zucker, 1 Pck. Vanillinzucker, 3 Eier, 200 g Mehl (Type 405), 2 TL Backpulver, 1 Prise Salz, 2 EL Milch (1,5 % Fett), 2 EL Kakaopulver, 1 EL Rum, 1 EL Milch (1,5 % Fett).* **Außerdem: Fett für die Form, Puderzucker**

Nährwerte pro Stück

167 kcal, 4 g E, 7 g F, 20 g KH, 2 KE

▌ Backofen auf 180 °C vorheizen (Umluft 160 °C). Die Halbfettbutter mit Zucker und Vanillinzucker cremig rühren, Eier einzeln unterrühren. Das Mehl mit Backpulver und Salz mischen, abwechselnd mit der Milch unter die Butter-Ei-Masse rühren.

▌ Die Hälfte des Teiges in eine gefettete Kastenform füllen. Kakao sieben und mit Rum und Milch unter den restlichen Teig rühren. Den dunklen Teig auf dem hellen Teig verteilen. Mit einer Gabel beide Teigschichten spiralförmig miteinander vermengen, so dass ein Marmormuster entsteht.

▌ Im Ofen (mittlere Einschubleiste) 60 Min. backen. Den Kuchen 10 Min. auskühlen lassen, aus der Form lösen und nach Belieben mit Puderzucker bestäuben.

Klassischer Pflaumenkuchen

Zutaten für ein Backblech – ergibt 20 Stücke: *500 g Mehl (Type 1050), 1 Würfel Hefe, 300 ml Milch (1,5 % Fett), lauwarm, 50 g Zucker, 4 EL Öl, 1 Ei, 1 ½ kg Pflaumen, etwas Zimt*

Nährwerte pro Stück

159 kcal, 4 g E, 3 g F, 29 g KH, 1,7 KE

▌ Das Mehl in eine Schüssel geben, in die Mitte eine Vertiefung drücken. Die Hefe zerbröseln, in etwas lauwarmer Milch auflösen, in die Vertiefung geben und 1 TL Zucker hinzufügen. Den Hefeansatz mit etwas Mehl bestäuben. Den Rest des Zuckers auf dem Mehlrand verteilen. Den Vorteig zugedeckt an einem warmen Ort ca. 15 Min. gehen lassen.

▌ Die restliche Milch mit dem Hefevorteig, Öl, Ei und Zimt zu einem glatten Teig kneten; abermals 30 Min. zugedeckt gehen lassen, bis sich der Teig in etwa verdoppelt hat.

▌ Den Backofen auf 200 °C (Umluft 180 °C) vorheizen. Ein Backblech mit Backpapier auslegen. Den Teig in Backblechgröße ausrollen und auf das Blech legen; den Teig weitere 20 Min. gehen lassen.

▌ In dieser Zeit die Pflaumen waschen, entsteinen, halbieren und dachziegelartig auf dem Teig verteilen. Im Ofen (mittlere Einschubleiste) 45 Min. backen. Den warmen Kuchen mit Zimt bestäuben.

Tipp

Schmeckt auch lauwarm sehr lecker. Bei säuerlichen Pflaumen nach dem Backen mit Streusüße nachsüßen.

Kokostraum

Zutaten für eine Springform (Ø 26 cm) – ergibt 16 Stücke: *Teig: 150 g Halbfettmargarine, 80 g Zucker, 1 Pck. Vanillinzucker, 2 Eier, 150 g Weizenmehl (Type 405), 1 EL Kokosraspel, 2 TL Backpulver, 20 g Kakaopulver, 2 – 3 EL Milch (1,5 %), ½ Fläschchen Rum-Aroma. Füllung: 4 Blatt Gelatine, weiß, 1 Banane, 1 EL Zitronensaft, 250 ml Dickmilch (1,5 % Fett), 6 EL Kokoslikör (z. B. Batida de Coco), 250 ml Schlagcreme, 1 Pck. V.-Zucker, Süßstoff*

Nährwerte pro Stück

166 kcal, 4 g E, 9 g F, 17 g KH, 1,7 KE

- Backofen auf 180 °C (Umluft 160 °C) vorheizen. Margarine, Zucker, Vanillinzucker mit Handrührgerät vermengen, Eier nacheinander zufügen und cremig rühren. Mehl mit Kokosraspeln, Back- und Kakaopulver mischen und löffelweise zu dem Margarine-Ei-Gemisch geben und mit der Milch und Rumaroma zu einem glatten Teig verarbeiten und in eine mit Backpapier ausgelegte Form füllen.
- Im Ofen (mittlere Einschubleiste) 30 Min. backen. Kuchen abkühlen lassen. Die Gelatine in kaltem Wasser einweichen. Banane schälen, mit dem Zitronensaft pürieren, mit der Dickmilch verrühren.
- Die Gelatine leicht ausdrücken, in einem Topf bei schwacher Hitze unter Rühren auflösen. Etwas Bananen-Dickmilch unter ständigem Rühren unter die Gelatine ziehen. Diese Masse zur restlichen Masse geben, Likör hinzufügen und gut verrühren. Creme kalt stellen, bis sie anfängt zu gelieren.
- Schlagcreme und Vanillinzucker steif schlagen und unter die Creme heben, mit Süßstoff abschmecken. Creme auf dem Teigboden verteilen und mind. 1 Stunde kalt stellen. Mit Kokosraspeln verzieren.

Schwarzwälder-Kirsch-Torte

Zutaten für eine Springform (Ø 26) – ergibt 16 Stücke: *4 Eier, 100 g Zucker, 1 Prise Salz, 120 g Mehl (Type 405), 70 g Stärke, 2 TL Backpulver, 2 EL Kakaopulver, 200 ml Schlagcreme (z. B. Rama Cremefine), ¼ Fläschchen Vanillearoma, Süßstoff, flüssig, 2 EL Fruchtaufstrich (Kirsch), 1 Glas Kirschen (350 g), 50 g Schokoraspel*

Nährwerte pro Stück

205 kcal, 4 g E, 6 g F, 24 g KH, 2,4 KE

- Backofen auf 200 °C (Umluft 180 °C) vorheizen. Springform mit Backpapier auslegen. Für den Biskuitteig die Eier trennen, Eigelbe mit 4 EL heißem Wasser verrühren, 50 g des Zuckers zugeben und alles schaumig schlagen.
- Die Eiweiße mit Salz steif schlagen, restlichen Zucker einrieseln lassen. Mehl, Stärke, Backpulver, Kakao mischen und auf die Eigelbmasse sieben. Eischnee darauf geben, alles vorsichtig vermengen.
- Teig in die Form geben, im Ofen (mittlere Einschubleiste) ca. 15 – 20 Min. backen. Kuchen aus der Form nehmen, auskühlen lassen. Biskuit quer in 2 Böden schneiden.
- Schlagcreme mit Vanillearoma und etwas Süßstoff steif schlagen. Den unteren Tortenboden mit Fruchtaufstrich bestreichen. Die abgetropften Kirschen darüber verteilen, gut ⅓ der Creme daraufstreichen. Zweiten Boden aufsetzen, Oberfläche und Rand der Torte mit restlicher Creme bestreichen. Mit Schokoraspel bestreuen und 1 Stunde kalt stellen.

Fruchtige Beerentorte

Zutaten pro Rezept: 160 g Weizenvollkornmehl Type 1700 (8 KE), 75 g Weizenmehl Type 550 (5 KE), 1 Ei, 3 EL Milch (1,5 % Fett), 80 g Margarine, 1 Messerspitze Backpulver, 70 g Magerquark, 1½ TL Süßstoff, 40 g 10 %ige saure Sahne, 200 g Himbeeren (1 KE), 150 g Brombeeren (1 KE), 200 g Rote Johannisbeeren (1 KE), ¾ TL Süßstoff, 1 Pck. Tortenguss, rot, ¼ l Flüssigkeit (Obstsaft, 1 EL Zitronensaft, Wasser), Süßstoff

Nährwerte pro Stück

220 kcal, 6 g E, 10 g F, 24 g KH, 2 KE

- Das Mehl auf ein Backbrett sieben, in die Mitte eine Vertiefung drücken und das Ei sowie die Milch hineingeben.
- Margarine, Backpulver, Magerquark und Süßstoff auf dem Mehlkranz verteilen. Alles von außen nach innen miteinander verkneten und den Teig 30 Min. kühl stellen.
- Zwischen Klarsichtfolie ausrollen, so dass der Teig 1 cm größer ist als für die Fläche der Obstbodenform (24 cm) erforderlich. Den Teig in die beschichtete Form legen und an der äußeren Vertiefung des Randes gleichmäßig abschließen lassen. Mit der Gabel einige Male einstechen und im vorgeheizten Backofen bei 175–200 °C etwa 15 Min. backen. Den Boden in der Form auskühlen lassen und auf eine Tortenplatte stürzen.
- Den Tortenboden mit der sauren Sahne bestreichen.
- Die Früchte verlesen und waschen, den Süßstoff dazugeben und durchziehen lassen. Die Früchte zum Abtropfen auf ein Sieb geben und danach auf dem Tortenboden verteilen.
- Einen Tortenguss (siehe Packungsanleitung) herstellen, gleichmäßig über die Früchte verteilen und erkalten lassen. Die Torte in 8 Stücke teilen.
- Die Torte vor dem Verzehr einige Stunden durchziehen lassen.

Bei der Füllung von Torten können Sie die Gesamtkalorien auf einfachem Wege deutlich reduzieren. Ersetzen Sie einen Teil der Sahne durch Magerquark oder fettreduzierten Frischkäse. Mit pürierten Früchten können Sie ebenfalls kalorienbewusst tolle Füllungen kreieren oder Torten verzieren.

Heidetorte

Zutaten pro Rezept: 3 Eier, 3 EL kaltes Wasser, 25 g Fruchtzucker oder Zucker (2,5 KE), ½ TL Süßstoff, 45 g Buchweizenmehl (3 KE), 20 g Stärkemehl (1,5 KE), 1 TL Kakao, 1 gestr. TL Backpulver, 30 g gemahlene Haselnüsse, 1 Messerspitze Muskat, 1 Messerspitze gemahlene Nelken, 160 g Preiselbeerkompott ohne Zucker (1 KE), ¼ l geschlagene Sahne, Süßstoff, 4 Bl weiße Gelatine

Nährwerte pro Stück

200 kcal, 5 g E, 15 g F, 12 g KH, 1 KE

- Die Eier trennen und das Eiweiß mit dem kalten Wasser zu steifem Schnee schlagen.
- Den Fruchtzucker oder Zucker, Süßstoff und die Eigelbe unter den Eischnee ziehen.
- Buchweizenmehl, Stärkemehl, Kakao und das Backpulver mischen und über die Eiermasse sieben. Haselnüsse und Gewürze darüberstreuen und alles vorsichtig unterheben.
- Den Teig sofort in eine mit Backpapier ausgelegte Springform (24 cm) füllen und im vorgeheizten Backofen bei 180 °C etwa 25–30 Min. abbacken. Den Tortenboden sofort stürzen, das Backpapier abziehen und auskühlen lassen. Den Boden waagerecht durchschneiden.
- Für die Füllung das Preiselbeerkompott gut abtropfen lassen und pürieren. Die geschlagene Sahne darunterziehen und mit Süßstoff abschmecken.
- Die Gelatine in kaltem Wasser einweichen, quellen lassen, ausdrücken, im Wasserbad auflösen und langsam unter die Preiselbeersahne rühren.
- Den untersten Boden sowie die Oberfläche und den Rand der Torte damit bestreichen und kühl stellen.
- Die Heidetorte in 8 Stücke schneiden.

Joghurt-Himbeer-Torte

Zutaten pro Rezept: *4 Eier, 5 Tbl. Süßstoff, 1 EL heißes Wasser, 3 EL kaltes Wasser, 30 g Fruchtzucker oder Zucker (3 KE), 40 g Stärkemehl (3,5 KE), 30 g Weizenmehl Type 550 (2 KE), 1 gestr. TL Backpulver, 500 g Magerjoghurt (2 KE), 300 g Himbeeren, TK oder frisch (1,5 KE), Zitronensaft, Süßstoff, 12 Bl. weiße Gelatine, 200 ml Sahne*

Nährwerte pro Stück ca.

205 kcal, 10 g E, 11 g F, 16 g KH, 1,5 KE

▌ Die Eier trennen. Süßstoff in heißem Wasser auflösen und abkühlen lassen.

▌ Das Eiweiß mit dem kalten Wasser zu steifem Schnee schlagen. Den aufgelösten Süßstoff, den Fruchtzucker oder Zucker und das Eigelb unter den Eischnee ziehen.

▌ Mehl, Stärkemehl und Backpulver mischen, über die Eiermasse sieben und vorsichtig unterheben.

▌ Den Teig in eine mit Backpapier ausgelegte Springform (26 cm) füllen und im vorgeheizten Backofen bei 175–200 °C etwa 12–15 Min. backen.

▌ Den abgebackenen Biskuitboden sofort stürzen, das Backpapier abziehen und den Boden umgekehrt in die Form zurücklegen und auskühlen lassen.

▌ Magerjoghurt und Himbeeren verrühren, mit Zitrone und Süßstoff abschmecken.

▌ Die Gelatine in kaltem Wasser einweichen, quellen lassen, ausdrücken, im Wasserbad auflösen und langsam unter die Joghurt-Himbeer-Masse rühren. Wenn die Masse anfängt steif zu werden, die geschlagene Sahne unterziehen, alles auf dem ausgekühlten Biskuitboden verteilen und kaltstellen. Die Torte in 8 Stücke schneiden.

Kirsch-Quark-Torte

Zutaten pro Rezept: *3 Eier, 4 Tbl. Süßstoff, 1 EL heißes Wasser, 2 EL kaltes Wasser, 10 g Fruchtzucker oder Zucker (1 KE), 45 g Weizenmehl Type 1050 (3 KE), 1 TL Kakao, 1 gestr. TL Backpulver, 30 g feingemahlene Haselnüsse, 400 g Sauerkirschen (4 KE), 6 EL Kompottflüssigkeit, 2 EL Wasser, 3 ml Andickungspulver, 1 EL Rum, Süßstoff, 500 g Magerquark, 1 abgeriebene Zitronenschale/-saft, 5 EL Mineralwasser, 1 TL Süßstoff, 6 Bl. weiße Gelatine, ⅛ l geschlagene Sahne*

Nährwerte pro Stück ca.

205 kcal, 14 g E, 10 g F, 13 g KH, 1 KE

▌ Die Eier trennen. Süßstoff in heißem Wasser auflösen und abkühlen lassen.

▌ Das Eiweiß mit dem kalten Wasser zu steifem Schnee schlagen. Den aufgelösten Süßstoff, den Fruchtzucker oder Zucker und das Eigelb unter den Eischnee ziehen.

▌ Mehl, Kakao und Backpulver mischen, über die Eiermasse sieben, die Nüsse darüberstreuen und alles vorsichtig unterheben.

▌ Den Teig sofort in eine mit Backpapier ausgelegte Springform (26 cm) geben und im vorgeheizten Backofen bei 175 °C etwa 10–15 Min. abbacken. Den abgebackenen Boden sofort stürzen, Backpapier abziehen und umgekehrt in die Form zurücklegen und auskühlen lassen.

▌ Die Sauerkirschen gut abtropfen lassen und auf dem Boden verteilen. Flüssigkeit erhitzen und mit Andickungspulver binden. Mit Rum und Süßstoff abschmecken und über die Kirschen geben.

▌ Quark mit Zitronenschale/-saft, Mineralwasser und Süßstoff verrühren. Gelatine einweichen, quellen lassen, ausdrücken, im Wasserbad auflösen und langsam unter die Quarkmasse rühren. Die geschlagene Sahne unterheben, die Masse auf den Kirschen verteilen und kühl stellen. Die Torte in 8 Stücke schneiden.

Mandelrolle mit Erdbeeren

Zutaten pro Rezept: 3 Eier, 3 EL kaltes Wasser, ½ TL Süßstoff, 20 g Isomalt (1 KE), 45 g Weizenmehl Type 550 (3 KE), 12 g Stärkemehl (1 KE), 40 g gemahlene Mandeln, 100 g Magerquark, 50 g 10 %ige saure Sahne, 1 TL Rum, 180 g frische Erdbeeren (1 KE), ¾ TL Süßstoff, 5 Bl Gelatine

Nährwerte pro Stück

155 kcal, 9 g E, 8 g F, 12 g KH, 1 KE

- Die Eier trennen. Das Eiweiß mit dem kalten Wasser zu steifem Schnee schlagen.
- Süßstoff, Isomalt und die Eigelbe unter den Eischnee ziehen.
- Mehl, Weizenstärke und das Backpulver mischen und über die Eiermasse sieben. Die Mandeln darüberstreuen und alles vorsichtig unterheben.
- Die Hälfte eines Backblechs mit Backpapier auslegen und die Masse zügig darauf verteilen. Im vorgeheizten Backofen bei 180 °C etwa 8 Min. backen. Den gebackenen Teig sofort auf ein feuchtes Geschirrtuch kippen und das Backpapier abziehen. Den Teig mit Hilfe des Tuches aufrollen und etwa 10 Min. so liegen lassen, danach ausrollen.
- Für die Füllung den Quark, die saure Sahne und den Rum verrühren. Die Erdbeeren pürieren, dazugeben und mit Süßstoff abschmecken.
- Die Gelatine in kaltem Wasser einweichen, quellen lassen, ausdrücken, im Wasserbad auflösen, langsam unter die Quarkmasse rühren und kühl stellen. Ist die Masse fest, aber noch streichfähig, wird der Biskuitboden damit bestrichen. Wieder aufrollen und kühl stellen, bis die Füllung schnittfest ist.
- Die Mandelrolle in 6 Stücke schneiden.

Erdbeertorte

Zutaten pro Rezept: 4 Eier, 5 Tbl. Süßstoff, 1 EL heißes Wasser, 3 EL kaltes Wasser, 30 g Fruchtzucker oder Zucker (3 KE), 30 g Weizenmehl Type 550 (2 KE), 40 g Stärkemehl (3,5 KE), 1 gestr. TL Backpulver, 125 g Vanille-Diätpudding (1 KE), 450 g Erdbeeren, frisch (2,5 KE) Süßstoff, ¼ l Flüssigkeit (Erdbeersaft, Wasser, 1 EL Zitronensaft), Süßstoff, 1 Pck. Tortenguss rot

Nährwerte pro Stück

115 kcal, 5 g E, 4 g F, 15 g KH, 1,5 KE

- Die Eier trennen. Süßstoff in heißem Wasser auflösen und abkühlen lassen.
- Das Eiweiß mit dem kalten Wasser zu steifem Schnee schlagen. Den aufgelösten Süßstoff, den Fruchtzucker oder Zucker und das Eigelb unter den Eischnee ziehen.
- Mehl, Stärkemehl und Backpulver mischen, über die Eiermasse sieben und vorsichtig unterheben.
- Den Teig in eine beschichtete Obsttortenform (24 cm) füllen und im vorgeheizten Backofen bei 175 – 200 °C etwa 12 – 15 Min. abbacken, stürzen und auskühlen lassen.
- Den Pudding durchrühren und auf dem ausgekühlten Boden verstreichen.
- Die Erdbeeren waschen, putzen, halbieren, mit Süßstoff süßen und durchziehen lassen. Danach die Früchte auf ein Sieb geben und mit der Schnittfläche nach unten auf dem Tortenboden verteilen.
- Aus der Flüssigkeit (Erdbeersaft, Wasser und Zitronensaft) und dem Tortenguss (siehe Packungsanleitung) einen Guss herstellen, über die Früchte geben und erkalten lassen.
- Die Torte in 8 Stücke schneiden.

Traubentorte

Zutaten für eine Springform (Ø 22 cm) – ergibt 12 Stücke: Teig: 2 Eier, 65 g Zucker, ½ Fläschchen Zitronenaroma, 50 g Mehl (Type 405), 25 g Speisestärke, 1 Msp. Backpulver. Belag: 150 g Trauben, rot, 150 g Trauben, grün, 500 g Joghurt (1,5 %), Süßstoff, flüssig, 6 Blatt Gelatine, weiß, 300 ml Schlagcreme, 150 g Frischkäse Rahmstufe (z. B. Exquisa Joghurt Natur), 2 EL Pistazien, gehackt

Nährwerte pro Stück

174 kcal, 5 g E, 9 g F, 18 g KH, 1,8 KE

- Backofen auf 175 °C (Umluft 150 °C) vorheizen. Eier mit Zucker, Zitronenaroma und 2 EL heißem Wasser cremig aufschlagen. Mehl mit Speisestärke und Backpulver mischen, dazugeben und zu einem glatten Teig verarbeiten. Teig in eine mit Backpapier ausgelegte Springform füllen und im Backofen (mittlere Einschubleiste) 20 bis 25 Min. backen.
- Trauben waschen, halbieren und entkernen. Joghurt mit Süßstoff abschmecken. Gelatine in kaltem Wasser einweichen. Gelatine leicht ausdrücken und in einem Topf bei geringer Hitze auflösen, 2 bis 3 EL des Joghurts zugeben, verrühren und mit dem restlichen Joghurt vermengen, kühl stellen.
- Schlagcreme steif schlagen. Sobald der Joghurt zu gelieren beginnt, ⅔ der Schlagcreme unterheben. Den Tortenboden mit den Trauben belegen (einige aufheben), die Creme daraufstreichen und ca. 1 Stunde kalt stellen. Die restliche Schlagcreme mit Frischkäse verrühren. Torte aus der Springform lösen und den Rand mit der Käsesahne bestreichen. Mit Trauben und Pistazien garnieren.

Saftige Möhrentorte

Zutaten für eine Springform (Ø 24 cm) – ergibt 16 Stücke: *4 Eier, 120 g Zucker, 2 EL Zitronensaft, frisch gepresst, abgeriebene Zitronenschale, 300 g Möhren, 300 g Mandeln, gemahlen, 3 EL Speisestärke, 1 TL Backpulver, Süßstoff, flüssig, Zimt, 1 Prise Salz*

Nährwerte pro Stück

178 kcal, 5 g E, 12 g F, 12 g KH, 1,2 KE

▪ Den Backofen auf 180 °C (Umluft 160 °C) vorheizen. Die Eier trennen. Eigelbe cremig schlagen, Zucker, Zitronensaft und Zitronenschale dazugeben und zu einer glatten Masse verrühren.

▪ Die Möhren waschen, schälen, auf der Reibe fein raspeln und mit den Mandeln unter die Eiercreme ziehen. Die Stärke mit dem Backpulver mischen und ebenfalls untermengen. Die Masse mit Süßstoff und Zimt abschmecken. Die Eiweiße mit einer Prise Salz steif schlagen und vorsichtig unterheben.

▪ Den Teig in eine mit Backpapier ausgelegte Springform füllen. Im Ofen (mittlere Einschubleiste) 30 Min. backen. 10 Min. in der Form auskühlen lassen, dann herauslösen und auf ein Kuchengitter stürzen.

Tipp

Die Oberfläche des Kuchens mit einem Holzstäbchen mehrmals einstechen und mit 2 EL Grand Marnier sowie 2 EL Orangensaft beträufeln.

Latte-Macchiato-Torte

Zutaten für eine Springform (Ø 26 cm) – ergibt 12 Stücke: *Teig: 125 g Halbfettmargarine, 70 g Zucker, 1 Pck. V.-Zucker, 1 Prise Salz, 2 Eier, 200 g Mehl, 50 g Speisestärke, 2 TL Backpulver, 20 g Kakaopulver, 4 EL Milch (1,5 %), ⅛ l starker, kalter Kaffee.* *Belag: 3 Blatt Gelatine, weiß, 400 g Magerquark, 1 TL Süßstoff, flüssig, 200 ml Schlagcreme (z. B. Rama Cremefine z. Schlagen), 4 EL Cappuccinopulver (ungesüßt)*

Nährwerte pro Stück

229 kcal, 15 g E, 10 g F, 26 g KH, 2,6 KE

▪ Backofen auf 180 °C (Umluft 160 °C) vorheizen. Margarine, Zucker, Vanillinzucker und Salz mit dem Handrührgerät verrühren, Eier nacheinander hinzufügen. Mehl mit Stärke, Back- und Kakaopulver mischen und abwechselnd mit der Milch unterrühren.

▪ Den Teig in eine mit Backpapier ausgelegte Springform füllen, glatt streichen und im Ofen (mittlere Einschubleiste) 30 Min. backen. Mehrfach einstechen und mit ⅛ l Kaffee beträufeln, auskühlen lassen.

▪ Gelatine in kaltem Wasser einweichen. Quark mit Süßstoff süßen. Die Gelatine ausdrücken, in einem Topf bei schwacher Hitze unter Rühren auflösen. Etwas Quark in den Topf geben, verrühren und die Masse zum restlichen Quark geben.

▪ Die Schlagcreme steif schlagen und unter den Quark heben. Unter ⅔ der Creme das Cappuccino-Pulver unterrühren. Einen Tortenring um den Teigboden legen. Zuerst die Cappuccinocreme, dann die übrige Creme darauf verteilen und mind. 1 Stunde kalt stellen. Vor dem Servieren mit Kakao bestäuben.

Baileys-Kirsch-Torte

Zutaten für eine Springform (Ø 26 cm) – ergibt 12 Stücke: *Teig: 50 g Halbfettmargarine, 100 g Joghurt (0,2 % Fett), 100 g Zucker Süßstoff, flüssig, 1 Pck. Vanillinzucker, 3 Eier, 150 g Mehl (Type 405), 50 g Speisestärke, 1 TL Backpulver, ½ TL Natron, 2 EL Kakaopulver, 1 Glas Schattenmorellen (350 g).* *Belag: 1 Pck. Paradiescreme Vanille, 200 ml Milch (1,5 %), 50 ml Baileys, 250 g Magerquark, 1 Pck. Tortenguss, rot*

Nährwerte pro Stück

224 kcal, 8 g E, 5 g F, 34 g KH, 3,4 KE

▪ Den Backofen auf 180 °C (Umluft 160 °C) vorheizen. Margarine mit Joghurt, Zucker, etwas Süßstoff, Vanillinzucker und den Eiern schaumig schlagen. Mehl, Stärke, Backpulver und Natron mischen, nach und nach unterrühren.

▪ Die Hälfte des Teiges in eine mit Backpapier ausgelegte Springform füllen und glatt streichen. Den restlichen Teig mit dem Kakaopulver verrühren und auf den hellen Teig streichen. Schattenmorellen abtropfen lassen, den Saft dabei auffangen. Die Kirschen auf dem Teig verteilen. Den Kuchen im Ofen (mittlere Einschubleiste) 35 Min. backen und gut auskühlen lassen.

▪ Die Paradiescreme mit der Milch und dem Likör verrühren, cremig aufschlagen und den Quark unterrühren. Einen Tortenring um den ausgekühlten Kuchen legen und die Creme darauf verteilen.

▪ Aus Tortengusspulver, 100 ml Kirschsaft und 150 ml Wasser nach Packungsanleitung einen Guss (ohne Zucker) zubereiten, von der Mitte aus auf dem Kuchen verteilen. Torte 1 Stunde kalt stellen.

Erdbeeren auf Mohnwolke

Zutaten für eine Springform (Ø 26 cm) – ergibt 12 Stücke: Teig: 3 Eier, 100 g Margarine, 70 g Zucker, 1 Pck. V.-Zucker, 1 Prise Salz, 150 g Mehl (Type 405), 2 TL Backpulver, 1 EL Kakaopulver. Belag: 4 Blatt Gelatine, weiß, 300 g Erdbeeren, 500 g Magerquark, 250 g Mohnbackmischung, 2 EL Milch (1,5 %), 1 Pck. Tortenguss, rot, Süßstoff, flüssig, Zitronenmelisse

Nährwerte pro Stück

226 kcal, 17 g E, 8 g F, 29 g KH, 2,8 KE

▌ Backofen auf 180 °C (Umluft 160 °C) vorheizen. Die Eier trennen. Margarine mit dem Zucker, Vanillinzucker und Salz cremig rühren. Eigelbe einzeln unterrühren.

▌ Mehl mit Backpulver und Kakao mischen, portionsweise unterrühren. Eiweiße steif schlagen und vorsichtig unterheben. Den Teig in eine mit Backpapier ausgelegte Form füllen und glatt streichen. Im Ofen (mittlere Einschubleiste) 30 Min. backen, aus der Form lösen, abkühlen lassen.

▌ Gelatine in kaltem Wasser einweichen. Die Erdbeeren waschen, putzen und vierteln. Quark mit dem Mohn und etwas Milch vermengen. Die Gelatine leicht ausdrücken und in einem Topf unter Rühren auflösen. Etwas Mohn-Quark unter die Gelatine rühren. Zur restlichen Masse geben, gut verrühren.

▌ Einen Tortenring oder Formring um den Boden legen, die Quark-Mohn-Masse daraufgeben und kalt stellen. Die Erdbeeren auf der Torte verteilen. Aus dem Tortengusspulver und 250 ml Wasser nach Packungsanweisung (ohne Zucker) einen Guss zubereiten, mit Süßstoff süßen und auf das Obst streichen. Die Torte mind. 1 Stunde kalt stellen. Mit Melisseblättern dekorieren.

Valentinsherz

Zutaten für eine Springform (Herzform, 1 Liter) – ergibt 6 Stücke: 300 g Himbeeren (TK), Süßstoff, flüssig, 2 Eier, 1 Prise Salz, 50 g Zucker, 1 Zitrone (abgeriebene Schale und Saft), 40 g Mehl (Type 405), 1 EL Weizenkleie, 250 g Magerquark, 60 ml Eierlikör, 1 Pck. Tortenguss, rot, Süßstoff, flüssig

Nährwerte pro Stück
167 kcal, 10 g E, 3 g F, 21 g KH, 2,2 KE

▌ Himbeeren mit etwas flüssigem Süßstoff beträufeln und auftauen lassen. Backofen auf 200 °C (Umluft 180 °C) vorheizen. Backpapier in der Größe der Herzform ausschneiden und Backform auslegen.

▌ Die Eier trennen. Eiweiß mit Salz steif schlagen. Eigelbe mit Zucker, etwas Zitronenschale und 1 EL Zitronensaft mit dem Handrührgerät cremig rühren. Mehl auf die Eicreme sieben, Weizenkleie hinzufügen. Den Eischnee daraufgeben und mit dem Mehl unter die Creme heben. Den Teig in die Herzform gießen und im Backofen (mittlere Einschubleiste) 15 Min. backen. Biskuit auf ein Gitter stürzen und abkühlen lassen.

▌ Quark mit dem Eierlikör glatt rühren, auf den Biskuitboden streichen, die aufgetauten Himbeeren darauf verteilen. Aus Tortengusspulver und 250 ml Wasser nach Packungsanleitung einen Guss (ohne Zucker) zubereiten, mit Süßstoff süßen und von der Mitte aus auf dem Kuchen verteilen.

Tipp

Zum Dekorieren eignen sich geröstete Mandelblättchen.

Mango-Joghurt-Torte

Zutaten für eine Springform (Ø 26 cm) – ergibt 16 Stücke: 150 g Butterkekse, 125 g Halbfettbutter, weich, 2 Mangos (reif), 4 Blatt Gelatine weiß, 400 g Joghurt (1,5 % Fett), Mark einer Vanilleschote, Süßstoff, flüssig, 100 g Schlagcreme (z. B. Rama Cremefine zum Schlagen), Zitronenmelisse

Nährwerte pro Stück
92 kcal, 2 g E, 6 g F, 11 g KH, 1,1 KE

▪ Butterkekse in einen Gefrierbeutel füllen, Beutel verschließen und den Inhalt mit einem Nudelholz oder den Händen zerbröseln. Weiche Butter mit den Bröseln vermischen und in eine mit Backpapier ausgelegte Springform drücken.

▪ Die Mangos schälen, Fruchtfleisch vom Kern schneiden und mit einem Pürierstab pürieren. 5 EL des Fruchtpürees für die Dekoration beiseite stellen.

▪ Gelatineblätter in kaltem Wasser einweichen. Joghurt, restliches Fruchtpüree und das Vanillemark vermischen, mit Süßstoff süßen. Die Gelatine leicht ausdrücken, in einem Topf bei schwacher Hitze unter Rühren auflösen, mit 3 EL der Joghurtmasse verrühren, zum restlichen Joghurt geben und gut verrühren.

▪ Die Schlagcreme steif schlagen und unter die Creme heben. Creme in die Springform füllen, glatt streichen und mind. 2 Stunden in den Kühlschrank stellen. Die Torte mit den 5 EL Fruchtpüree spiralförmig verzieren, mit den Melisseblättchen dekorieren.

Stachelbeer-Schmand-Torte

Zutaten für eine Springform (Ø 28 cm) – ergibt 16 Stücke: Teig: 80 g Halbfettbutter, 50 g Zucker, 1 Ei, 200 g Mehl (Type 405), 1 TL Backpulver. Belag: 500 g Stachelbeeren, 1 Pck. Vanillepuddingpulver, 200 ml Apfelsaft, 1 – 2 TL Süßstoff, flüssig. Guss: 3 Eier, 200 g Schmand, 1 EL Speisestärke, 1 Pck. V.-Zucker, 1 Prise Salz

Nährwerte pro Stück
152 kcal, 3 g E, 6 g F, 21 g KH, 2 KE

▪ Den Backofen auf 180 °C (Umluft 160 °C) vorheizen. Für den Teig Butter und Zucker cremig rühren, das Ei unterrühren. Mehl mit Backpulver mischen und untermengen. Den Teig in eine mit Backpapier ausgelegte Springform füllen.

▪ Stachelbeeren waschen, entstielen, Blütenansätze entfernen. Vanillepuddingpulver mit etwas Apfelsaft verquirlen. Übrigen Saft mit 200 ml Wasser aufkochen, angerührtes Puddingpulver einrühren, 2 Min. köcheln lassen und mit Süßstoff abschmecken. Die Stachelbeeren unterheben und die Masse auf den Teig geben. Den Kuchen im Ofen (mittlere Einschubleiste) ca. 35 Min. backen.

▪ In der Zwischenzeit für den Guss die Eier trennen. Eigelbe mit Schmand, Stärke und Vanillinzucker verrühren. Eiweiße mit Salz steif schlagen und unter die Eigelbmasse heben. Auf dem heißen Kuchen verteilen und weitere 20 Min. backen. Kuchen herausnehmen und abkühlen lassen. Mit Puderzucker bestäuben.

Pfirsich-Melba-Torte

Zutaten für 16 Stücke: *2 helle Biskuit-böden (Ø 26 cm), 1 Ds. Pfirsiche (470 g Abtropfgewicht), 400 g Himbeeren (frisch oder TK), 375 g Dickmilch (1,5 % Fett), 2 EL Zitronensaft, 1 TL Süßstoff, flüssig, 6 Blatt Gelatine, weiß, 200 g Sahne, 1 Pck. Tortenguss, hell*

Nährwerte pro Stück

222 kcal, 5 g E, 7 g F, 25 g KH, 2,5 KE

▌ Einen Biskuitboden auf eine Tortenplat-te setzen, mit einem Tortenring um-schließen. Pfirsiche abtropfen lassen, den Saft auffangen. Pfirsichhälften in Spalten schneiden, die Hälfte davon auf dem Teigboden verteilen.

▌ Himbeeren verlesen, waschen, 150 g beiseite stellen. Restliche Himbeeren pürieren, durch ein Sieb streichen. Mit Dickmilch verrühren, mit Zitronensaft und Süßstoff abschmecken. Gelatine in kaltem Wasser einweichen, leicht aus-drücken, in einem Topf bei schwacher Hitze auflösen, mit 3 EL Himbeer-Dick-milch verrühren, zur restlichen Masse geben, gut vermengen, kalt stellen. Sobald die Masse zu gelieren beginnt, Sahne steif schlagen, die Hälfte unter-heben.

▌ Creme auf den Tortenboden streichen. Mit dem zweiten Boden bedecken. Tor-te etwa 1½ Stunden kalt stellen. Mit der restlichen Sahne Torte und Ränder überziehen. Übrige Pfirsichspalten und Himbeeren dekorativ auf der Torten-oberfläche verteilen.

▌ Aus Tortengusspulver und Pfirsichsaft (evtl. mit Wasser auf 250 ml auffüllen) nach Packungsangabe einen Guss (ohne Zucker) bereiten, die Früchte damit überziehen.

Bunte Beerentorte

Zutaten für eine Springform (Ø 26 cm) – ergibt 16 Stücke: *Teig: 4 Eier, 100 g Zucker, 1 Prise Salz, 75 g Weizenmehl (Type 405), 75 g Speisestärke, 1 Msp. Backpulver. Belag: 200 g Fruchtaufstrich (z. B. Waldbeere), 500 g Beeren, gemischt (z. B. Erdbeeren, Heidelbeeren, Himbeeren), 1 Pck. Tortenguss, rot, Süßstoff, flüssig, 40 g Mandelblättchen*

Nährwerte pro Stück

131 kcal, 3 g E, 3 g F, 22 g KH, 2,2 KE

▌ Den Backofen auf 175 °C vorheizen (Umluft 150 °C). Backform mit Backpapier ausle-gen. Für den Biskuitteig die Eier trennen, Eigelbe mit 2 EL lauwarmem Wasser verrüh-ren, 80 g Zucker zugeben und schaumig schlagen. Die Eiweiße mit Salz und 20 g Zu-cker steif schlagen, auf die Eigelbcreme geben. Mehl, Stärke und Backpulver mischen und darübersieben. Alles vorsichtig vermengen.

▌ Teig in die Form geben, im Ofen (mittlere Einschubleiste) 25 Min. backen. Boden aus der Form nehmen, auskühlen lassen. Biskuit waagerecht durchschneiden. Den unte-ren Boden mit der Hälfte des Fruchtaufstrichs bestreichen und den oberen Boden auf-setzen. Die Beeren putzen, waschen und mit flüssigem Süßstoff süßen.

▌ Die Torte mit dem restlichen Fruchtaufstrich rundherum bestreichen. Die Tortenober-fläche mit den Beeren belegen. Aus Tortenguss und 250 ml Wasser einen Guss (ohne Zucker) zubereiten, mit Süßstoff süßen und die Beeren damit überziehen. Die Man-delblättchen ohne Fett rösten, abkühlen lassen und mit Hilfe einer Teigkarte an den Tortenrand drücken.

Maracujacremetorte

Zutaten für eine Form (26 cm) – ergibt 16 Stücke: Boden: 1 Wiener Boden (hell, 3-lagig). Füllung: 200 g *Sahne,* 1 Pck. Tortencreme Käse-Sahne (z. B. von Dr. Oetker), 100 ml *Maracujanektar, 500 g Magerquark, 200 g Joghurt (0,1 % Fett).* Guss: 2 Pck. *Tortenguss, hell, 200 ml Maracujanektar*

Nährwerte pro Stück
197 kcal, 7 g E, 5 g F, 30 g KH, 3 KE

▪ Den ersten Wiener Boden auf eine Tortenplatte legen. Einen Tortenring oder einen Springformrand um den Teigboden legen. Für die Füllung die Sahne steif schlagen. Cremepulver mit Maracujanektar und 100 ml Wasser gut verrühren. Den Quark mit dem Joghurt vermengen und portionsweise unterrühren. Die Sahne unterheben.

▪ Die Masse auf den Teigboden geben und glatt streichen. Den zweiten Boden auf die Füllung legen und leicht andrücken. Den Guss aus Tortengusspulver nach Packungsanleitung mit Maracujanektar und 300 ml Wasser (ohne Zucker) herstellen und auf den oberen Boden verteilen. Torte etwa 1 ½ Stunden kalt stellen.

▪ Aus der dritten Biskuitlage Herzen oder Sterne ausstechen, mit Dekozucker aus der Tortencreme-Packung bestäuben und auf die Tortenoberfläche legen.

O-Saft-Torte

Zutaten für 12 Stücke: 800 ml *Orangensaft,* 50 g *Aprikosenfruchtaufstrich,* 1 Obsttortenboden (aus dem Backwarenregal), 2 Pck. *Vanillepuddingpulver, Süßstoff, flüssig,* 150 g *Schlagcreme (z. B. Rama Cremefine zum Schlagen),* 1 Pck. *Vanillinzucker,* 20 g *Schokostreusel*

Nährwerte pro Stück
165 kcal, 2 g E, 4 g F, 30 g KH, 3 KE

▪ 2 EL vom Orangensaft mit dem Aprikosenaufstrich verrühren und auf den Biskuitboden streichen. 100 ml Orangensaft mit dem Puddingpulver verrühren, den Rest aufkochen und das Puddingpulver einrühren. 3 Min. köcheln lassen, evtl. mit Süßstoff nachsüßen.

▪ Um den Tortenboden einen Tortenring legen. Die Orangencreme abkühlen lassen und auf den Boden geben. Schlagcreme mit Vanillinzucker steif schlagen und auf der Orangencreme verteilen. Die Torte mit den Schokostreuseln garnieren und 1 Stunde kalt stellen.

Nussrolle

Zutaten pro Rezept: 3 *Eier,* 6 Tbl. *Süßstoff,* 1 EL *heißes Wasser,* 2 EL *kaltes Wasser,* 1 ½ TL *Kakao,* 75 g *gemahlene Haselnüsse,* 150 g *Magerquark,* 2 EL *Mineralwasser,* 1 ½ TL *Rum,* 1 TL *Süßstoff,* 2 Bl. *weiße Gelatine*

Nährwerte pro Stück
90 kcal, 5 g E, 7 g F, 1 g KH, 0 KE

▪ Die Eier trennen. Süßstoff in heißem Wasser auflösen und abkühlen lassen.

▪ Das Eiweiß mit dem kalten Wasser zu steifem Schnee schlagen. Den aufgelösten Süßstoff, das Eigelb sowie die mit dem Kakao vermischten Haselnüsse vorsichtig unter den Eischnee heben.

▪ Die Hälfte des Backblechs mit Backpapier auslegen und die Ei-Nuss-Masse darauf verteilen.

▪ Im vorgeheizten Backofen bei 175 °C etwa 10 Min. backen. Den gebackenen Teig sofort auf ein feuchtes Geschirrtuch kippen und das Backpapier abziehen. Den Teig mit Hilfe des Handtuches aufrollen und auskühlen lassen.

▪ Für die Füllung den Quark mit dem Mineralwasser verrühren und mit Rum sowie Süßstoff abschmecken.

▪ Die Gelatine einweichen, quellen lassen, ausdrücken, im Wasserbad auflösen und langsam unter die Quarkmasse rühren. Die Füllung auf den ausgekühlten Kuchen streichen, wieder aufrollen und kalt stellen.

▪ Die Nussrolle in 10 Stücke schneiden.

Tipp

Da die Nussrolle auch bei mehr als einem Stück keine anzurechnenden Kohlenhydrate enthält, empfiehlt es sich, das Rezept aus rationellen Gründen in doppelter Menge abzubacken.

Weihnachtliches Gebäck

Die Weihnachtszeit bringt zartmürbe Plätzchen und würzig duftende Kuchenkreationen, und das Backen von Plätzchen und Torten ist eine alte Tradition, die auch heute noch ihren Bestand hat.

Vielleicht geht es Ihnen auch so, dass Sie Ihre Erfahrungen aus der Zuckerbäckerei gerne an Ihre Kinder oder Enkel weitergeben und in der Vorweihnachtszeit aufs Neue duftende, zarte, krosse und mürbe Plätzchen backen. Auch wenn die meisten Plätzchen und Torten erst für die Weihnachtstage gedacht sind, schmecken sie auch zum Adventskaffee oder einfach zwischendurch zum Weihnachtstee oder Punsch sehr lecker.

Gesund backen: so einfach geht's

Ganz gleich, ob Sie ein alter Hase in der Backstube oder blutjunger Anfänger sind. Ein paar Tipps und Kniffe erleichtern die zahlreichen Arbeitsschritte und Abläufe. Probieren Sie es aus – Sie werden sehen, wie einfach es geht und wie lecker das Endergebnis ist.

Fettarme Helfer: Backpapier und Silikonbackformen

Die Verwendung von Backpapier ist eine gute Möglichkeit, Fett zu sparen. Springformen und Backbleche können einfach, hygienisch und schnell mit Backpapier ausgelegt werden. Anschließend wird der Teig auf das Papier gelegt und gebacken. Nach dem Backvorgang löst er sich einfach ab, ohne am Papier kleben zu bleiben.

Tipp: damit das Papier auf dem Blech und in der Form besser haftet, geben Sie ein paar Tropfen kaltes Wasser auf Blech oder Form, bevor das Papier darauf kommt. Eine weitere Alternative sind hitzebeständige Silikonbackunterlagen. Sie werden einfach auf das Blech gelegt, darauf der Teig. Sie sind besonders umweltfreundlich, da sie wiederverwendbar sind. Nach dem Backen einfach heiß abwaschen und schon sind sie wieder einsatzbereit.

Fett und Energie können Sie auch mit Silikonbackformen sparen. Die weichen, elastischen Formen sind hitzebeständig bis 200 °C und können auch eingefroren werden, ohne an Qualität einzubüßen. Silikonbackformen müssen nicht mit Backpapier ausgelegt

oder eingefettet werden. Die Backzeit kann sich in ihnen um etwa 20 Prozent reduzieren. Und leicht zu reinigen sind sie auch. Silikonbackformen und -unterlagen sind daher eine lohnende Investition.

Buttergeschmack im Gebäck: leicht gemacht

Viele Kekse bekommen erst durch Butter den typisch unverwechselbaren Geschmack. Wenn Sie lieber Margarine statt Butter in Kuchenteigen verarbeiten und trotzdem nicht auf den Buttergeschmack verzichten möchten, geben Sie ein halbes bis ganzes Fläschchen (je nach persönlichem Geschmack) Buttervanillearoma in den Teig.

Verwenden Sie Butter, können Sie das Aroma trotzdem benutzen, es hebt den zarten Buttergeschmack im Gebäck zusätzlich hervor und das ist einfach nur lecker!

Tipps für die Plätzchenbäckerei

Plätzchenteig für Mürbe- und Kipferlgebäck können Sie bereits zwei Tage im Voraus herstellen. Der gut durchgeknetete Teig sollte dazu einmal mit dem Nudelholz ausgerollt und an-

schließend zur Kugel geformt werden. Als Verpackung eignet sich ein Gefrierbeutel oder Alufolie. Der fertige Teig wartet im Kühlschrank dann auf seine Weiterverarbeitung.

Wenn Sie Kekse von der Rolle schneiden, wie die schwedischen Julkuchen in diesem Kapitel auf Seite 216, rollen Sie den Teig zur Stange auf. So kann der kalte Teig ganz leicht in Stücke geschnitten werden. Damit Sie Plätzchen auch mit Genuss – ohne die Kalorien zu sehr in Anspruch zu nehmen – essen können, bleiben Sie bei den Vorgaben und der Plätzchenanzahl im Rezept. Bei kalten Teigen ist das kein Problem. Doch klebrige Teige wie die Saure-Sahne-Kekse auf Seite 173 sind etwas kniffliger zu portionieren. Hier hilft ein Teelöffel oder ein spezieller Plätzchen-Portionierer aus der Haushaltswarenabteilung. Alternativ können Sie auch einen kleinen Eierbecher nur zur Hälfte füllen, oder mit zwei Teelöffeln kleine Häufchen abstechen. Wichtig ist, dass Sie Portionierhilfen zwischendurch immer wieder in Wasser tauchen, sonst bleibt zu viel Teig an ihnen kleben. Ausrollbare Teige lassen sich prima verarbeiten, wenn sie ganz kalt sind. Mehl sparen

Sie, wenn der Teig zwischen zwei Lagen Klarsichtfolie ausgerollt wird oder Sie eine Silikonbackrolle verwenden. Das ist besonders wichtig für Menschen mit Diabetes. Denn Mehl zum Ausrollen des Teiges liefert zusätzlich anrechnungspflichtige Kohlenhydrate (BE/KE).

Plätzchen, bei denen die Mitte ausgestochen wird, verlieren schnell ihre schöne Form. Leichter geht's, wenn Sie erst eine große Form ausstechen und diese auf ein mit Backpapier ausgelegtes Backblech legen. Auf dem Blech stechen Sie mit einem kleinen Ausstecher die Plätzchenmitte aus. Wenn sich die Mitte schlecht löst, kann sie mit einem Holzstäbchen herausgepickt werden.

Plätzchen mit Schokolade überziehen: so geht's

Möchten Sie Plätzchen mit Schokolade überziehen, gibt es einen einfachen Tipp, damit die getränkten Kekse nicht am Kuchengitter kleben bleiben. Die Lösung heißt: Backpapier oder Silikonbackunterlage. Legen Sie auf ein Tablett, Backblech oder eine Tortenplatte eine Lage Backpapier oder Silikonbackunterlage. Die in Schokolade getauchten Plätzchen kurz abtropfen lassen und daraufsetzen. So lösen sie sich spielend leicht ab.

Gut verpackter Genuss garantiert

Wenn Sie Selbstgebackenes verschenken möchten, sind Weihnachtsservietten, Zellophanbeutel, kleine Pappschachteln mit Papier ausgeschlagen und farbiges Ringelband eine dekorative Idee. Gebäck bleibt hell und frisch, wenn es nebeneinander und lagenweise in einer Metalldose geschichtet wird. Decken Sie jede Schicht mit Pergamentpapier ab und verschließen die Dose fest.

Mürbeteiggebäck zieht während der Lagerung in Metalldosen nach. Sein Aroma intensiviert sich und sie schmecken häufig doppelt so gut. Plätzchen und Stollen können Sie auch gut einfrieren. Zerbrechliches Gebäck friert man auf einer ebenen Unterlage vor und schichtet es dann in Gefrierdosen. Anderes Gebäck kann, in Gefrierbeuteln oder Folienschläuchen zum Einschweißen verpackt, bis zu einem Monat tiefgekühlt bleiben. Kleine Rührkuchen, wie die Weihnachts-Schokomuffins auf Seite 172 oder die

Brownies auf Seite 173, empfehlen sich zum direkten Genuss. In luftdicht verschließbaren Dosen bleiben sie bis zu einer Woche frisch. Damit Sie länger etwas vom köstlichen Gebäck haben, können Sie die kleinen Kuchen auch einzeln verpackt einfrieren.

Kalorienfreundlich backen kein Problem

Die Adventszeit ist für viele die reinste Schlemmersaison. Wenn Sie Ihr Kalorien- und Fettkonto nicht zu stark überstrapazieren und trotzdem auf Geschmack nicht verzichten möchten, gibt es ein paar wertvolle Tipps.

Verwenden Sie fettarme Milch und Joghurt mit 1,5 Prozent Fett. Bevorzugen Sie saure Sahne statt süßer oder spezielle fettreduzierte Sahneprodukte. Verwenden Sie frisches Obst, Tiefkühl- oder Obstkonserven, die ohne Zucker gesüßt sind. Anstelle von großen Zuckermengen können Sie auch mit Trockenobst natürliche Süße ins Gebäck bringen. Ziehen Sie von herkömmlichen Rezepten generell etwa ein Viertel der Zuckermenge ab. Im vorliegenden Backbuch sind die Zuckermengen bereits reduziert. Perfekt zum kalorienfreundlichen Backen ist die Verwendung von flüssigem Süßstoff. Halbieren Sie die Zuckermenge in herkömmlichen Backrezepten und runden den Teig mit flüssigem Süßstoff ab.

Auch in puncto Mehl können Sie kreativ werden: Bevorzugen Sie Mehle der Typen 550, 1050 oder Weizenvollkornmehl mit hellem Mehl im Verhältnis 50 : 50 gemischt. Das macht durch den erhöhten Ballaststoffanteil länger satt und liefert zudem B-Vitamine.

Adventswaffeln

Zutaten für 10 Waffeln: *4 Eier, 10 EL Streusüße auf Aspartambasis, 100 g Butter, ½ Fläschchen Buttervanillearoma, 1 Prise Jodsalz, 1 Prise gemahlenen Anis, 2 EL Zitronensaft, 250 g Weizenkeimmehl, Type 405, 2 TL Backpulver, 250 ml Buttermilch, 3 bis 4 EL Maiskeimöl für das Waffeleisen*

Nährwerte pro Waffel, bei 10 insgesamt

230 kcal, 6 g E, 13 g F, 19 g KH, 2 KE

▌ Die Eier trennen, das Eiklar zu steifem Schnee schlagen und kalt stellen.

▌ Die Eigelbe mit der Streusüße schaumig schlagen, dann Butter, Buttervanillearoma, Salz, Anis und den Zitronensaft zugeben und glatt rühren.

▌ Das Mehl mit dem Backpulver mischen und löffelweise in den Teig rühren, bis er glatt und geschmeidig ist.

▌ Jetzt die Buttermilch in den Teig gießen und abschmecken.

▌ Zum Abschluss den Eischnee vorsichtig unter den Teig heben.

▌ Das Waffeleisen mit einem Pinsel dünn mit Öl bestreichen. Je eine mittelgroße Suppenkelle Teig gleichmäßig auf dem Waffeleisen verteilen und das Eisen zusammendrücken.

▌ Jede Waffel 3 bis 5 Minuten goldgelb backen. Warm servieren und genießen.

Advents-Gewürzstuten

Zutaten pro Rezept: *200 g Weizenvollkornmehl, Type 1700 (10 KE), 150 g Magerquark, 1 Ei, 1 Pr. Salz, 1 – 1½ TL Süßstoff, 2 gestr. TL Backpulver, ½ abger. Zitronenschale, 2 EL Wasser, 50 g gemahlene Mandeln, Milch (1,5 % Fett), ½ abger. Orangenschale, 1 TL Zimt, 1 Msp. gemahlene Nelken, 1 Msp. Kardamom*

Nährwerte pro 45 g = 1 Stück ca.

110 kcal, 6 g E, 4 g F, 13 g KH, 1 KE

▌ Alle Zutaten gut miteinander verkneten, zuerst mit dem elektrischen Knethaken und dann per Hand.

▌ Den Teig in eine kleine beschichtete Kastenform geben und mit Milch bestreichen.

▌ Im vorgeheizten Backofen bei 175 °C etwa 25 – 30 Min. abbacken.

Gewürzkuchen

Zutaten für eine Springform (Ø 24 cm) – ergibt 12 Stücke: *50 g Feigen, getrocknet, 50 g Datteln, getrocknet, 100 g Margarine, 50 g Zucker, 80 g Honig, 1 TL Orangenschale, 1 Prise Salz, 3 Eier, 300 g Mehl (Type 405), 2 TL Backpulver, 1 TL Zimt, gem., 1 TL Kardamom, gemahlen, ½ TL Nelken, gem., ½ TL Ingwer, gem., 1 TL Piment, gem., 3 EL Orangenmarmelade, 30 g Mandeln, gehackt, Zimtstangen*

Nährwerte pro Stück

257 kcal, 5 g E, 10 g F, 36 g KH, 3,6 KE

▌ Backofen auf 175 °C (Umluft 150 °C) vorheizen. Feigen und Datteln hacken. Margarine mit Zucker, Honig, Orangenschale und Salz schaumig rühren, die Eier einzeln unterrühren. Mehl mit Backpulver und den Gewürzen mischen und unter die Margarinemasse rühren. Gehackte Früchte unterheben.

▌ Den Teig in eine mit Backpapier ausgelegte Springform füllen. Im Ofen (untere Einschubleiste) ca. 60 Min. backen. Die Marmelade mit etwas Wasser unter Rühren erwärmen und den noch warmen Kuchen damit bestreichen. Mit gehackten Mandeln bestreuen, mit Zimtstangen dekorieren.

Bethmännchen

*Zutaten für ca. 30 Kugeln: 1 Ei , 45 bis 50 ganze Mandeln, Wasser,
250 g Marzipanrohmasse, 50 g Puderzucker , ½ TL Zimtpulver,
3 EL Weizenmehl, Type 405, 2 EL Zucker, 3 EL Rosenwasser aus
der Apotheke*

Nährwerte pro Bethmännchen, bei 30 insgesamt
85 kcal, 2 g E, 6 g F, 6 g KH, davon 6 g Zucker, 0,5 KE

- Backofen auf 150 °C (Gas Stufe 2, Umluft: 130 °C) vorheizen.
  Backblech mit Backpapier oder -folie auslegen.
- Ei trennen und Eiklar zu steifem Schnee schlagen, kalt stellen.
- Mandeln in einen Topf mit Wasser geben, aufkochen und mit
  kaltem Wasser abschrecken. Schale der Mandeln abziehen, die
  Mandeln halbieren.
- Marzipanmasse mit einem Küchenmesser in eine Schüssel
  schneiden. Puderzucker darübersieben. Marzipanmasse mit
  Eigelb, Puderzucker und Zimtpulver mischen und das Mehl in
  die Schüssel sieben. Alles zu einem glatten Teig verarbeiten,
  zum Schluss den Eischnee zum Teig geben und unterrühren.
- Mit einem Teelöffel kleine gleich große Häufchen abstechen
  und mit angefeuchteten Händen 30 Kugeln rollen. Die Kugeln
  auf das Backblech setzen. Pro Kugel drei Mandelhälften rings-
  herum seitlich andrücken.
- Auf der mittleren Schiebeleiste von unten ca. 10 bis 15 Minuten backen.
- In der Zwischenzeit den Zucker mit dem Rosenwasser in einem Topf verrühren, aufkochen bis sich der Zucker vollständig
  gelöst hat. Die gebackenen Bethmännchen sofort mit der Zu-
  ckerlösung bepinseln, abkühlen und für weitere 5 Minuten in
  den Ofen schieben. Dabei die Backtemperatur auf 170 °C (Gas
  Stufe 2 bis 3, Umluft 150 °C) erhöhen.
- Anschließend die Bethmännchen aus dem Ofen nehmen und
  auf einem Kuchengitter vollständig auskühlen lassen.

Tipp

Mögen Sie die Bethmännchen lieber etwas mürbe, dann backen
Sie die kleinen Kugeln acht bis zehn Minuten, statt fünf.

Bratäpfel

Zutaten für 4 Äpfel: *4 mittelgroße Äpfel mit Schale, 4 EL Preiselbeeren aus dem Glas, 2 EL Preiselbeersud aus dem Glas, 1 Msp. Zimtpulver, 2 EL Zucker, 4 EL gemahlene Mandeln, 2 EL Butter, Wasser*

Nährwerte pro Apfel

175 kcal, 2 g E, 10 g F, 19 g KH, davon 8 g Zucker, 2 KE

- Den Backofen auf 180 °C (Gas Stufe 2 bis 3, Umluft 160 °C) vorheizen.
- Die Äpfel waschen und das Kerngehäuse mit einem Apfelausstecher entfernen.
- Die Preiselbeeren aus dem Glas mit dem Sud, Zimtpulver sowie Zucker mischen und abschmecken, zehn Minuten durchziehen lassen. Die gemahlenen Mandeln mit der Butter und den gewürzten Preiselbeeren mischen.
- Die Äpfel in eine Auflaufform setzen und mit einem Teelöffel die Masse in die Äpfel füllen. Mit etwas Wasser angießen und im vorgeheizten Backofen 20 bis 30 Minuten auf der mittleren Schiebeleiste braten.

Tipp

Es müssen nicht immer Stollen und Plätzchen sein! Ein Bratapfel mit Rosinen, Zimt und etwas Nelke belastet das Kalorienkonto nicht so stark. Die Lust auf Naschen können Sie auch mit diversen Teesorten, z.B. Zimt- oder Vanilletee stillen. Etwas Süßstoff und fettreduzierte Kondensmilch (4 % Fett) machen den Tee süß und lecker cremig.

Spekulatius

Zutaten pro Rezept: *75 g Weizenmehl, Type 1050 (5 KE), 60 g Weizenvollkornmehl, Type 1700 (3 KE), 1 Ei, 20 g Fruchtzucker oder Zucker (2 KE), ½ TL Süßstoff, 25 g Margarine, 50 g 10 %ige saure Sahne, 1 TL Zimt, ½ TL Kakao, 1 Msp. gemahlene Nelken, 1 Msp. Kardamom, 1 Pr. Muskat, 50 g gemahlene Mandeln*

Nährwerte pro 25 g Gebäck

120 kcal, 4 g E, 6 g F, 12 g KH, 1 KE

- Mehl auf ein Backbrett sieben, in die Mitte eine Vertiefung drücken und das Ei hineingeben.
- Fruchtzucker oder Zucker, Süßstoff, Margarineflöckchen, saure Sahne, die Gewürze und die Mandeln auf dem Mehlkranz verteilen. Alles von außen nach innen miteinander verkneten und 30 Min. kühl stellen.
- Den Teig zwischen Klarsichtfolie etwa 3 mm dünn ausrollen und mit einer kleinen Ausstechform (2,5 × 3,5 cm) Rechtecke ausstechen.
- Die Spekulatius auf ein mit Backpapier ausgelegtes Backblech legen und im vorgeheizten Backofen auf der mittleren Schiene bei 200 °C etwa 10 – 12 Min backen.
- 25 g Gebäck, etwa 8 Stück, entsprechen 1 KE.

Erdnuss-Kugeln

Zutaten für 30 Kugeln: *100 g ungesalzene Erdnusskerne, 10 EL Puderzucker, 1 Eigelb, 70 g Butter, 1 Prise Jodsalz, 100 g Weizenmehl, Type 405*

Nährwerte pro Erdnusskugel, bei 30 insgesamt

65 kcal, 1 g E, 4 g F, 6 g KH, davon 4 g Zucker, 0,5 KE

- ½ Fläschchen Buttervanillearoma
- Die ungesalzenen Erdnüsse mahlen, 15 ganze Nüsse für die Garnitur zurückbehalten.
- Den Zucker mit dem Eigelb schaumig schlagen.
- Anschließend die Butter und die Prise Salz zugeben.
- Das Mehl in die Eimasse sieben und zu einem glatten Teig verarbeiten. Jetzt das Erdnussmehl und das halbe Fläschchen Buttervanillearoma dazugeben und zu einem glatten Teig verarbeiten. Abschmecken und dann in Alufolie gewickelt 6 Stunden in den Kühlschrank legen.
- Anschließend den Backofen auf 175 °C (Gas Stufe 2, Umluft 150 °C) vorheizen.
- Aus dem festen, kalten Teig 30 gleich große Kugeln formen. Die Kugeln auf ein mit Backpapier oder Silikonbackfolie ausgelegtes Blech legen, dabei mindestens 2 cm Abstand zwischen den einzelnen Kugeln lassen. Zum Abschluss drücken Sie in jede Kugel eine halbe Erdnuss hinein.
- Backen Sie die Kugeln im vorgeheizten Backofen auf der mittleren Schiebeleiste 15 bis 20 Minuten goldbraun. Die fertigen Kugeln auf einem Kuchengitter vollständig auskühlen lassen.

Weihnachtliches Früchtebrot

Zutaten für 20 Scheiben, *100 g getrocknete Pflaumen, ohne Stein, 100 g getrocknete Aprikosen, ohne Stein, 50 g Zucker, 3 Eier, 3 ml flüssiger Süßstoff, 135 g Instant-Haferflocken, 1 TL Backpulver, 1 Fläschchen Rum-Aroma, 100 g Haselnüsse, gemahlen, 100 g Mandeln, gemahlen, 1 EL Margarine*

Nährwerte pro Scheibe (bei 20 gesamt)

150 kcal, 4 g E, 8 g F, 13 g KH, davon 6 g Zucker, 1,3 KE

▮ Den Backofen auf 170 °C (Gas Stufe 2, Umluft 150 °C) vorheizen. Die Pflaumen und Aprikosen mit einem großen Messer hacken und beiseitestellen. Zucker, Eier und Süßstoff mit den Quirlen des Handrührgeräts schaumig schlagen.

▮ 125 g Haferflocken, Backpulver und das Rum-Aroma in die Eiermasse rühren und die gemahlenen Nüsse zugeben. Alles zu einem glatten Teig verarbeiten und zum Schluss das gehackte Trockenobst mit dem Teig mischen.

▮ Eine Kastenform mit der Margarine einfetten und mit den restlichen Haferflocken ausstreuen. Den Teig in die Kastenform geben und die Oberfläche glatt streichen. Auf der mittleren Schiene 70 bis 90 Min. backen.

▮ Lassen Sie das Früchtebrot vollständig auskühlen. Anschließend können Sie es komplett in Alufolie wickeln – so bleibt es bis zu 2 Wochen frisch.

Gesundes Früchtebrot

Wenn Sie das Früchtebrot eine Woche in Alufolie fest verpackt liegen lassen, hat es seinen geschmacklichen Höhepunkt erreicht. Und es ist sogar weitaus gesünder und kalorienfreundlicher als Stollen und Co. Denn Trockenobst schenkt dem Brot seine natürliche Fruchtsüße und liefert eine gesunde Portion Ballaststoffe.

Weiße Vanillekipferl

Zutaten für zwei Backbleche – ergibt 35 Stücke: *100 g blanchierte Mandeln, gemahlen, 200 g Mehl (Type 405), 1 Prise Salz, 100 g Halbfettbutter, 100 g Vanillejoghurt (1,5 % Fett), 40 g Puderzucker, 1 Pck. Vanillinzucker, 1 Pck. Bourbonvanille-Aroma (z. B. von Dr. Oetker).* Außerdem: *Puderzucker, Vanillinzucker*

Nährwerte pro Stück

53 kcal, 1 g E, 3 g F, 6 g KH, 0,6 KE

- Die gemahlenen Mandeln mit Mehl und Salz mischen. Halbfettbutter, Vanillejoghurt, Puderzucker, Vanillinzucker und Bourbonvanille dazugeben und rasch von Hand zu einem Teig verkneten. Für 1 Stunde kalt stellen.
- Den Backofen auf 180 °C (Umluft 160 °C) vorheizen. Zwei Backbleche mit Backpapier auslegen. Aus dem gekühlten Teig 1 cm dicke Rollen formen. Diese in etwa 5 cm lange Stücke schneiden, zu Halbmonden formen, die an den Enden etwas dünner zulaufen, mit Abstand auf das Backblech legen.
- Im Ofen (mittlere Einschubleiste) etwa 12 Min. backen. Puderzucker und Vanillinzucker vermengen und über die noch heißen Kipferl sieben.

Nussmakronen

Zutaten für zwei Backbleche – ergibt ca. 45 Stücke: *150 g Haselnüsse, gemahlen, 150 g Walnüsse, gemahlen, 1 TL Zimt, gemahlen, 1 Pck. Bourbonvanille-Aroma (z. B. von Dr. Oetker), 4 Eiweiße, 1 Prise Salz, 2 TL Zitronensaft, 80 g Puderzucker*

Nährwerte pro Stück

52 kcal, 1 g E, 4 g F, 3 g KH, 0,2 KE

- Nüsse, Zimt und Vanillearoma mischen. Den Backofen auf 180 °C (Umluft 160 °C) vorheizen. Die Backbleche mit Backpapier auslegen.
- Eiweiße mit einer Prise Salz steif schlagen. Unter Weiterschlagen den Zitronensaft und Puderzucker hinzugeben, bis die Masse glänzt.
- Die Nussmischung unterheben. Mit zwei Teelöffeln kleine Häufchen von der Masse abstechen und auf das Backblech setzen. Im Ofen (untere Einschubleiste) ca. 20 Min. backen.

Schoko-Zimt-Sterne

Zutaten für zwei Backbleche – ergibt ca. 60 Stücke: *180 g Halbfettmargarine, 70 g Zucker, 220 g Mehl (Type 405), Prise Salz, 2 TL Zimt, gemahlen, 60 g Zartbitter-Kuvertüre.* Außerdem: ***Mehl zum Ausrollen***

Nährwerte pro Stück

33 kcal, 0,5 g E, 2 g F, 4 g KH, 0,5 KE

- Margarine und Zucker schaumig rühren. Mehl mit Salz und Zimt mischen und unterrühren. Backofen auf 180 °C (Umluft 150 °C) vorheizen. Teig portionsweise auf einer leicht bemehlten Arbeitsfläche ca. 3 mm dick ausrollen, zu Sternen (ca. 5 cm groß) ausstechen.
- Sterne auf ein mit Backpapier ausgelegtes Backblech legen. Im Ofen (mittlere Einschubleiste) blechweise 12 bis 15 Min. backen. Auskühlen lassen. Kuvertüre hacken, im Wasserbad schmelzen. Die Sterne mit Schokoladenlinien überziehen.

Haferflockenplätzchen

Zutaten für ca. 30 **Stück, 1 Ei, 100 g Butter, 5 EL Zucker, 5 ml flüssiger Süßstoff, ½ TL Zimtpulver, 1 Fläschchen Buttervanillearoma, 100 g kernige Haferflocken, 100 g Feine Haferflocken, 1 TL Backpulver, 5 EL gemahlene Mandeln, 5 EL fettarme Milch, 1,5 % Fett**

Nährwerte pro Haferflockenplätzchen, bei 30 insgesamt
75 kcal, 1 g E, 5 g F, 6 g KH, davon 2 g Zucker, 0,5 KE

▌ Den Backofen auf 180 °C (Gas Stufe 2 bis 3, Umluft 160 °C) vorheizen.

▌ Ei, Butter, Zucker, flüssigen Süßstoff, Zimtpulver und Buttervanillearoma mit den Quirlen des Mixers zu einer schaumigen Masse verrühren. Die Haferflocken mit dem Backpulver mischen und zur Butter-Ei-Masse geben. Zum Schluss die gemahlenen Mandeln zugeben. Gut verrühren und abschmecken.

▌ Zwei Backbleche mit Backpapier oder Silikonbackfolie auslegen. Mit einem Teelöffel 30 gleich große Häufchen abstechen und diese zu Talern formen. Legen Sie etwa 6 bis 7 Stück je Reihe auf das Blech.

▌ Die Taler vor dem Backen mit der fettarmen Milch bepinseln und auf der mittleren Schiebeleiste im vorgeheizten Ofen 15 bis 20 Minuten goldgelb backen.

▌ Im Anschluss gut abkühlen lassen.

Hagebutten-Kokos-Sterne

Zutaten für ca. 80 **Stück: 150 g Weizenvollkornmehl, Type 1050, 100 g Buchweizenmehl, 125 g Butter, 2 Eier, 80 g Honig, etwas flüssiger Süßstoff, 3 EL Hagebuttenmus aus dem Glas, 50 g Kokosraspeln**

Nährwerte pro Stern, bei 80 insgesamt
35 kcal, 1 g E, 2 g F, 3 g KH, davon 0 g Zucker, 0,5 KE

▌ Die beiden Mehlsorten mit der weichen Butter, den Eiern und dem Honig zuerst mit den Knethaken des Mixers mischen. Anschließend mit den Händen zu einem glatten Teig verkneten und je nach Geschmack mit etwas flüssigem Süßstoff abschmecken. Den Teig in Folie verpackt eine Stunde kalt stellen.

▌ Anschließend den Backofen auf 200 °C (Gas Stufe 3, Umluft 180 °C) vorheizen. Den Teig mit einem Nudelholz 3 mm dick ausrollen. Mit einem Sternausstecher 80 Sterne ausstechen.

▌ Drei Backbleche mit Backpapier oder Silikonbackfolie auslegen und die Sterne darauflegen. Das erste Blech auf der mittleren Schiebeleiste 10 bis 15 Minuten backen. Die folgenden Bleche nur 8 bis 10 Minuten backen.

▌ Nun das Hagebuttenmus erwärmen. Die fertig gebackenen Plätzchen damit dünn bestreichen und mit Kokosraspeln bestreuen.

▌ Vollständig auskühlen lassen und in eine Keksdose füllen.

Tipp

Weihnachtszeit – Schlemmerzeit. Aber nicht nur im Festmahl und den Süßigkeiten verstecken sich die vielen Kalorien. Alkoholische Getränke sind ebenfalls nicht ohne! Trinken Sie grundsätzlich Wasser zum Essen und löschen Sie Ihren Durst damit. Spirituosen besitzen besonders viel Alkohol und somit auch viel Energie. Gemischte Getränke wie Weißweinschorle und Alsterwasser (mit Diätlimonade 1:1 gemischt) sollten Sie daher bevorzugen.

Mürbes Teegebäck

Zutaten für *50* **Stück:** *300 g Weizenmehl, Type 405, 1 TL Backpulver, 150 g kalte Butter, 1 Fläschchen Buttervanillearoma, 1 Ei, 8 EL Zucker, 1 Pck. Vanillezucker, 2 Eigelb*

Nährwerte pro Teegebäck,
bei 50 insgesamt

60 kcal, 1 g E, 3 g F, 7 g KH, davon 2 g Zucker, 0,7 KE

▌ Das Mehl mit Backpulver, der kalten Butter, Buttervanillearoma, dem Ei, Zucker und Vanillezucker zu einem Mürbeteig kneten. In Alufolie einwickeln und 1 Stunde kalt stellen.

▌ Anschließend den Backofen auf 175 °C (Gas Stufe 2 bis 3, Umluft 155 °C) vorheizen.

▌ Den kalten Teig dünn ausrollen und 50 Plätzchen in unterschiedlichen Formen (z.B. Sterne, Monde und Herzen) ausstechen. Zwei Backbleche mit Backpapier oder Silikonbackfolie auslegen. Die Plätzchen auf die Bleche legen.

▌ Die Eigelbe in einer Tasse verquirlen und die Plätzchen damit bestreichen.

▌ Im vorgeheizten Backofen bei 175 °C auf der mittleren Schiebeleiste ca. 15 Minuten goldgelb backen.

▌ Vollständig auskühlen lassen und in eine Keksdose füllen.

Tipp

Dieses Universalrezept können Sie nach Ihrer Phantasie abwandeln: mit gemahlenen Nüssen, Lebkuchengewürz, Kakaopulver oder Konfitüre bestrichen, schmecken die Kekse immer wieder anders.

Nusskranz

Zutaten für einen Kranz: *Teig:* *150 g Magerquark, 6 EL Sonnenblumenöl, 1 Ei, 5 ml flüssiger Süßstoff , 1 Fläschchen Rumaroma, 1 Prise Jodsalz, 300 g Weizenmehl, Type 405, 1 Pck. Backpulver. Füllung: 200 g gemahlene Mandeln, 5 EL Zuckerr, 4 ml flüssiger Süßstoff, ½ Fläschchen Bittermandelöl, 2 Eier, 3 bis 4 EL Wasser.* Zum Bestreichen: *1 Eigelb, 2 EL fettarme Milch, 1,5 % Fett*

Der ganze Kranz enthält

3245 kcal, 111 g E, 193 g F, 266 g KH, davon 50 g Zucker, 26,5 KE

Ein Stück Nusskranz mit 25 g enthält

85 kcal, 3 g E, 5 g F, 7 g KH, davon 1 g Zucker, 0,7 KE

▌ Backofen auf 180 °C (Gas Stufe 2 bis 3, Umluft 160 °C) vorheizen.

▌ Quark mit Sonnenblumenöl, Ei, flüssigem Süßstoff, Rumaroma und Salz verrühren. Mehl mit Backpulver mischen und in die Masse sieben. Zu einem geschmeidigen Teig verarbeiten. Den Teig zwischen zwei Lagen Frischhaltefolie mit einem Nudelholz in Form eines Rechtecks ausrollen.

▌ Jetzt für die Füllung die gemahlenen Mandeln mit Zucker, Süßstoff und Bittermandelöl mischen.

▌ Eier trennen und das Eiklar zu steifem Schnee schlagen. Eigelbe mit der Nussmasse mischen und den Eischnee vorsichtig unterheben. So viel Wasser zugeben, dass die Masse glatt und geschmeidig wird.

▌ Füllung gleichmäßig auf dem ausgerollten Teig verteilen. Teig von der längeren Seite hin aufrollen und die Enden verbinden.

▌ Backblech mit Backpapier oder Silikonbackfolie auskleiden und den Kranz darauflegen. Eigelb mit Milch mischen und den Kranz damit bestreichen. Auf der mittleren Schiebeleiste 30 bis 40 Minuten backen. Während des Backvorgangs reißt die Oberfläche des Kranzes leicht auf.

Tipp

Wenn Sie den gut ausgekühlten Nusskranz in Alufolie wickeln, hält er sich bis zu 2 Wochen. Sie können ihn auch in Stücke schneiden und portionsgerecht einfrieren.

Quark-Mandelstollen

*Zutaten für 1 **Stollen** mit 20 **Scheiben**, 250 g Weizenmehl, Type 405, 20 g frische Hefe, 1 EL Zucker, 60 ml fettarme Milch, 1,5 % Fett, 250 g Magerquark, 70 g weiche Butter, 1 Ei, abgeriebene Zitronenschale, 1 Fläschchen Rumaroma, 5 ml flüssiger Süßstoff, 1 Prise Jodsalz, etwas Kardamom, 40 g Mandelstifte*

Der Stollen enthält

1890 kcal, 75 g E, 88 g F, 200 g KH, davon 10 g Zucker, 20 KE

Ein Stück Stollen enthält, bei 20 Scheiben insgesamt

90 kcal, 4 g E, 4 g F, 10 g KH, davon 0,5 g Zucker, 1 KE

▌ Mehl in eine Schüssel sieben, in die Mitte eine Mulde drücken, Hefe hineinbröseln, Zucker und Milch zugeben, verrühren und eine viertel Stunde abgedeckt gehen lassen.

▌ Quark, weiche Butter, Ei, Zitronenschale, Rumaroma, flüssigen Süßstoff, Salz und Kardamom zugeben und alles zu einem glatten Teig verkneten. Die Mandelstifte einarbeiten und den Teig eine halbe Stunde an einem warmen Ort gehen lassen.

▌ Backofen bei 180 °C (Gas Stufe 2 bis 3, Umluft 160 °C) vorheizen. Teig nochmals durchkneten und einen Stollen daraus formen.

▌ Den Stollen auf ein mit Backpapier ausgelegtes Blech legen und weitere 20 Minuten gehen lassen. Im vorgeheizten Backofen auf der mittleren Schiebeleiste etwa 45 Minuten backen.

▌ Sie können den Stollen nach dem Backen mit einer Mischung aus Milch und Eigelb bestreichen und komplett abkühlen lassen. Wickeln Sie den Stollen in Alufolie und lassen ihn fünf bis sieben Tage durchziehen.

Tipp

Überraschen Sie Ihre Lieben mit einem kulinarischen Geschenk und backen Sie, statt eines großen, vier Ministollen. Bestäuben Sie diese mit Puderzucker und verpacken sie in Zellophanfolie mit weihnachtlichem Schleifenband.

Lebkuchen

Zutaten für ein Backblech – ergibt 30 Stücke: *2 Eier, 1 Prise Salz, 100 g Halbfettbutter, 100 g Honig, 2 EL Rum, 3 EL Milch (1,5 % Fett), 300 g Weizenvollkornmehl, 1 TL Zimt, gemahlen, 3 TL Lebkuchengewürz, ½ Pck. Backpulver, 20 g Kakaopulver, Süßstoff, flüssig, 100 g Mandelsplitter*

Nährwerte pro Stück

84 kcal, 3 g E, 4 g F, 9 g KH, 1 KE

- Die Eier trennen. Die Eiweiße mit Salz steif schlagen. Die Butter mit Honig, Eigelben, Rum und Milch schaumig rühren. Das Mehl mit Gewürzen, Backpulver und Kakaopulver mischen. Den Backofen auf 200 °C (Umluft 180 °C) vorheizen. Ein Backblech mit Backpapier auslegen.
- Die Mehlgewürzmischung mit dem Butter-Honig-Gemisch verrühren. Den Eischnee unterheben. Den Teig eventuell mit etwas flüssigem Süßstoff abschmecken. Die Masse gleichmäßig auf das Backblech streichen. Mandelsplitter über den Teig streuen.
- Im Ofen (mittlere Einschubleiste) ca. 20 Min. backen. Den Lebkuchen in gleichmäßige Rauten schneiden.

Tipp

Weihnachtskekse gehören zur unserer Tradition und sollen zur Weihnachtszeit nicht fehlen. Mit ein paar Tricks können Sie auch hier Kalorien sparen. Die in einem üblichen Rezept angegebene Zuckermenge kann gut um ein Viertel reduziert werden – und die Plätzchen schmecken genauso gut. Fettärmer wird der Teig durch Joghurtbutter oder Halbfettmargarine.

Rumbombe

Zutaten für 1 Torte mit 16 Stücken: *Boden: 6 Eier, 250 g Zucker, 250 g Weizenmehl, Type 405, 1 TL Backpulver, etwas Zitronensaft. Füllung: 500 ml fettarme Milch, 1,5 % Fett, 125 g Zucker, 1 Pck. Vanillezucker, 1 Pck. Vanillepudding, 2 Eigelbe, 250 g kalte Butter, 8 EL Rum mit 80 % Alkohol, 250 g Zartbitterkuvertüre, 2 EL Butter, 200 g Mandelstifte*

Nährwerte pro Stück, bei 16 insgesamt

505 kcal, 11 g E, 29 g F, 2 g Alk, 47 g KH, davon 32 g Zucker, 4,7 KE

- Backofen auf 175 °C (Gas Stufe 2, Umluft 155 °C) vorheizen.
- Eier und Zucker schaumig schlagen. Mehl, Backpulver und Zitronensaft zugeben. Springform (Ø 26 cm) mit Backpapier auslegen. Auf der mittleren Schiene 1 Stunde backen.
- Aus Milch, Zucker, Vanillezucker und Puddingpulver einen Pudding kochen. Pudding abkühlen lassen und die Eigelbe in die Masse rühren.
- Butter schaumig schlagen, zwei Esslöffel Vanillepudding zugeben und mit dem Mixer glatt rühren. Restlichen Vanillepudding zugeben. Rum mit der Buttercreme mischen.
- Den Tortenboden in drei Scheiben schneiden. Eine Scheibe wird als Bodenplatte verwendet, die anderen beiden Platten in 2 cm große Würfel schneiden. Die Würfel vorsichtig unter die Buttercrememasse heben und auf die Bodenplatte streichen.
- Kuvertüre mit Butter erhitzen und auf der Kuppel gleichmäßig verstreichen. Die Mandelstifte bei mäßiger Hitze rösten und auf der Kuvertüre verteilen. Die Kuppel auskühlen lassen und in 16 Stücke schneiden.

Spekulatiustorte

Zutaten für eine Springform (Ø 26 cm) – ergibt 16 Stücke:

Teig: 100 g Halbfettbutter, 70 g Zucker, 1 Pck. Vanillinzucker, 2 EL Milch (1,5 %), 1 Prise Salz, 3 Eier, 100 g Mehl (Type 1050), 50 g Haselnusskerne, gemahlen, 1 TL Backpulver, 1 TL Zimt, gemahlen

Belag: 80 g Gewürzspekulatius, 1 TL Zimt, gem., 250 g Schlagcreme (z. B. Rama Cremefine zum Schlagen), Kakaopulver

Nährwerte pro Stück

157 kcal, 3 g E, 10 g F, 14 g KH, 1,5 KE

- Backofen auf 180 °C (Umluft 160 °C) vorheizen. Die Butter schaumig rühren. Nach und nach Zucker, Vanillinzucker, Milch und Salz unterrühren. So lange rühren, bis eine gebundene Masse entsteht. Die Eier einzeln unterrühren.
- Mehl mit Haselnüssen und Backpulver mischen, löffelweise unter die Butter-Zucker-Masse rühren. Den Teig in eine mit Backpapier ausgelegte Springform füllen und glatt streichen. Im Ofen (mittlere Einschubleiste) 25 bis 30 Min. backen. Tortenboden aus der Form lösen, abkühlen lassen.
- Spekulatius in einen Gefrierbeutel füllen und zerbröseln. Schlagcreme steif schlagen, die Brösel mit Zimt mischen und unterheben, evtl. mit Süßstoff nachsüßen. Einen Tortenring um den Tortenboden legen, Creme auf den Boden streichen. Torte mind. 1 Stunde kalt stellen.
- Mit Kakaopulver einen Stern (Schablone aus Pergament- oder Backpapier) auf die Tortenmitte stäuben, mit Spekulatiusstücken verzieren.

Schoko-Crossies

Zutaten für ca. 40 Stück · Ohne Back-ofen: *150 g Zartbitterschokolade, 150 g Vollmilchschokolade, 25 g Kokosfett, 50 g Zucker, 1 Pck. Vanillezucker, 100 g gehack-te Mandeln, 150 g Cornflakes, natur*

Nährwerte pro Crossie, bei 40 Stück insgesamt

70 kcal, 1 g E, 4 g F, 8 g KH, davon 5 g Zucker, 1 KE

▌ Die Schokoladen und das Kokosfett in kleine Stücke brechen und im Wasser-bad unter Rühren langsam schmelzen. Anschließend den Zucker und Vanille-zucker unterrühren und leicht abküh-len lassen.

▌ Jetzt mit den gehackten Mandeln und den Cornflakes mischen. Zwei Bleche mit Backpapier oder Alufolie auslegen und mit zwei Teelöffeln 40 gleich große Häufchen auf die Bleche setzen.

▌ Kalt stellen und auch später im Kühl-schrank oder der kühlen Vorratskam-mer lagern.

Tipp

Sie können Schoko-Crossies auch mit weißer Schokolade und Vollkorn-Corn-flakes herstellen.

Walnusskuchen

Zutaten für eine Springform (Ø 26 cm) – ergibt 16 Stücke:
Teig: *250 g* Mehl (Type 405), *1 Msp.* Backpulver, *50 g* Zucker,
1 Prise Salz, *1 Pck.* Vanillinzucker, *125 g* Halbfettbutter, *1 Ei*.
Füllung: *250 g* Walnusskerne, *50 g* Zucker, *200 ml* Kondensmilch
(4 % Fett). *Zur Dekoration: 16* Walnusskernhälften

Nährwerte pro Stück
255 kcal, 5 g E, 14 g F, 27 g KH, 1,5 KE

▌ Puderzucker zum Bestäuben

▌ Aus Mehl, Backpulver, Zucker, Salz, Vanillinzucker, Butter und
Ei einen glatten Teig kneten und ca. 45 Min. im Kühlschrank
ruhen lassen. Walnüsse grob hacken. Zucker in einem Topf unter
Rühren schmelzen lassen. Wenn er sich gelblich färbt, die
Kondensmilch (bis auf 1 EL) zufügen und erhitzen. Nüsse unterrühren
und abkühlen lassen.

▌ Backofen auf 175 °C (Umluft 150 °C) vorheizen, Backform mit
Backpapier auslegen. Den Teig in eine etwas größere und
eine kleinere Portion teilen. Die größere Teigportion in die
Springform drücken und einen Rand hochziehen. Tortenboden
mehrmals einstechen. Restlichen Teig zu einer Platte von etwa
26 cm ausrollen.

▌ Nussmasse auf dem Teigboden verteilen, Teigdecke darüberlegen
und an den Teigrand drücken. Teigdecke mehrfach mit
einer Gabel einstechen und mit der restlichen Kondensmilch
bestreichen. Im Ofen (mittlere Einschubleiste) 40 Min. backen.
Vor dem Servieren mit Puderzucker bestäuben und mit Walnüssen
belegen.

Schwedische Julkuchen

Zutaten für ca. 36 Taler: *250 g* Butter, *1 Fläschchen* Buttervanillearoma,
100 g Zucker, *1 Ei*, *400 g* Weizenmehl, Type 405, *2 TL*
Backpulver, *1 Prise* Jodsalz, *1 Eiweiß*, *50 g* Zucker, *3 TL* Zimtpulver

Nährwerte pro Taler, bei 36 insgesamt
90 kcal, 1 g E, 6 g F, 12 g KH, davon 4 g Zucker, 1,2 KE

▌ Die Butter mit dem Aroma, Zucker und Ei schaumig rühren.

▌ Das Mehl mit dem Backpulver und Salz mischen und in die Eimasse
sieben. Alles zu einem glatten Teig kneten und in Alufolie
gewickelt 3 Stunden in den Kühlschrank legen.

▌ Anschließend den Backofen auf 180 °C (Gas Stufe 2 bis 3, Umluft
160 °C) vorheizen.

▌ Das Eiklar zu steifem Schnee schlagen und kalt stellen. Den
Teig dritteln und die drei Portionen nacheinander verarbeiten.

▌ Nur jeweils ein Stück Teig aus dem Kühlschrank nehmen, damit
er nicht zu weich wird. Den Teig zu einer langen, gleichmäßig
dicken Rolle formen. Aus jeder Rolle 12 gleich große
Taler schneiden. Zwei Backbleche mit Backpapier oder einer
Silikonbackunterlage auslegen. Die Taler darauflegen.

▌ Zucker und Zimt mischen. Die Taler mit Eischnee bestreichen
und mit der Zucker-Zimt-Mischung bestreuen.

▌ Auf der mittleren Schiebeleiste 8 bis 10 Minuten goldgelb
backen.

Vanillekipferl

Zutaten für ca. 40 Kipferl: 120 g gemahlene Mandeln, 300 g Weizenmehl, Type 405, 70 g Zucker, 1 Prise Jodsalz, 200 g kalte Butter, ½ Fläschchen Buttervanillearoma, 2 Eigelb, 6 Pck. Vanillezucker, ½ Tasse Puderzucker

Nährwerte pro Kipferl, bei 40 insgesamt

65 kcal, 2 g E, 6 g F, 10 g KH, davon 5 g Zucker, 1 KE

- Die Mandeln mit dem Mehl in einer Schüssel mischen. Zucker und die Prise Salz zugeben. Die eiskalte Butter in Flöckchen schneiden und mit den Zutaten mischen. Zum Abschluss das Buttervanillearoma und die Eigelbe dazugeben und alles zu einem Mürbeteig verkneten.
- Den Teig in Alufolie wickeln und zwei Stunden im Kühlschrank ruhen lassen.
- Anschließend den Backofen auf 180 °C (Gas Stufe 2 bis 3, Umluft 160 °C) vorheizen. Zwei Backbleche mit Backpapier oder backfester Silikonbackfolie auslegen.
- Aus dem kalten Mürbeteig bleistiftdicke Röllchen formen. Die Röllchen in fünf Zentimeter lange Stücke schneiden und zu kleinen Halbmonden formen. Die fertigen Halbmonde (Kipferl) auf die Backbleche legen.
- Auf der mittleren Schiebeleiste ca. 10 Minuten backen.
- In der Zwischenzeit Vanillezucker und Puderzucker auf einem großen Teller mischen. Die fertig gebackenen, noch warmen Kipferl sofort in der Zuckermischung wälzen und auf einem Kuchengitter abkühlen lassen.

Winterlicher Glühweinkuchen

Zutaten für eine Gugelhupfform (Ø 20 cm) – ergibt 20 Stücke: 2 Eier, 150 g Halbfettbutter, 100 g Honig, 250 g Mehl (Type 405), 3 TL Backpulver, 2 TL Zimt, gemahlen, 100 ml Glühwein, 150 g Haselnüsse, gemahlen, 50 g Schokolade, geraspelt, Süßstoff, flüssig, 1 Prise Salz.
Außerdem: **Fett und Grieß für die Form**

Nährwert pro Stück

158 kcal, 4 g E, 9 g F, 15 g KH, 1,5 KE

- Den Backofen auf 180 °C (Umluft 160 °C) vorheizen. Die Gugelhupfform dünn einfetten, mit etwas Grieß ausstreuen. Eier trennen.
- Für den Teig die Butter, Honig und Eigelbe cremig rühren. Mehl mit Backpulver und Zimt mischen und abwechselnd mit Wein und Nüssen zu der Buttermasse geben. Alles zu einem glatten Teig verarbeiten, Schokolade unterheben, mit Süßstoff abschmecken.
- Eiweiße mit Salz steif schlagen und vorsichtig unter den Teig heben. Den Teig in die Form füllen. Im Ofen (untere Einschubleiste) ca. 50 Min. backen.

Zimtsterne

Zutaten für ca. 30 Stück: 3 Eiklar, 1 Prise Jodsalz, 150 g Zucker, 250 g gemahlene Mandeln, 1 TL Zimtpulver, 1 Prise gemahlene Nelken, 1 EL Aprikosenkonfitüre (10 g)

Nährwerte pro Zimtstern, bei 30 insgesamt

80 kcal, 2 g E, 5 g F, 7 g KH, davon 6 g Zucker, 0,7 KE

- Backofen auf 150 °C (Gas Stufe 2, Umluft 130 °C) vorheizen.
- Ein Backblech mit Backpapier auslegen. Auf das Blech ein paar Tropfen Wasser geben und das fertig zugeschnittene Backpapier darauflegen oder eine Silikonbackunterlage verwenden.
- Das Eiklar mit der Prise Salz zu steifem Schnee schlagen. Dabei unter Rühren den Zucker langsam einrieseln lassen und weiterrühren, bis die Masse glänzt. 3 Esslöffel von der fertigen Eiweißmasse zur Seite stellen.
- Die Mandeln mit Zimt, gemahlenen Nelken und der Aprikosenkonfitüre mischen und unter die Eiweißmasse ziehen und abschmecken. Zu einem gut ausrollbaren Teig verarbeiten.
- Den Teig auf einer bemehlten Arbeitsfläche gleichmäßig etwa 2,5 cm dick ausrollen.
- Aus dem Teig 30 Sterne in gleicher Größe ausstechen und auf das vorbereitete Blech legen. Mit einem kleinen Küchenmesser die restliche Eiweißmasse exakt und gleichmäßig auf den Sternen verteilen.
- Jetzt etwa 15 Minuten backen. Achtung: die Oberfläche der Sterne darf nicht bräunen, sonst werden sie zu hart und trocken.
- Aus dem Ofen nehmen und auf einem Kuchengitter abkühlen lassen.

Rezeptverzeichnis

Rezeptverzeichnis

Rezeptverzeichnis

Register

Impressum

Liebe Leserin, lieber Leser,
hat Ihnen dieses Buch weitergeholfen? Für Anregungen, Kritik, aber auch für Lob sind wir offen. So können wir in Zukunft noch besser auf Ihre Wünsche eingehen. Schreiben Sie uns, denn Ihre Meinung zählt!

Ihr TRIAS Verlag

E-Mail Leserservice: heike.schmid@medizinverlage.de

Adresse:
Lektorat TRIAS Verlag, Postfach 30 05 04,
70445 Stuttgart
Fax: 0711-8931-748

Bibliografische Information
der Deutschen Nationalbibliothek
Die Deutsche Nationalbibliothek verzeichnet diese Publikation in der Deutschen Nationalbibliografie; detaillierte bibliografische Daten sind im Internet über http://dnb.d-nb.de abrufbar.

Programmplanung: Uta Spieldiener

Redaktion: Thomas Kopal
Bildredaktion: Thomas Kopal, Christoph Frick

Umschlaggestaltung und Layout:
Cyclus · Visuelle Kommunikation, 70186 Stuttgart

1. Auflage

© 2009 TRIAS Verlag in MVS Medizinverlage Stuttgart GmbH & Co. KG
Oswald-Hesse-Straße 50, 70469 Stuttgart

Printed in Germany

Satz: Cyclus · Media Produktion, 70186 Stuttgart
gesetzt in: InDesign CS4
Druck: Offizin Andersen Nexö Leipzig GmbH, 04442 Zwenckau

Gedruckt auf chlorfrei gebleichtem Papier

ISBN 978-3-8304-3493-1   1 2 3 4 5 6

Der oberste Abschnitt aus dem Kapitel „Kohl – leichter Genuss" auf S. 94 ist folgendem Buch entnommen: Gätjen, E.: Das geniale Familienkochbuch. TRIAS 2009

Umschlagfoto vorn: Stockfood
Umschlagfotos hinten: oben: Chris Meier, Stuttgart; Mitte: Fridhelm Volk, Stuttgart; unten: Pitopia
Fotos im Innenteil: ccvision: S. 21 links, 29, 51, 72, 95, 100 oben, 142 oben, 158; CMA-Fotoservice: S. 44/45, 151; Corbis: S. 18, 26, 27 links, 180 oben; Corel Stock: S. 79; Fancy/Jupiter Images: S. 46, 48 unten, 57 unten, 102 unten, 103 unten, 138, 140 unten; Gettyimages: S. 190; Image Source: S. 30; Frank Kleinbach, Stuttgart: S. 161, 184; Chris Meier, Stuttgart: S. 8/9, 16, 24/25, 36/37, 43 links, 49, 58/59, 108/109, 118/119, 136/137, 146/147, 166/167, 176/177, 202/203; MEV: S. 6, 19, 100 unten, 205; Photo Alto: S. 4, 63, 92 oben, 113 oben, 140 oben, 143, 153 oben, 157 unten, 164, 208, 217; Photo Disc: S. 71, 88; Photononstop: S. 20, 21 rechts, 48 oben, 123; Pitopia: S. 60, 61, 102 oben; Pixelquelle: S. 211 unten, 216 oben; Pixland/ F1: S. 11, 12, 13, 14, 15, 33; Shotshop: S. 27 rechts, 55, 77, 85, 86, 94, 103 oben, 105, 111, 117, 130 oben, 148, 149, 163, 173, 179, 191; Stockbyte: S. 17, 28, 32, 157 oben; Stockfood: S. 215; Fridhelm Volk, Stuttgart: S. 40, 42, 43 rechts, 47, 50, 52, 53, 54, 56, 57, 62, 64, 65, 67, 69, 73, 75, 76, 78, 80, 81, 82/83, 87, 89, 90, 92 unten, 97, 98, 101, 104, 106, 112, 113 unten, 114, 115, 121, 122, 124, 125, 128, 129, 130 unten, 131, 132, 133, 134, 135, 139, 141, 142 unten, 144, 145, 150, 152, 153 unten, 154, 156, 159, 160, 162, 165, 169, 170, 171, 172, 174, 180 unten, 181, 183, 185, 188, 189, 192, 193, 194, 197, 198, 199, 200, 207, 207, 209, 210, 211 oben, 212, 213, 216 unten; Westend61/F1: S. 41; Bernhard Widmann, Stuttgart: S. 23;

Gut beraten – gesund ernährt
Über 25000 aktuelle Nährwerte

Einzigartig: mit Angaben pro 100 g und Portions-werte

Die große Wahrburg/Egert
Kalorien- & Nährwerttabelle

Erstmals auf einen Blick:

Mit den Nährwerten
- pro Portion
&
- pro 100 g

Fruktose · Fett · Fettsäuren · Kalzium · Laktose · Energiedichte · Vitamine

TRIAS

CHF unverbindliche Preisempfehlung

Wahrburg/Egert
Die große Wahrburg/Egert
Kalorien- & Nährwerttabelle
ca. € 14,95 [D] / € 15,40 [A] / CHF 27,50
ISBN 978-3-8304-3419-1

In Ihrer Buchhandlung

www.trias-gesundheit.de

TRIAS
wissen, was gut tut

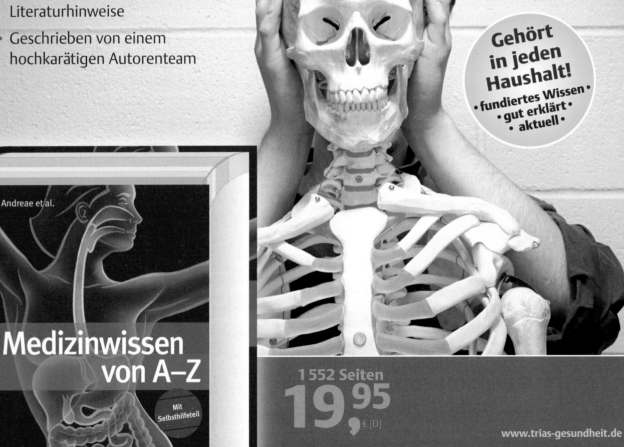